ATTRAVERSO I SECOLI

RITRATTI DI ILLUSTRI ITALIANI

Domenico Vittorini
University of Pennsylvania

Sponsored by
THE CURTIS INSTITUTE OF MUSIC

HOLT, RINEHART AND WINSTON • NEW YORK

Library of Congress Catalog Card Number: 56-11942

SBN 03-016540-7

12345 075 98765

PRINTED IN THE UNITED STATES OF AMERICA

With devotion and affection

to my friend

MARY CURTIS ZIMBALIST

*whose love of the arts and
generosity has opened to our
youth many of the cultural
treasures that Italy has given
to the world.*

P R E F A C E

THE AIM of the present book is to present profiles of outstanding Italians: men of letters, thinkers, painters, sculptors, musicians, scientists, and architects, whose names are veritable milestones along the course which the history of Western civilization has followed. It is designed for use at the 4th and 5th semesters in our schools, and for the 2nd or 3rd semester course in college. It will also have unusual appeal to the general reader, who today more than ever before is coming to a realization of the need for the integration of the technological growth of our age with the cultural heritage of the past.

It is hoped that *Attraverso i secoli* will stimulate the imagination and contribute to the cultural background of the student of Italian. Rather than teach pupils unrelated words and topics, I feel that it is desirable to integrate the study of Italian with that of other subjects in the curriculum. It should be complementary to the study of English, history, and the sciences.

The ultimate goal of the student is complete understanding of the Italian text without the intervention of English. Translation, however, is usually necessary at first. But translation should be the means to an end. After the text has been read aloud in Italian in the classroom and, if necessary, translated into English, it should be discussed, possibly in Italian, by the teacher. Then the exercises in the back of the book can be worked out in class by the pupils. I, myself, find it helpful to allow the pupil to have his textbook open in front of him and consult the text while answering questions based on it. I also prefer to have one pupil ask a given question, and another pupil answer it.

Variety being the spice of life, I have tried to provide several different types of exercises. And, in order to avoid too great uniformity, which often spells lethargy, I have varied their order as well as content. The instructor

can, and probably will, add additional exercises treating definite cultural data related to each chapter.

For simplicity's sake, I have taken particular care to use Italian words that resemble their English cognates, but not at the sacrifice of naturalness or acceptable style. The reader will, I believe, be pleasantly surprised at the great number of such words. It is particularly important, then, to provide training in pronunciation and oral comprehension, for while many words look alike and have similar meaning in our two languages, they are utterly different in pronunciation. Reading aloud, and clearly, will train the pupil's ear.

The captions of the illustrations have been culled from the text whenever possible, and have been translated into English with the specific purpose of facilitating the understanding of the text. Fuller explanation of the illustrations, with credit to the sources from which they are taken, will be found on pages 274-276.

The method of marking used in the vocabulary is substantially the same as that found in my *Italian Grammar* and *Italian Reader*. It was devised with the help of the outstanding lexicographer, Dr. Edwin B. Williams, of the University of Pennsylvania. It is a pleasant duty to reiterate my gratitude to him on this occasion.

I also wish to express my appreciation to three of my pupils: Patricia Crawford, Joan Gotwals, and William Derbyshire for their assistance in the mechanical preparation of the manuscript.

My deepest gratitude goes to my wife without whose help and devotion this book would never have been completed.

DOMENICO VITTORINI

C O N T E N T S

GUIDO D'AREZZO

SECOLO DECIMOPRIMO I

GUIDO D'AREZZO fu un buon monaco che visse nel secolo decimoprimo e che nel silenzio della sua cella si dedicò alla musica. È considerato il fondatore della musica polifonica moderna. Fu anche uno dei primi uomini che scrissero trattati di teoria musicale.

5 Prima di Guido d'Arezzo la musica era rappresentata dal canto gregoriano, così chiamato da Papa Gregorio Magno (590-604) che vi diede ordine e forma. Nel canto gregoriano la musica era monocorde e veniva espressa per mezzo delle prime sette lettere dell'alfabeto disposte a maggiore o minore altezza sull'unico rigo che

10 a quel tempo formava la scala musicale. Guido d'Arezzo aggiunse al canto l'accompagnamento ed aggiunse anche tre righi alla scala musicale a causa della maggiore complessità delle sue composizioni. Il quinto rigo fu aggiunto nel secolo decimosesto, dopo l'invenzione della stampa.

15 Dobbiamo a Guido due trattati musicali in latino: *De artificio novi cantus (La tecnica del nuovo canto)* e *De divisione monochordi secundum Boetium (Della divisione della musica monocorde secondo Boezio)*. Prima di lui avevano scritto trattati musicali Sant'Agostino e Boezio. Poi era intervenuto un lungo silenzio che egli ruppe con le

20 sue audaci innovazioni.

3

nouer... ...fed haec

locutu... ...ut cum uenerit ho

ra eorum reminiscamini · quia ego

dixi uobis·

OF Benedictus sit deus pater unigenitus que dei filius sanctus quoqᷓ

spiritus quia fecit nobiscum misericordiam suam · ℣ Benedi

camus patrem & filium cum san cto spiritu laudemus & super

exaltemus eum in secula · SECRETA ·

anctifica qs dne per tui nominis

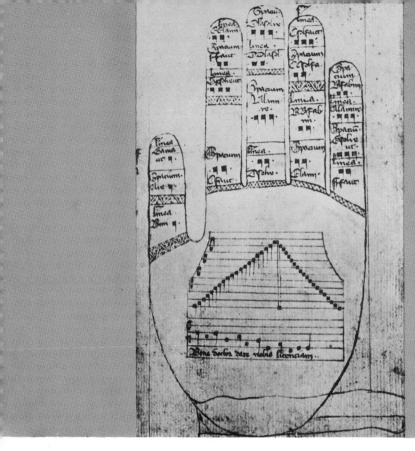

A SINISTRA: *(In alto)* La musica di Guido. *(In basso)* Musica del canto gregoriano dal missale di Alcuino del secolo nono. IN ALTO: Il metodo di Guido nell'insegnare la musica. [LEFT: *(Above)* Guido's music. *(Below)* Music of the Gregorian chant, from Alcuin's missal of the ninth century. ABOVE: Guido's method of teaching music.]

Guido riprese lo studio della musica in un momento molto importante nella storia dell'Europa. Nel secolo decimoprimo l'Europa che, dopo la caduta dell'impero romano e durante le invasioni barbariche, era stata vinta da una specie di torpore intellettuale, si risvegliò da
5   quel lungo sonno. I traffici nel Mediterraneo si intensificarono; migliorarono i metodi dell'agricoltura; la popolazione aumentò e le arti incominciarono a rifiorire. Questa nuova vita segna l'alba di quella grande epoca che va sotto il nome di Rinascimento. Guido d'Arezzo fu uno degli uomini nuovi che prepararono quest'epoca gloriosa della
10   storia umana.

Guido morì nel 1050. Chi oggi visita la città d'Arezzo ammira nel centro della piazza principale la statua che la città natale ha innalzata in onore di questo umile frate e grande cultore della musica.

5

SAN FRANCESCO DI ASSISI

SAN FRANCESCO è una delle anime più elementari, eppure più profonde, che si incontrino nella storia. Era un uomo di statura sotto la mediana, dai lineamenti fini e salienti. Così ce lo ha tramandato la tradizione pittorica da Giotto in poi. Possedeva una volontà ferrea ed
5 una mentalità praticissima che mise a servizio della causa del bene e dell'amore dei suoi simili. Dopo una gioventù spensierata e gaia si diede alla vita religiosa perché la vita mondana gli sembrò vacua e stolta. L'amore di Dio, degli uomini e della natura riempì il suo cuore e la sua esistenza. Sentiva una pace infinita quando guardava
10 il mondo e vedeva la bellezza del cielo e della terra. Tutto era riflesso di Dio: l'acqua casta, il fuoco rosso e potente, le stelle chiare e belle, il sole che feconda la terra d'erbe e di fiori.

Gli Italiani erano i più importanti mercanti europei nel Duecento e nel Trecento. Trafficavano specialmente con la Francia, l'Inghilterra
15 ed i Paesi Bassi. Il nome Francesco (che in realtà significa *francese*) gli fu dato al battesimo per ricordare il fatto che il bambino era nato in Francia, dove il padre trafficava in tessuti.

San Francesco è il primo grande poeta della letteratura italiana. Il suo *Inno delle creature* è un gioiello di poesia lirica. Riflette l'anima
20 buona del santo come limpido specchio, e rivela in lui un vero poeta. Chi guarda l'acqua e pensa alla castità, chi vede il fuoco e pensa alla potenza delle fiamme, chi guarda il cielo e sente la chiarezza delle stelle, possiede un'anima di vero poeta lirico. Il sentimento della natura era parte viva della sua anima, e quando il santo l'espresse esso
25 divenne pura e limpida poesia. Per questo chiamò la natura "madre terra" e "sorelle" le stelle e la luna, e "fratelli" il vento ed il fuoco. Al sole riservò il titolo di "signore" oltre a quello di "fratello", perchè il sole portava alla sua anima il significato di Dio creatore e signore del mondo.

A SINISTRA: Chiesa di San Francesco in Assissi. A DESTRA: Vespro a San Damiano in Assisi. [LEFT: Church of St. Francis, Assisi. RIGHT: Dusk at San Damiano, Assisi.]

San Francesco fu anche uomo di azione. Fondò un ordine religioso che si chiamò francescano, e lavorò febbrilmente per la pace fra gli uomini. Rinunziò alle ricchezze del padre, il quale fu molto sdegnato di tale pazzia, e si ritirò nell'Umbria dove visse in preghiera ed in
5 contemplazione in un piccolo eremo nelle vicinanze di Assisi. Di tanto in tanto abbandonava il suo eremo e visitava le varie città italiane parlando dell'amore di Dio ed invitando tutti al bene ed alla pace. Dove passava si lasciava dietro una scia di bontà. Andò anche in Terra Santa, dove allora si combattevano le guerre delle Crociate, ma solo
10 per portarvi il suo messaggio di pace. Si dice che passasse inerme fra le truppe nemiche ed andasse alla presenza del Sultano per parlargli dell'amore di Dio e degli uomini.

Quando sentì che la morte si avvicinava, ordinò ai suoi seguaci che lo spogliassero di ogni vestimento, e così, nudo, come lo aveva fatto
15 madre natura, rese l'anima a Dio sulla nuda terra. Fino a tal punto amò la povertà. Morì nell'anno 1226.

La vita del Santo ispirò un suo umile e sconosciuto seguace a scrivere verso il 1250 la sua biografia in latino. Un anonimo traduttore la mise in volgare al principio del secolo seguente con il titolo di *Fioretti*.
20 L'autore si rivela grande artista nella semplicità ed efficacia della sua prosa che riflette bellamente il carattere così umano di San Francesco.

9

XPO SUM
CONFI CRU
XUS CFUI

L'ordine francescano ricevé l'approvazione di Papa Innocenzo III
nel 1210 e fu dichiarato parte della Chiesa da Onorio III nel 1223.
Quest'ordine religioso è importante nella storia dell'architettura e della
pittura. Si pensi al numero delle chiese che l'amore per il santo fece
5 sorgere in Italia ed altrove. Giotto, come anche altri numerosissimi
pittori dopo di lui, si ispirarono alla vita di San Francesco, e gli atti
della sua umile vita risplendono negli affreschi delle bellissime cattedrali. Dal punto di vista economico e sociale l'ordine francescano
ebbe un profondo influsso sulla vita del tempo. L'ideale della povertà
10 francescana ispirò il desiderio di una vita semplice e buona in un gran
numero dei contemporanei del santo. Uomini di ogni tempo cercarono
e trovarono nel chiostro quella pace che il mondo non aveva data loro
e che il santo aveva promessa ai suoi seguaci.

    Assisi è una delle più belle città d'Italia. Vi alita ancora lo spirito
15 del santo come lo sente chi la visita e cerca la presenza di un'anima
buona come quella di San Francesco.

FEDERICO II

1196-1250   **III**

È UNA FIGURA di principe audace, ambizioso e forte. Salì al trono nel 1220 e fu il fattore più importante nella storia italiana della prima metà del secolo decimoterzo. Illustre figlio di Enrico VI (sesto) e di Costanza, l'ultima discendente dei re normanni in Sicilia, sognò
5 di trasportare a Roma la sede dell'Impero e di unire così la Germania e l'Italia. Sperò anche di impossessarsi di Gerusalemme e di assorbire il regno latino che i francesi vi avevano stabilito. In questo modo avrebbe potuto dominare il Mediterraneo ed aprirsi la via alle ricchezze del continente africano, sogno dei paesi nordici di ieri e di oggi.

In Sicilia, l'influsso dei Greci, Saraceni e Normanni è visibile dappertutto.
A SINISTRA: La chiesa di San Giovanni degli Eremiti. A DESTRA: Il chiostro
della cattedrale a Monreale.

Questo suo sogno creò una lotta accanita con i Papi e con i Comuni o
città libere italiane che non volevano essere assorbite dall'Impero.
I Comuni, diretti da Papa Gregorio IX, lottarono coraggiosamente e
sconfissero Federico II a Vittoria nel 1248. Federico morì nel 1250
e con lui si spense il sogno di unificare l'Italia.

Dante chiama Federico "clericus magnus" (un grande chierico).
Nel suo fantastico viaggio al mondo dell'oltretomba il poeta immaginò
di incontrarlo fra gli eretici. *Il novellino*, raccolta di cento novelle
scritte alla fine del secolo XIII o al principio del seguente, spesso fa di

5

14

In Sicily, the influence of the Greeks, Saracens and Normans is everywhere in
evidence. LEFT: The Church of San Giovanni degli Eremiti. RIGHT: The
Cloister of the Cathedral at Monreale.

Federico il protagonista dei fatti che narra, tanto vivo era il ricordo
dell'Imperatore presso gli uomini che vissero due o tre generazioni
dopo di lui.

    Federico ebbe fama di uomo irreligioso. Si circondò di soldati
saraceni che gli furono devoti fino alla morte ed invitò anche filosofi
arabi alla sua corte. Di qui sorse la voce della sua irreligiosità, voce
che i suoi nemici raccolsero e sparsero fra le popolazioni cristiane.
Non fu difficile per Gregorio IX di proclamare una crociata contro
l'Imperatore e persuadere i popoli a prendere le armi contro di lui.

theozique Lautre si est en ourai.
qui est nômee prautique. De
rechies il ia une partie dela ger
neral contemplation tant de cel
les chozes qui apartienent ala
theozique côme de celles qui re
gardent la prautique Les au
tres parties de lespeual conside
racion sont de celles meismes

Nel *Trattato del falcone* vengono studiate le varie parti dell'anatomia del falcone.
[In the *Treatise on Falconry* are studied the various parts of the anatomy of the falcon.]

Nella politica interna del Regno di Sicilia Federico seguì un concetto moderno di stato in quanto per lui lo stato aveva fini prammatici lontani dalle considerazioni teologiche seguite dai pensatori anteriori. Nel lottare contro la Chiesa egli sentì la presenza e rivelò i fini pratici dello
5 stato. Nel lottare contro i Comuni arrivò al concetto unitario di esso. Nelle *Costituzioni di Melfi*, città dove furono emanati nel 1231 i suoi editti e leggi, Federico offrì uno dei primi documenti di economia politica nell'età moderna. Attraverso quelle costituzioni egli regolarizzò il sistema fiscale riducendo i privilegi dei nobili a favore del
10 popolo, combatté la tendenza separatista dei baroni feudali e diede un assetto unitario al regno di Sicilia. Attraverso le riforme che introdusse, egli poté lottare a lungo contro i Papi e contro i Comuni dell'Italia settentrionale.

Creò a Palermo una splendida corte. Vi invitò scienziati, filosofi e
15 poeti, e diede loro vari uffici: di cancelliere, di notaio, di falconiere, di giudice. Nei momenti di ozio scrivevano poesie secondo il concetto provenzale dell'amore cortese. Pier della Vigna, Percivalle Doria, Odo delle Colonne, Giacomino Pugliese, Rinaldo d'Aquino, Jacopo da Lentini furono poeti che vissero e scrissero nella corte dell'Imperatore.
20 La poesia fu per essi parte del cerimoniale di corte. Questo spiega l'uniformità dei loro versi ed il loro carattere convenzionale.

Federico è importante nel mondo della cultura. Sotto il suo nome va un *Trattato del falcone* dove vengono studiate le varie parti dell'anatomia di quest'uccello. È uno dei primi libri di anatomia. È scritto
25 in latino, la lingua universale fra gli uomini di scienza. Di lui abbiamo anche le *Questioni siciliane* o domande che egli fece ai filosofi e scienziati del suo tempo. Esse trattano di filosofia, di teologia e di scienza, e rivelano una mente indagatrice ed avida di sapere.

Federico fece tradurre anche la *Poetica* di Aristotile e ne mandò una
30 copia a ciascuna delle tre grandi università del tempo: Bologna, celebre per gli studi di legge; Oxford, famosa allora per gli studi di retorica; e la Sorbonne a Parigi, che era il centro degli studi teologici. Fondò anche l'Università di Napoli nel 1224. La sua corte a Palermo fu uno dei centri dai quali la cultura si irradiò alle varie città d'Italia ed
35 alle altre nazioni europee.

IN ALTO: La cattedrale di Siena.   A DESTRA: Il magnifico pulpito.   [ABOVE: The
cathedral at Siena.   RIGHT: Its magnificent pulpit.]

NICOLA PISANO

1206-1280   **IV**

CON DANTE e con Giotto, Nicola Pisano forma la triade che è gloria
del secolo decimoterzo. Si distinse nella scultura e nell'architettura.
Rinnovò lo stile classico adattandolo alle esigenze dell'arte moderna e
del suo temperamento. Per questo non copiò le forme classiche, ma le
5 trasformò attraverso nuove concezioni ed espressioni. Amò la natura
e nella sua scultura rappresentò animali, uccelli, foglie e fiori. Fu uno
dei primi naturalisti del Rinascimento.

Come scultore la sua fama è affidata al pulpito del Battistero di
Pisa, a quello della cattedrale di Siena ed alla fontana a Perugia.
10 Fu anche architetto e disegnò la cattedrale di Siena.

Nel pulpito di Pisa, lo scultore era ancora interessato a non allontanarsi dai modelli classici. [In the pulpit of Pisa, the sculptor was still interested in not departing from classical models.] ALINARI

L'opera più vasta e perfetta di Nicola Pisano è il pulpito della cattedrale di Siena. È il suo capolavoro per la novità della concezione, per l'immensa mole e per la finezza dei dettagli. Vi sono scolpite cinque scene della vita di Cristo: la *Natività*, l'*Adorazione dei Magi*, la *Presentazione al Tempio*, la *Crocifissione* ed il *Giudizio Universale*.   5 Lavorò a questo pulpito per tre anni, dal 1265 al 1268. Nel pulpito di Pisa, finito nel 1260, lo scultore era ancora interessato a non allontanarsi dai modelli classici, studiati attentamente nei sarcofagi che erano conservati in quella città. Ma nel pulpito di Siena Nicola Pisano è padrone della sua arte e crea con piena libertà.   10

Due suoi grandi alunni e collaboratori furono il figlio Giovanni ed Arnolfo di Cambio.

Le figure di Nicola Pisano sono semplici e forti. Il viso di esse rivela lo studio del viso umano da parte del loro creatore. L'aggruppamento armonioso come il panneggiamento che aderisce al corpo delle   15 sue figure rivelano un'arte che è complessa e ricca di pensiero. L'arte di Nicola Pisano è nutrita di vita ed esalta la natura.

Come architetto la fama di Nicola Pisano è legata al disegno del duomo di Siena, uno dei templi più straordinari d'Italia, enorme massa di marmo bianco e nero che si innalza nella solitaria e medievale   20 Siena. Ma egli occupa un posto nella storia della nuova civiltà specialmente per l'eccellenza della sua scultura.

GUIDO CAVALCANTI

FRA I POETI che apparvero verso la fine del secolo XIII occupa un posto ben distinto Guido Cavalcanti, l'amico intimo di Dante. Più d'ogni altro poeta del tempo egli si avvicina all'autore della *Divina Commedia* per sensibilità d'anima e potenza di espressione artistica.

5 Guido Cavalcanti nacque di nobile famiglia guelfa qualche anno prima di Dante, ma si unì ai Ghibellini, spintovi dagli eccessi del demagogo Giano della Bella.

Politica e poesia ebbero un'intima relazione nel secolo XIII, e lo stesso pensiero che produsse una reazione aristocratica a Firenze nel 10 1295 condusse molti giovani poeti a fondare una scuola poetica generalmente conosciuta sotto il nome di Dolce Stil Nuovo.

La poesia del Nuovo Stile continuò ad ispirarsi al concetto filosofico e religioso dei Provenzali che era penetrato nelle corti italiane prima e durante le persecuzioni degli Albigesi (1209). Questo concetto era 15 stato la risposta dei poeti provenzali alla domanda se l'amore fosse un bene o un male. Avendo concluso che l'amore era un bene, questi poeti avevano elaborato un sistema nel quale la donna portava l'amato a Dio. Era la conclusione delle persone intellettuali che volevano distinguere il loro amore da quello della gente volgare. I poeti fiorentini, 20 come quelli di altre città, si servirono delle forme metriche che erano state usate dai poeti di corte anteriori ad essi, specialmente quelli della corte di Federico II a Palermo. Si servirono della canzone dei Provenzali e del sonetto, che pare fosse inventato precisamente a Palermo da Jacopo da Lentini, uno dei poeti della corte di Federico.

25 Il contributo importante di questo gruppo fu la fioritura di armoniosissime rime, di nuove immagini e di vividi colori con la quale i poeti espressero il loro amore fatto di estatica ammirazione per la loro donna. I poeti della corte di Palermo avevano cantato la donna in generale. Il gruppo fiorentino cantò una donna in particolare, ed ogni

21

A SINISTRA: La Firenze di oggi. IN ALTO: La Firenze del tempo di Cavalcanti.
[LEFT: Florence today. ABOVE: Florence in the time of Cavalcanti.]

poeta ci ha trasmesso il nome dell'oggetto del suo amore. Così sappiano
che la donna di Guido Cavalcanti si chiamava Giovanna o Vanna,
quella di Dante Alighieri, Beatrice, quella di Lapo Gianni, Lagia. Essi
profusero tesori di sentimento, di vivi colori, di fiori e di pietre
5 preziose nei loro versi indirizzati alla loro donna.

I poeti provenzaleggianti furono ghibellini in politica così al tempo
di Federico come ai giorni di Guido e di Dante. Guido fu tanto violento nella sua lotta contro i democratici fiorentini che nell'estate del
1300 fu esiliato da Firenze a Sarzana dove contrasse le febbri mala-
10 riche. Tornato a Firenze, morì della malattia contratta nell'esilio.
Dante, allora uno dei Priori, aveva saputo essere così giusto e severo
da firmare il decreto che condannava all'esilio il suo migliore amico.

La lirica del Cavalcanti nasce dallo sfondo comune che i poeti del
Dolce Stil Nuovo si erano assegnato, sebbene egli sia originale e forte

23

anche quando esprime i concetti fondamentali dei Provenzali. Ma la
sua vera e grande lirica appare quando il poeta si allontana dalla
convenzione della scuola e ritrae stati d'animo e situazioni personali.
Questo è vero dei poeti di ogni scuola, e dei poeti di ieri come di
quelli di oggi.   5

Per i contemporanei che vedevano nell'amore cortese del Dolce Stil
Nuovo qualche cosa di nuovo, le poesie nelle quali si teoricizzava
sull'amore erano le più famose. E questo avvenne alle poesie teoriche
di Guido Guinizelli, di Dante Alighieri, e di Cino da Pistoia, come alla
canzone di Guido Cavalcanti, *Donna mi prega, perch'io voglio dire.*   10
Questa canzone fu la più famosa per i contemporanei come è la meno
poetica per noi.

Fra le più belle liriche del Cavalcanti si distingue la canzone che
scrisse alla sua donna, mentre era in esilio e sentiva mancarsi le forze
al punto che il suo pensiero correva alla morte. Vi è lo spirito del   15
Dolce Stil Nuovo, ma la vita della canzone è nella tristezza accorata
che opprime il poeta. Egli non spera più di tornare a Firenze ed affida
la sua anima alla sua canzone perché questa la conduca alla presenza
della donna amata ed insieme le rendano il dovuto omaggio. Si intitola: *"Perch'i' non spero di tornar giammai."*   20

Altro motivo originalmente concepito e svolto è quello in cui il poeta
riflette sull'amore che lo vinse quando, passando per Tolosa, vide una
gentile fanciulla di nome Mandetta, la quale gli ricordò la donna
lasciata a Firenze e gli conquise il cuore. A quale donna andava il
suo amore, giacché la Mandetta era così gentile ed avvenente da somi-   25
gliare perfettamente alla sua donna? Questa non è sottigliezza metafisica, ma complessità psicologica e profonda umanità.

Bella è anche la lirica nella quale il Cavalcanti rifà a modo suo
la "pastourelle" francese, continuando a narrare il suo amore per la
Mandetta tolosana, la giovane donna il colore dei cui occhi non può   30
ricordare, ma dei quali sente ancora la potenza distruggitrice. È una
conversazione con due "forosette" alle quali confida di non poter
dimenticare Mandetta, la fanciulla alla quale manda la sua anima.
Incomincia così: *"Era in pensar d'amar quand'i'trovai."*

Ancora più vicina alla "pastourelle" è la breve lirica *"In un bo-*   35
schetto trovai pasturella," nella quale racconta una breve avventura
d'amore, in cui il tono sensuale è attenuato e quasi distrutto dalla grazia

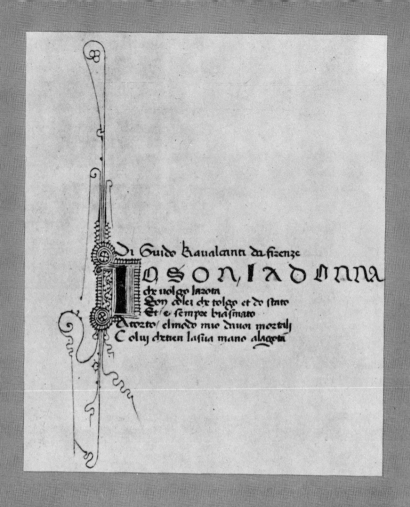

Di Guido Kaualcanti da ficenze

IO SON LA DONNA

che uolge lasota
con colei che tolge et do stato
Et e sempre biasmato
Aresto' elmeo mio duui mortali
Coluy chenen lasua mano alacgota

Una lirica di Cavalcanti, il più originale, secondo Dante, dei poeti del Dolce Stil Nuovo. [A poem by Cavalcanti, the most original, according to Dante, of the poets of the Dolce Stil Nuovo.]

con cui il Cavalcanti sa sfumare la realtà.

Il piccolo nucleo di poesie liriche che il Cavalcanti ci ha lasciato è sufficiente a fare di lui uno dei più grandi poeti lirici nella storia della poesia italiana. I contemporanei ebbero grande stima di lui e videro
5 in lui un profondo pensatore. Boccaccio ne fa il protagonista di una delle sue novelle e parla di lui come di grande "loico" e "filosofo naturale." Nei tempi moderni la sua fama di grande poeta è venuta sempre più crescendo e gli si concede il posto fra i più originali lirici italiani.

DANTE
ALIGHIERI

1265-1321   **VI**

DANTE è il più gran poeta italiano ed uno dei pochi poeti veramente
universali della letteratura mondiale: Omero, Sofocle, Virgilio, Shakespeare, Goethe, Keats e Leopardi. Scrisse *La Commedia* che i posteri
chiamarono "divina."

La vita e l'opera di Dante si possono dividere in tre periodi: il   5
periodo giovanile, quello scientifico e quello mistico.

Il periodo giovanile abbraccia la vita del poeta fino al 1295, quando
si gettò nella vita politica di Firenze. Prima era stato un giovane
dedito allo studio ed alla poesia, che si sentiva perduto dinanzi alle
lotte politiche della sua città come dinanzi alle guerre che insanguina-   10
vano l'Europa.

A SINISTRA: Dante che incontra Beatrice. A DESTRA: Il ritratto di Dante Alighieri, dipinto dal suo amico Giotto. [LEFT: The meeting of Beatriz and Dante. RIGHT: Portrait of Dante Alighieri, painted by his friend Giotto.] ALINARI.

Un grande amore avvampò nella sua giovinezza: quello per Beatrice Portinari, una fanciulla morta giovanissima che egli aveva adorata da lontano, senza che il suo amore fosse da lei contracambiato. Quando ella morì nel 1290, Dante fece una specie di inventario del suo passato
5 e dovette concludere che l'unica realtà era stato quell'amore dinanzi al quale ogni altro interesse impallidiva. Dominato da questo pensiero scrisse La Vita Nuova che è l'epitome poetico della sua gioventù pen-sierosa e solitaria. La forma è presa dalla letteratura provenzale, ma sotto molta convenzione scorre le vena limpida e forte della poesia
10 dantesca. Il libretto è scritto parte in prosa e parte in versi. Le poesie sono incastonate nella prosa come pietre preziose legate in oro o in altro nobile metallo. La prosa, scritta nel 1292, due anni dopo la morte di Beatrice, raduna e spiega sonetti e canzoni in onore della fanciulla. Erano stati composti dal 1283, data del primo sonetto di Dante diciot-
15 tenne, al 1291, anniversario della morte di Beatrice.

Dopo la pubblicazione della Vita Nuova seguì un lungo silenzio perché Dante si gettò nella politica fiorentina. Vi rimase fino al 1302 quando Carlo di Valois, mandato come paciere da Bonifazio VIII, scacciò dal potere i Bianchi (o conservatori) e vi mise i Neri (o
20 liberali). I Bianchi andarono in esilio, e con essi Dante.

Nella vita randagia dell'esilio il poeta cercò conforto nella filosofia. Frutto di questi studi furono tre opere di carattere scientifico; Il Con-vivio in volgare, De Vulgari Eloquentia (Della Lingua Volgare) e

CANTO SECONDO DELLA PRIMA CANTICA

1 O giorno senandaua et laer bruno
togleua glianimali che sono interra
dalle fatiche loro: et io solo uno
M'apparecchiauo a sostener laguerra
si del camino et si della pietate:
che ritrarra la mente che non erra
O muse o alto ingegno hor maiutate.
o mente che scriuesti cio chio uidi
qui si parra la tua nobilitate.

P Ossiamo dire che elprecedente capitolo sia stato
quasi una propositione di tutta lopera p laquale
lauctore non solamente dimostra con brieue pa
role quello che per tutta lopera habbia a dire; Ma ancho
ra la ragione perche tiene tale ordine. Destossi lappeti
to ricercado el suo bene et illuminato dalla ragione fug
gi la selua: et saliua al monte doue uedea el sole. Ma p
lania delle fiere: dalle quali gli fu uietato el salire. Ilche
significa che conosciuto ma non molto distinctamente
chel sommo bene consisteua in fruire idio: cercaua la co
gnitione di quello nella uita ciuile doue regna la ragio
ne inferiore: Laquale spesso e/ingannata dal senso : Et
doue essendo leuirtu ciuili non perfecte molto possono

le perturbationi dellanimo lequali cercando piacere honore et utile non seguitano eluero gaudio Ne ancho
ra el uero utile che non si puo mai seperare da lhonesto. Ne el uero honore elquale non e/ altro che la uera

De Monarchia (Dell'Impero Universale), scritti in latino. Nel primo, Dante espone le sue idee morali, estetiche e scientifiche: i vari sensi della poesia, la vera nobiltà, gli influssi delle sfere celesti sugli uomini, l'autorità imperiale, l'autorità di Aristotile nella ricerca della verità. Il De Vulgari Eloquentia espone le idee estetiche di Dante. Inteso come studio di linguistica e di stile, contiene una vera teoria estetica che distingue nettamente Dante dagli stilisti della sua epoca. Dante possiede chiaramente la coscienza della natura e funzione della poesia. Il De Monarchia è il libro dove Dante presenta la tesi che solo l'Impero poteva dare la pace al mondo ed all'Italia. Roma doveva essere la sede dell'Impero, e lì risiederebbero il Papa e l'Imperatore, i due rappresentanti dell'autorità. Non deve recare meraviglia che Dante, Bianco e vivente fra i Bianchi, ma nato di famiglia guelfa, vegga in Arrigo VII di Germania il salvatore dell'Italia. La democrazia francese l'aveva gettato in braccio all'Impero tedesco.

5 Il terzo periodo della vita poetica di Dante è rappresentato dalla *Commedia*, scritta negli ultimi anni della sua vita. Essa è l'opera dell'intimità e riflette i sentimenti che un uomo manifesta solo a se stesso nel silenzio della sua anima.

La Divina Commedia è il racconto di un viaggio immaginario nel quale Dante ritrova se stesso dopo di essersi perduto e di aver vagato 10 nella selva della vita attiva e politica. È accompagnato in questa ascensione difficile e dolorosa da tre guide: Virgilio, Beatrice e San Bernardo di Chiaravalle. Tutti e tre sono simboli di quel misticismo a cui aspirava l'anima tormentata di Dante. Nel viaggio il poeta discende nell'Inferno, che si incunea nel centro della terra, poi risale 15 verso il polo sud ed ascende il monte del Purgatorio. Lì incontra Beatrice e con essa, purificato di ogni male, si innalza attraverso le sfere del Paradiso. Quell'ascensione è simbolo del vero amore che egli

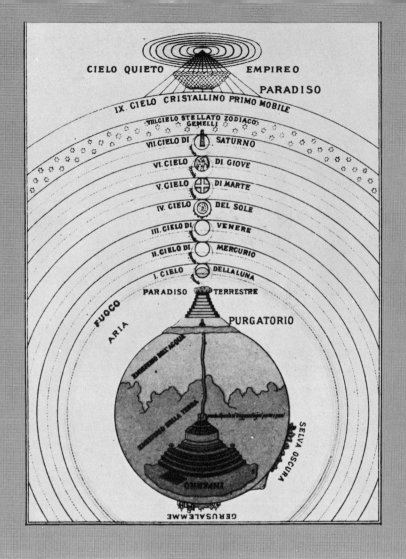

aveva sperato invano di godere sulla terra. La meta ultima del lungo e difficile viaggio, Dio, luce e verità, è raggiunta dal poeta sotto la guida di San Bernardo.

La cornice della *Commedia* è formata dall'intero universo visto

secondo la teoria di Tolomeo: l'immobile terra sospesa nello spazio infinito, ed intorno ad essa le sfere che girano vertiginosamente e producono una dolce melodia. Là in alto Dio, punto luminoso a cui tende l'anima umana e che rappresenta la verità assoluta. Il contenuto della Commedia è così personale che universale. L'elemento personale fa dell'opera un'autobiografia; l'universale permette al poeta di riflettervi la storia del suo tempo come quella dell'umanità intera. La lettura della Commedia è una delle avventure intellettuali più straordinarie che un poeta abbia mai offerto agli uomini di ogni paese e di ogni età.

Dante morì in esilio a Ravenna il 14 settembre del 1321. La speranza che lo tormentò durante gli anni dell'esilio, quella di chiudere gli occhi nella sua Firenze, non si avverò mai. Gli fu ospite gentile e generoso Guido Novello da Polenta, nipote di Francesca da Rimini, da lui immortalata nel canto quinto dell'Inferno.

Dante pensò in modo *unitario*. Passò attraverso il contingente, ma tenne sempre gli occhi fissi all'assoluto. Il concetto che si fece dell'universo, si rispecchia anche nel campo politico, etico ed estetico. Seguendo il concetto classico, accetta e segue la conclusione che la vita non può essere l'espressione della natura. Essa parte dalla natura, ma si allarga ed innalza verso forme che o modificano o rigettano quelle della natura. Questa è caos e volgarità, e conduce alla perdizione così nel campo etico come in quello estetico e politico. L'universo è uno e la spiritualità lo pervade tutto. Esso è "il gran mar dell'essere."

Ogni attività umana deve essere considerata alla stregua dei valori
assoluti che la civiltà ha dato all'esistenza umana. Se l'universo è la
creazione di una mente infinita che lo regge e guida, tutto ciò che facciamo deve essere improntato dalla presenza di valori assoluti. La vita
morale, la condotta ed i sistemi politici, i princìpi estetici debbono   5
riposare su una base sicura ed immutabile: il Bene Supremo, l'Impero,
l'Alto Stile.

Il fine dell'uomo è di raggiungere la felicità su questa terra, ma la
felicità è il prodotto della vita morale, che ci permette di armonizzare
la visione dell'intelletto e lo stimolo dei sensi.   10

Due poteri sono stati creati da Dio a tal fine: l'Impero e la Chiesa.
Giacché l'uomo ha bisogni pratici e bisogni spirituali, l'Impero prov-
vede a quelli, la Chiesa a questi.

La moralità non può essere assente da nessun momento della vita
umana, giacché essa fa parte della natura spirituale dell'universo.   15
Perciò anche l'arte è, per natura, morale. Il bello è buono. Il buono
è bello. Ne segue che solo la poesia che racchiude un nobile contenuto
in una forma nobile è vera poesia. Il contenuto della poesia è quello
che rappresenta i "maggiori paragrafi" che si trovino nel "libro della
memoria," non le passioni ed atti che sono improntati dalla violenza   20
degli istinti. La vita è forma riflessa e non spontanea. Le parole nobili
sono quelle di derivazione latina che risuonano nelle corti d'Italia, non
quelle barbariche che si odono nelle parlate locali o dialettali. La
forma metrica più nobile è la canzone di origine provenzale. Così
Dante concluse nel *De Vulgari Eloquentia.*   25

Questi nobili concetti si polarizzavano per Dante nei due partiti
politici del suo tempo: i Guelfi ed i Ghibellini. Il Guelfismo era
l'espressione "naturale" della vita politica. Come Platone, come Aristotile e come Cicerone nel primo libro della *Repubblica,* Dante non
ammirava la democrazia. Come poteva ammirare un sistema che era   30
basato sul continuo mutare dei reggitori dello stato e che faceva e
disfaceva le leggi con un ritmo meccanico ed assurdo, sì che a mezzo
novembre già abrogava le leggi fatte il mese di ottobre? Per chi classicamente cercava l'immutabile e l'eterno, tale ridda di ripieghi, di
compromessi, di intrighi, di subdole lotte era inaccettabile. Di qui   35
nasceva la fede di Dante nell'Impero, anche se poi dovette accorgersi
che i Ghibellini non erano migliori dei Guelfi, e fu obbligato a pro-

I giardini del chiostro a Ravenna nella quale città Dante
passò gli ultimi anni della
sua vita.   [The gardens
in the Cloister at Ravenna,
in which city Dante spent
the last years of his life.]

clamare che si era fatto un partito suo, tutto solo nella sua fede e nella
nobiltà di princìpi e di atti: "i' mi son fatto parte da me stesso."
I Ghibellini venivano maledetti e disprezzati, ma l'Impero rimaneva.
E l'Impero era l'antico Impero Romano, che riempiva la sua memoria
5 di atti di eroismo e di grandezza, mentre il suo cuore palpitava della
fede che un giorno l'Impero risolleverebbe i destini dell'Italia. Per
questo la sede dell'Impero, allora in Germania, doveva essere riportata
in Italia, "il giardino dell'Impero," ed a Roma risiederebbe l'imperatore tedesco.
10   Dante non fu nazionalista. Vide tutto il mondo unito dall'Impero,
sotto la guida di un imperatore non italiano. Dentro l'ambito di questa
unità il Papa avrebbe avuto la direzione dei fini spirituali dei cittadini
di tutto il mondo. La fede nella natura etica e nei fini etici dell'esistenza
avrebbe guidato la condotta individuale dei cittadini e l'arte avrebbe
15 esaltato la spiritualità dell'esperienza personale. Questo era il mondo
sognato da Dante. Egli non lo vide in atto, ma lasciò a noi, lontani
posteri, la fede nella possibilità della pace universale quale risultato
della condotta etica dei vari stati e degli individui che li formano.
Per questo Dante è un poeta universale.

33

GIOTTO

IL SUO VERO nome era Ambrogio o Ambrogiotto di Bondone. Nacque a Vespignano, vicino Firenze. La leggenda racconta che bambino di dieci anni conduceva a pascolare le pecore perché nato di famiglia povera. Un giorno stava disegnando sulla pietra con un pezzo di car-
5   bone un suo agnellino giacente per terra. Il gran pittore Cimabue per caso passò di lì e vide ed ammirò la perfezione del disegno del ragazzo. Lo portò con sé alla sua bottega, e lì gli insegnò l'arte. Ben presto l'alunno divenne più famoso del maestro.

A SINISTRA: "La Vergine con il Figlio ed angoli." A DESTRA: "Madonna in trono," dovuta a Cimabue, maestro di Giotto. [LEFT: "The Virgin with the Child and Angels." RIGHT: "The Madonna Enthroned," by Cimabue, Giotto's teacher.] ALINARI.

35

IN ALTO: "Allegoria della Povertà." A DESTRA: "La fuga in Egitto."
[ABOVE: "Allegory of Poverty." ALINARI. RIGHT: "Flight into Egypt."]

Giotto fu amico e contemporaneo di Dante, di cui ci ha lasciato il
ritratto in un affresco del Bargello a Firenze. Nella storia della pittura
Giotto mostra il passaggio dall'arte bizantina, ieratica e fredda, al
naturalismo dei nuovi artisti del Duecento. Egli rese grande l'umile
arte degli artisti locali che vivevano sconosciuti nelle varie città   5
italiane, ecclissati dai pittori bizantini la cui arte era ricercatissima, e
le cui opere erano pagate splendidamente da coloro che volevano fare
affrescare le belle cattedrali che sorgevano nel XII e nel XIII secolo.
Quando si volle spendere di meno, si andò dagli artisti locali, il cui
stile era differentissimo da quello dei bizantini. Essi erano rimasti   10
fedeli ad un'arte semplice e sentita che traeva la sua ispirazione dalla
natura. Giotto fu la glorificazione di questi pittori locali e portò a
grande altezza il loro stile come anche il contenuto ed il carattere della
loro arte, approfondendo il loro naturalismo e trasfigurandolo attraverso il significato simbolico che illumina le sue umanissime figure.   15
Egli ama la natura, ed i vari aspetti di essa avvivano il suo simbolismo.

36

La predica di San Francesco agli uccelli nella Chiesa Superiore di San
Francesco ad Assisi è un esempio tipico di questa sua tendenza. I primi
lavori di Giotto si trovano nella Chiesa Inferiore di Assisi dove affrescò
Le nozze di San Francesco con la Povertà, l'Ubbidienza e la Castità.
5 Queste tre virtù sono rappresentate da tre bellissime fanciulle che il
santo inanella e sposa per amore di Cristo.

Nel 1302, quando ancora giovane, dipinse gli affreschi dell'*Inferno*
e del *Paradiso* nel Bargello, ora Museo Nazionale a Firenze. Altre
opere di Giotto si ammirano nella Cappella dei Bardi e Peruzzi a
10 Firenze, nell'antica chiesa di Santa Croce e nella Cappella degli Scro-
vegni a Padova. I suoi quadri sono tutti religiosi, ma in essi il tema
religioso ha avuto uno svolgimento profondamente umano: la bontà
così semplice di San Francesco, il dolore della mamma nel *Pianto della
Vergine*, la nobiltà umana nel viso del Cristo, come la bruttura del
15 tradimento nel viso di Giuda.

Giotto andò anche a Napoli, dove allora Re Roberto d'Angiò aveva
una splendida corte, ritrovo di poeti e di artisti. Vecchio, se ne tornò
alla sua Firenze dove ricevette l'incarico di dirigere i lavori nella

IN ALTO: "Santa Chiara" di Simone Martini, che ammirò grandemente l'arte di Giotto. A DESTRA: Negli ultimi anni della sua vita Giotto lavorò al campanile della cattedrale di Firenze. [ABOVE: "Santa Clara," by Simone Martini, who greatly admired Giotto's art. ALINARI. RIGHT: In the last years of his life Giotto worked on the campanile of the cathedral at Florence.]

cattedrale di Santa Maria del Fiore come pure quelli che venivano
fatti dalla città. Fu non solo pittore, ma anche architetto. Negli ultimi
anni della sua vita lavorò al campanile della cattedrale. Morì nel 1337.

    Giotto viene considerato il più grande dei Primitivi o Preraffaeliti,
5 con i quali termini si distinguono i pittori che fiorirono prima di
Raffaello. L'arte e la critica moderna hanno messo in luce la forza e
la bellezza tutta pensiero e sentimento che abbelliscono le semplici
forme che furono care a Giotto ed ai suoi seguaci, i Giotteschi. Il pittore francese Cézanne si è imbevuto dell'arte giottesca nei lunghi studi
10 attraverso i quali è giunto all'eccellenza nella pittura. I poeti inglesi,
Dante Gabriele Rossetti e Algernon Charles Swinburne, furono grandi
ammiratori di Giotto e della sua arte semplice e forte. Per questo
vengono chiamati Preraffaeliti. Giotto è uno di quegli uomini che
segnano una data importantissima nella storia dell'arte. Nel suo
15 passare attraverso la vita umana ha lasciato una scia luminosa che
brilla sempre più viva attraverso i secoli.

MARCO POLO

NACQUE A VENEZIA ed è celebre come viaggiatore. Con l'olandese Guglielmo Rubruquis e con Giovanni del Carpine, anch'egli italiano, rappresenta la triade dei grandi esploratori del secolo XIII. Come Giovanni del Carpine che andò alla Mongolia, Marco Polo si spinse
5 fino all'estremo oriente. Questi nuovi viaggiatori, sia che viaggino per la Chiesa o per ragioni commerciali, si interessano nell'aspetto umano dei paesi e dei popoli che visitano. Ciò che hanno scritto documenta questo loro interesse. L'età del Rinascimento è importante non solo perché in essa appaiono nuovi interessi, ma anche perché gli interessi
10 più elementari dell'uomo vengono ora documentati. Anche nei secoli anteriori la vita istintiva esisteva, ma coloro che scrivevano, appartenendo alla classe dei chierici, non la ritenevano materia degna delle arti. Marco Polo è uno dei primi scrittori a sentire l'importanza di documentare le sue impressioni personali.
15   L'Italia aveva intimi e numerosi contatti con l'oriente. Le città marinare dei primi secoli della storia italiana, Venezia, Genova, Livorno, Pisa, Amalfi cercarono e trovarono la ricchezza nel traffico con l'oriente, facendo dell'Italia l'anello di congiunzione fra l'occidente e l'oriente. La più potente di queste città fu Venezia, anche se
20 nel secolo XIII si vedeva osteggiata dalla rivale Genova.
    La famiglia dei Polo era stata da lungo tempo una famiglia di mercanti e di viaggiatori. Il padre e lo zio erano andati fino alla Cina dove erano stati ricevuti da Kublai Khan. Nel 1271 partirono di nuovo in cerca di traffici e portarono con sé il piccolo Marco che era solo
25 diciassettenne. Ritornarono nel 1295, e Marco si trovò sulla galea della sua famiglia nella terribile battaglia navale della Curzola (1298) in cui Genova inflisse una mortale sconfitta alla flotta veneziana. Marco Polo fu tra i prigionieri e fu portato a Genova. Mentre era lì in prigione, dettò in francese ad un suo compagno di prigionia, Rustic-
30 ciano da Pisa, il ricordo dei suoi viaggi. Fu così che nacque il *Milione*, libro di impressioni di un grande osservatore. Marco Polo non ci dà

¶ Jn nomine dñi nri ibu xpi filij dei viui et veri amen.

Jncipit plogus i libro dñi marci pauli de venecijs de cõ
suetudinibus et cõdicionibus orientaliu regionu

Jbru prudentis honorabil'
ac fideliffimi viri dñi marci
pauli de venecijs de cõdici
onib⁹ orientaliu ab eo in wl
gari editu et cõfcriptu. Cõ
pelloz ego frater franciscus
pepuri. de bononia frm pdi
catoru a plerifqʒ patrib⁹ et
oñis meis veridica feu veri
fica et fideli tranflacione de
wlgari ad latinu reducere. vt qui amplius latino q̃ wlga
ri delectaˉ eloquio necnõ et bij qui vel pter linguaru va
rietate omnimodã aut ppter diuerfitate ydeomatu. ppeta
te lingue alterius intelligere oio aut faciliter nequeant aut
delectabilius legãt feu liberius capiãt ¶ Porro p feipõs
borem huc que̅ me affumere cõpulerut pficere plene nõ
poterant ſʒ alciori cõtemplacioni vacantes et infimis fubli
mia pferentes ficut terrena fape ita terrena fcribere recu
farut ¶ Ego aut eoz obtpans iuffioni libri ipius cõtinen
ciam fideliter et integraliter ad latinu planu et aptu trans
tuli qm̃ ftilu hui⁹ mõi libri materia requirebat ¶ Et ne la
boz hui⁹ mõi inanis aut inutilis videatur cõfideraui ex li
bri hui⁹ infpectione fideles viros poffe multiplicis gracie
meritu a dño pmereri Siue qr i varietate decore et mãgni
tudine creaturaru mirabilia dei opa afpicientes ipfius po
terant virtute et fapienciã venerabiliter admirari aut vi
dentes gentiles pplos tãta cecitatis tñbrofitate tãtis qʒ ſoz

a i

una fredda enumerazione di dati su ciò che vede. Egli ci comunica una sua scoperta: la scoperta non solo della Cina, ma di un mondo nuovo visto da occhi umani e di artista.

Così profonda era stata l'impressione di ciò che aveva veduto nell'o-
5 riente che quando, tornato in patria, ne parlò ai suoi concittadini, questi, incapaci di seguire i voli dell'immaginazione di Marco Polo, gli diedero il nomignolo di *Milione,* nome che divenne il titolo del libro. È questa una delle prove più chiare dell'incomprensione del genio da parte dei contemporanei. Questi ridevano di ciò che narrava
10 l'entusiasta Marco Polo e lo accusavano di aver esagerato trasformando tutto ciò che era uno in un milione. La storia ha reso giustizia all'immaginazione di Marco Polo concedendogli la fama.

La prigionia di Marco Polo a Genova durò un anno. Nel 1299 ritornò a Venezia, e lì visse fino al 1324. Fu sepolto con onore nella
15 Chiesa di San Lorenzo dove ancora riposa.

DOMINVS IOHANNES BOCCACCIVS

GIOVANNI
BOCCACCIO

GIOVANNI BOCCACCIO nacque a Parigi nel 1313, figliuolo naturale di un mercante di Certaldo, paesello nelle vicinanze di Firenze, e di una gentildonna francese di nome Giovanna. Il padre, tornato in Italia, voleva che il figlio seguisse la mercatura. A tal fine lo mandò a Napoli,
5 dove il Boccaccio, grazie alle sue doti letterarie ed al suo carattere allegro e socievole, penetrò nella corte di Re Roberto e ne fu il beniamino, tanto che divenne l'amante di Maria d'Aquino, figliuola naturale del Re e sposa ad un gentiluomo di corte. Abbandonato dalla capricciosa donna, tornò a Firenze nel 1340, anche perché il padre si era
10 trovato coinvolto nel crollo bancario dei Bardi ed aveva richiamato in patria il figliuolo.

Boccaccio non si trovò a Firenze durante la peste del 1348, che egli descrive così vividamente nell'introduzione del *Decameron*. Tornò a Firenze nel 1349, richiamatovi dalla morte del padre. Messa definitiva-
15 mente da parte l'idea della mercatura, si dedicò allo studio ed alla professione delle lettere. Benché fosse uomo di genio e di vasta cultura, il Boccaccio non visse differentemente dai letterati del suo tempo che si guadagnavano la vita mettendosi a servizio delle nobili famiglie, le cui feste allietavano con le loro poesie e le cui ambascerie abbelli-
20 vano con solenni ed eloquenti discorsi. Il Boccaccio andò come ambasciatore alla corte di molti signori della Romagna, a quella di Ludovico di Brandeburgo, e presso il Papa Urbano V ad Avignone Allo stesso tempo si dedicò a scrivere il *Decameron*, come pure opere di erudizione classica.
25 Nel 1362 ebbe luogo quella che viene chiamata la conversione del Boccaccio. Fu veramente una crisi di coscienza, precipitata dalla visita di un monaco certosino che lo invitò a convertirsi ed a rinunziare alla vita mondana a nome di un confratello morto in odore di santità. Boccaccio rimase scosso profondamente, e si pentì del suo passato al

Ioannis Boccacii Certaldi de casibus Illustrium virorum

LIBRI Nouem quum historiis adfatim cognoscendis
tum praeclare instituendis hominum moribus
Longe vtilissimi.·.

RIENS · CHASCVN

mea

SO1S DEUS

QVI · NT · SVFFISANCE · NAT

SOIT · CONTENT · DE · SES · BIENS

Iehan ꝗ Gourmont

Vaenundantur ab Ioãne Gox-

mõrio Bibliopola de re literaria optime merito de cuius aedibus pendet duarum
cipparum insigne.

punto che avrebbe bruciato il *Decameron* se il Petrarca non l'avesse
distolto da questo proposito.

In quello stesso anno (1362), tornò a Napoli nella speranza di
essere accolto di nuovo nella corte della regina Giovanna, dove era
5   gran siniscalco il fiorentino Nicola Acciaiuoli. Le accoglienze non
furono quali il Boccaccio le aveva sperate. Amareggiato e deluso,
tornò al nord dell'Italia e fu ospite per un anno del suo amico Francesco Petrarca a Venezia durante la primavera dell'anno seguente.

Tornato a Firenze, ebbe l'incarico dalla repubblica di commentare
10 pubblicamente la *Divina Commedia* di Dante. Le lezioni che egli tenne
nella chiesa di Santo Stefano di Badia nell'anno 1373 e nel seguente
appaiono oggi nel *Commento* ai primi diciassette canti dell'*Inferno* e
nella *Vita di Dante*. Come opere di critica non hanno un gran valore
perché il Boccaccio ha cercato di spiegare la *Commedia* secondo i
15 quattro sensi (letterale, figurato, morale ed anagogico) accettati dalla
critica ufficiale del tempo. Ma le due opere sono un luminoso documento dell'ammirazione che il Boccaccio sentiva per il gran poeta
fiorentino.

L'opera letteraria del Boccaccio abbraccia lavori così di erudizione
20 come di immaginazione. La linea di divisione fra dottrina e fantasia
non era a quel tempo così chiara e distinta come oggi. L'estetica non
esisteva ancora come scienza dell'immaginazione. I maestri di retorica
credevano che il poeta dovesse insegnare verità filosofiche e teologiche.
Il Boccaccio fu uno dei primi a prendere la difesa delle opere di
25 immaginazione. Ma dovette farlo con moderazione per timore di essere
accusato di ignoranza e di tendenze plebee. Come Dante, egli ammirava
il latino, ma non disprezzava il volgare e credeva che la vera poesia
era frutto della fantasia. Come Dante, il Boccaccio sentì ostilità per
i falsi umanisti del suo tempo, e questo atteggiamento da uomo moderno
30 fu parte della sincerità della sua natura.

L'interesse che il Boccaccio ebbe per la cultura classica si rivela
nelle sue opere latine, nelle quali egli applicò al classicismo la forma
enciclopedica dei trattati medievali. La più importante di queste opere
fu una specie di dizionario classico nel quale, in quindici libri, classi-
35 ficò le varie genealogie degli dei pagani. La intitolò *De Genealogiis
Deorum Gentilium (Delle genealogie degli dei pagani)*. In due altre
opere intitolate *De Casibus Illustrium Virorum (Delle sventure di*

illustri uomini) e *De Claris Mulieribus (Delle donne illustri)* offrì
biografie di personaggi di ambo i sessi che si distinsero in attività
umane differenti da quelle religiose. In un altro lavoro, il *De Montibus
(Dei monti)*, egli illustra i monti, i laghi, i fiumi e le selve di cui si
trova allusione nei libri classici.   5

Le opere poetiche apparvero nella gioventù del Boccaccio, e le prime
furono scritte per la corte di Re Roberto di Napoli. Predominano in
esse temi erotici classici espressi in uno stile pomposo e spesso pesante.
Tali sono il *Filostrato*, la *Teseide*, il *Ninfale fiesolano* e l'*Ameto*. Affine
a questi poemetti mitologici è il *Filocolo*, lungo romanzo in prosa nel   10
quale viene narrata la leggenda medievale di Florio e Biancofiore.

Opera giovanile fu anche l'*Amorosa visione*, che in apparenza imita
il tema fondamentale della *Divina Commedia*, la purificazione attraverso l'amore, ma che è pervasa di sensualità come le altre opere della
gioventù del poeta.   15

Maggior valore artistico ha la *Fiammetta*, romanzo psicologico
autobiografico, nel quale il Boccaccio racconta il suo amore per Maria
d'Aquino, da lui celebrata sotto il nome di Fiammetta. Nel racconto
il Boccaccio immagina che Fiammetta sia stata abbandonata dal suo
amante Panfilo. Il dolore della donna, riflesso di quello del poeta,   20
costituisce la parte viva del libro. Sebbene spesso l'erudizione aduggi
la rievocazione della vita passata a Napoli, il libro è importante per
l'analisi dei sentimenti e della passione che ne fa un'opera finemente
psicologica, degna di essere messa accanto al *Decameron*.

Questa collezione di novelle, scritta quando l'impressione della peste   25
del 1348 era ancora viva nell'animo dei Fiorentini, è l'opera capitale
del Boccaccio. In essa l'autore immagina che dieci protagonisti, sette
fanciulle fiorentine e tre nobili giovani, si incontrarono nella chiesa di
Santa Maria Novella e decisero di rifugiarsi in una bellissima villa a
due miglia da Firenze, lontani dal pericolo e dalla tristezza della peste.   30
Uno dei dieci protagonisti viene scelto a re o regina della giornata
e dispone in qual modo la lieta brigata possa vivere lietamente. La loro
esistenza è tutta grazia, diletto e bellezza. Ogni giorno ciascuno dei
dieci giovani racconta una novella. I dieci giorni offrono così al lettore
cento novelle su temi svariatissimi. In due giornate, il tema non è   35
prescritto dal re o dalla regina, ma nella altre giornate ciascuno dei
membri svolge la sua novella intorno ad un tema obbligato: spiritose

Veduta del Castello Nuovo dove Re Roberto ebbe la sua corte.   [A view of
the Castello Nuovo where King Robert held court.] ALINARI.

risposte, l'infelicità degli amanti, uomini e donne quali tipi assoluti
di sensualità o di perfezione umana.

    L'insieme di questi racconti offre un quadro vastissimo di varia
umanità, nel quale l'autore ha riflesso la sua filosofia dell'uomo e della
5   vita in una folla di personaggi che vanno dal grottesco al sublime.
Non è giusto fare di Boccaccio un buontempone il cui unico fine nella
vita fosse quello di ridere e di divertirsi. Né la sua arte può ridursi
ad una specie di naturalismo popolaresco attraverso il quale l'autore
riveli cinismo e sensualità. Questi sono due lati che indubbiamente
10 esistono nel Boccaccio, ma accanto ad essi ve ne sono molti altri da
essi lontanissimi e ad essi contradittori. Il Boccaccio ebbe un animo
diversissimo e complesso. Sentì a volte l'incanto della bontà, dell'affetto, delle azioni nobili, come spessissimo si lasciò attirare dalla beffa,
dalla zotichezza e dall'astuzia dell'uomo. Egli fu artista estremamente
15 conscio degli effetti dell'arte, ed ogni novella è finemente lavorata.

    Boccaccio fu un naturalista sovraccarico di cultura. Ciò spiega la
libertà che Boccaccio accorda al mondo degli istinti, ma spiega anche
il suo stile architettonico e magniloquente come la forma riflessa e
cosciente della sua arte. Ebbe un profondo influsso sull'arte di Geoffrey
20 Chaucer.

49

FRANCESCO PETRARCA

1304-1374   **X**

FRANCESCO PETRARCA nacque ad Arezzo durante l'esilio del padre
che era stato scacciato da Firenze nel 1302 con i Bianchi. Anche Dante
era fra quegli esuli. Petrarca appartenne alla generazione che seguì
quella di Dante, e che nell'insieme fu più raffinata e colta, ma meno
virile e profonda. Boccaccio e Petrarca espressero queste caratteristiche   5
della loro età in modo tipico. La dottrina e l'erudizione classica divennero la grande meta dei letterati del tempo. Per questo Petrarca sperò
la fama dalle sue opere latine di erudizione. I contemporanei, fra cui
Geoffrey Chaucer, condivisero questa opinione. Chaucer, che andò in
Italia nel 1372 per fare un trattato commerciale con la repubblica di   10
Genova, conobbe ed ammirò le opere latine del Petrarca benché sentisse la bellezza della sua poesia come di quella del *Decameron* di
Boccaccio e specialmente della *Divina Commedia* dell'Alighieri.
    Come avviene ai figliuoli degli esuli, Petrarca passò la sua fan-
ciullezza e la sua gioventù in varie città. Prima nell'Incisa in Toscana,   15
poi a Pisa (1310), poi ad Avignone in Francia (1311), poi a Carpentras, poi a Montpellier (1316) dove studiò legge e poi a Bologna
(1326) dove andò a perfezionarsi nello studio del diritto. Nel 1326
era già di ritorno ad Avignone dove attrasse l'attenzione dei letterati
della corte papale con le sue epistole, scritte in un latino perfetto ed   20
abbellite da immagini poetiche. Il Petrarca continuò a scrivere queste
epistole per tutta la sua vita. Sono indirizzate non solo ai contemporanei del poeta ma anche a personaggi dell'antichità, quali Omero,
Cicerone, Orazio e Virgilio. In questo modo discute la loro arte ed
esprime le sue idee filosofiche e politiche. Le epistole sono il diario   25
intimo di un grande letterato. Sono raccolte in ventiquattro libri.
    La giovinezza di Petrarca fu mondana e spensierata come la gio-
vinezza della maggior parte degli uomini, e come egli ci confessa nella
sua *Epistola ai posteri,* scritta negli ultimi anni della sua vita. Nel

Vando adun giogo &
in un tempo quini
domita lalterezza delli
iddei
et deglinomini uidi al
mondo diui.

Io presi exemplo de loro stati rei
faccendo mio profitto laltrui male
in consolare icasi & dolor mei
Che sio ueggio duno arco & duno strale
phebo percosso elgiouine dabido

Laura

1327, il giorno di Venerdì Santo, vide nella chiesa di Santa Chiara ad Avignone una giovane donna di Provenza, Laura, che la posterità ha identificata con Laura de Noves, sposa a Ugo de Sade, e se ne innamorò profondamente. Quell'amore durò tutta la sua vita e fu un piccolo cerchio luminoso nella sua grigia esistenza di studioso e di asceta. Laura non fu né come la Beatrice di Dante, onesta fino al punto di negare al poeta il suo saluto, né come Fiammetta per la quale l'amore del Boccaccio fu un breve capriccio e nulla più. Laura, pur rimanendo onesta, con la sua grazia ed i suoi sorrisi, tenne vivi l'amore e l'ammirazione che le tributava il giovane poeta. Al Petrarca questo parve indifferenza e freddezza e fu una delle cause che gli fecero abbandonare Avignone e cercare pace nella solitudine di Valchiusa, una valle a poche miglia dalla città rumorosa (1337). Lì si dedicò allo studio dell'antichità. Petrarca fu uno dei primi a guardare il passato con obbiettività di storico ed a cercare di ricostruire la civiltà classica liberandola dalle scorie delle quali l'avevano coperta la fantasia e l'ignoranza delle generazioni a lui anteriori. Nel silenzio di Valchiusa compose due opere latine di carattere filologico e storico: le biografie degli uomini illustri *(De Viris Illustribus)* e la raccolta di esempi classici di varie virtù *(Rerum Memorandarum)*. Lì intraprese anche un gran poema in latino, l'*Africa*, nel quale esaltò la gloria militare di Scipione l'Africano.

Il Petrarca dovette a quest'opera se nel 1341 fu coronato poeta

Palazzo
papale
ad
Avignone
[Papal
Palace
at
Avignon]

cesareo sul Campidoglio, gloria alla quale invano aveva aspirato Dante
Alighieri. Stefano Colonna, senatore romano, sapendo che il suo amico
stava scrivendo quest'opera, lo fece invitare dal senato a tornare in
Italia. Petrarca si imbarcò a Marsiglia il febbraio del 1341 ed andò
5 a Napoli dove per tre giorni fu ospite di Re Roberto che gli fece una
specie di esame e lo dichiarò degno di essere coronato poeta. La
coronazione ebbe luogo l'otto di aprile del 1341.

Dopo un ritorno in Francia che durò due anni, il Petrarca ripassò
le Alpi e visse nella corte di illustri signori. Presso i Visconti a Milano
10 rimase per otto anni. Fu ospite anche della Repubblica di Venezia e
di Francesco da Carrara a Padova. Nel 1370 cercò tranquillità e
silenzio nella sua piccola villa ad Arquà nei colli Euganei. Lo accom-
pagnò la figliuola naturale Francesca e lì il Petrarca passò gli ultimi
anni della sua vita dedicandosi allo studio e beandosi della solitudine
15 campestre. La mattina del diciannove luglio del 1374 fu trovato morto
nel suo studio con il capo reclinato su un manoscritto di Cicerone.
Nessun'altra morte avrebbe potuto esprimere meglio l'intimo carattere
della sua vita e del suo temperamento.

Due idee tormentarono il Petrarca appena ebbe raggiunto la matu-
20 rità: la decadenza dei suoi tempi dallo splendore dell'antichità e
specialmente della Roma classica, e la labilità della vita umana.
Petrarca fu intimamente uno spirito ascetico. Sia che vivesse ad
Avignone o che dimorasse, onorato e riverito, nella corte dei signori

53

del tempo, egli si sentiva lontano dal lusso che lo circondava e dagli
onori che gli venivano tributati. Più grande era il rumore, il fasto, le
onorificenze e più profonda diveniva la tristezza che gli avvolgeva
l'anima. Lo studio era un rifugio, ed un rifugio era il pensiero della
5 grandezza del passato. Questo è ciò che egli ci confida non solo nella
sua autobiografia contenuta nell'*Epistola ai posteri*, ma anche nelle
opere di carattere ascetico che incominciò a scrivere al tramontare
della gioventù e che completò quando era ospite dei Visconti a Milano.

Queste opere sono pregevoli per la finezza dell'analisi con cui lo
10 scrittore si esamina e perché ci rivelano la solitudine che lo avvolgeva
nel tumulto della vita di corte. Nel *Segreto (Secretum)*, nella *Vita
Solitaria (De Vita Solitaria)*, nella *Vita Claustrale (De Ocio Religio-
sorum)* e nella *Giusta misura nel dolore e nella gioia (De Remediis
Utriusque Fortunae)* egli ci confida la rinunzia a tutto ciò che una volta
15 aveva riempito la sua esistenza: i beni terreni, la gloria, la dottrina,
la spensieratezza giovanile, e perfino l'amore di Laura.

Egli era venuto narrando quest'amore nel *Canzoniere*, una collezione
di canzoni e sonetti nei quali aveva riflesso e contemplato i suoi sentimenti per Laura. Canzoni e sonetti erano stati scritti dal giorno in cui
20 si era innamorato fin verso gli ultimi anni della sua vita quando
l'amore era solo un ricordo a volte tormentoso, a volte consolante.
L'ultima forma del *Canzoniere* si trova in un codice della Biblioteca
Vaticana redatto nel 1366, in parte vergato dal poeta stesso ed in parte
scritto da un amanuense che lavorò sotto la direzione di lui. A chi
25 pensi che la vita del Petrarca fu quella dello studioso e dell'erudito,
le canzoni ed i sonetti del *Canzoniere* appaiono quali piccoli squarci di
azzurro che rompono la monotonia di una esistenza di studio e di
distacco dagli aspetti materiali e sensuali della vita.

Nella sua poesia il Petrarca continuò la tradizione del Dolce Stil
30 Nuovo. Anche in lui si trovano le idee fondamentali dei poeti provenzali, ma egli ha intensificato l'interesse negli aspetti fisici dell'amore.
Allo stesso tempo Petrarca è più convenzionale e perfino più artificiale
dei grandi poeti che lo precedettero quali Guido Cavalcanti e Dante
Alighieri. Egli è uno dei pochi poeti la cui grandezza non diminuisce
35 neppure attraverso la convenzione e l'artificialità, tanto grande, profonda e vera è la sua sensibilità. In lui il letterato puro non è riuscito
a distruggere l'umanità del poeta.

M A S A C C I O

TOMMASO DI GIOVANNI fu detto Masaccio a causa del suo vestire
ed andare trasandato. Sembrava che fosse estraneo al mondo e non
vivesse che per i suoi pensieri e la sua arte. Nel 1422 era iscritto
all'arte dei medici e speziali, e nel 1424 si iscrisse a quella dei pittori.
Quando si pensi che morì a soli ventotto anni si rimane ammirati della   5
perfezione della sua arte come addolorati della sua fine immatura.
Masaccio rappresenta l'artista che dopo Giotto volle e seppe portare
nuove forme di perfezione alla pittura italiana. Giotto liberò l'arte
dalla rigidità dei Bizantini. Masaccio perfezionò la tecnica attraverso
il rilievo che si studiò di dare alla figura umana come attraverso la   10
cura che dedicò alla composizione ed all'euritmia dei suoi quadri. Pittori quali Giotto e Masaccio segnano orme nell'arte che vanno al di là
della portata individuale delle loro opere. Sono pietre miliari nella
storia. Senza Masaccio sembra impossibile di concepire il progresso
della tecnica di tutto il secolo che egli aprì. L'anatomia che in Giotto   15
è elementare costituisce in lui una meta precisa e chiara. Anche il
disegno è più incisivo e perfetto come i colori più vari, con tonalità
più ricche. Il panneggiamento di Masaccio è infinitamente più studiato
e reso con una straordinaria aderenza al corpo umano. In lui si sente
l'artista che visse all'epoca di Brunelleschi e di Donatello, due dei più   20
perfetti maestri del Quattrocento.

I primi affreschi di Masaccio si trovano nella cappella Brancacci
nella Chiesa del Carmine e nella Chiesa di Santa Maria Novella a
Firenze. Dipinse anche un quadro a vari pannelli per la Chiesa del
Carmine a Pisa, ma non è più in quella chiesa. Il pannello principale   25
si trova nella collezione di A. F. Sutton in Inghilterra. A Firenze, nella
chiesa del Carmine, si trova il bellissimo affresco che rappresenta
Adamo ed Eva scacciati dall'angelo dal Paradiso Terrestre. Il dramma
della colpa e della coscienza e disperazione del male poche volte è
stato rappresentato più potentemente. Lo stesso si dica della *Crocifis-*   30
sione che è nella Galleria Nazionale di Napoli. La Maddalena, i
lunghi capelli biondi sparsi sulle spalle, si getta in ginocchio verso

Il trasporto della Maddalena rivela la sua passione.   [The abandon of Mary
Magdalene reveals her passion.] ALINARI.

A sinistra: "San Giorgio" di Donatello, uno dei più grandi maestri del Quattrocento. In alto: L'affresco che rappresenta Adamo ed Eva scacciati dal Paradiso Terrestre. [Left: "St. George" by Donatello, one of the greatest masters of the Quattrocento. Above: Masaccio's fresco which shows Adam and Eve being driven from the Garden of Eden.] Alinari.

la croce con disperato amore. La donna è voltata di spalle verso chi guarda, ma il trasporto con cui si abbandona lascia indovinare il suo dramma. Le Madonne di Masaccio sono ancora nella tradizione giottesca. Ma ciò che distingue la sua pittura da quella di coloro che lo
5 precedettero è l'elemento psicologico che egli ha profuso nei suoi quadri. Le innovazioni tecniche sono il risultato del più profondo contenuto psicologico di cui egli ha arricchita la personalità umana. Il Cristo di Masaccio ha una potenza psichica straordinaria. Gli apostoli che lo circondano negli affreschi del Carmine offrono una
10 grande varietà di studi del viso umano fatti dal vero.

FRA ANGELICO

1387-1455   **XII**

È IL MISTICO della pittura italiana ed è un artista finissimo. Nato
nel 1387 di buona famiglia, entrò nell'Ordine Domenicano nel 1407
per inclinazione naturale. Lavorò specialmente a Firenze, a Roma e
ad Orvieto. Qui andava a dipingere l'estate quando il caldo gli rendeva
impossibile il lavoro a Roma. A Firenze lavorò per incarico di Cosimo   5
e di Lorenzo dei Medici nella chiesa e convento di San Marco, dove
poi visse il Savonarola. Nel 1445 Eugenio IV lo chiamò a Roma dove
dipinse due cappelle di cui una fu distrutta da un incendio nel secolo
seguente. Rimane ancora la Cappella Niccolina che è una delle mera-

viglie del Vaticano. La dipinse per Niccolò V. Fra Angelico morì a Roma a sessantotto anni nel 1455, dopo una vita di raccoglimento di silenzio e d'arte.

5   La pittura di Fra Angelico è intimamente religiosa. Lo è nei soggetti e nello spirito. La leggenda dice che dipingeva le Madonne e gli angeli che vedeva nelle sue estasi, tale aria di paradiso emana

10 da essi. Dice anche che dipingeva sempre in ginocchio come se la pittura fosse una funzione religiosa per lui. L'arte gli era una forma di preghiera ed il mezzo con cui esprimeva il suo sentimento reli-

15 gioso. Per questo le sue figure religiose hanno un carattere aereo ed una luminosità grandissima quali poteva prestare loro un'anima mistica e pia. I suoi contemporanei lo chiamarono Fra Angelico,

20 mentre il suo vero nome era Guido di Pietro e nell'ordine aveva preso quello di Fra Giovanni.

   Fra Angelico dipinse moltissimo così in affresco come sul legno. Nella Galleria

25 degli Uffizi si trova una delle sue Madonne più belle, quella chiamata la *Madonna dei Linaiuoli*. La dipinse nel 1433 per la gilda o arte dei lavoratori di panno di lino. *La Madonna ed il bam-*

30 *bino* sono secondo la maniera di Giotto, ma gli angeli che li circondano su in alto hanno la vaporosità e la dolcezza degli angeli tipici del buon frate. Nel Museo del Louvre vi è la *Coronazione della*

35 *Vergine,* che molti considerano l'opera più perfetta e complessa uscita dal suo pennello. Ciò che egli era capace di fare

61

nell'affresco si può vedere nel Convento di San Marco, che fu
ricostruito per ordine di Cosimo e la decorazione del quale fu
fu assegnata a Fra Angelico. Egli vi profuse i tesori della sua
immaginazione e della sua arte. Vi sono quadri che rappresentano
San Domenico, fondatore dell'Ordine, San Tommaso d'Aquino e Pietro   5
Martire. Questi ha il dito sulle labbra come fa chi invita al silenzio,
il silenzio del chiostro. La lunetta sulla porta della Forestiera (camera
dei forestieri) ci presenta due Domenicani che danno il benvenuto ad uno
sconosciuto che è il Signore. Gli affreschi sono un vasto poema di vita
contemplativa che si svolge intorno all'amore di Cristo. Gli affreschi   10
della Niccolina sono più forti e sembra che il mite Fra Giovanni abbia
subìto l'influsso del realismo di Masaccio sui cui lavori nella Cappella
Brancacci egli meditò a lungo prima di andare a Roma ed a Orvieto.

Fra Angelico è padrone del disegno ed ha una ricca fantasia che gli
permette di dare nuove forme alla sua esperienza religiosa.   15

FRA LIPPO LIPPI

1406-1469 XIII

FRA FILIPPO LIPPI fu frate carmelitano, ma di animo appassionato,
di natura incontinente e di fantasia mobilissima. Amava il piacere, i
pericoli e perfino gli imbrogli e le risse. Si sentiva attratto da ogni
cosa che fosse umana: i bambini, gli animali, le piante, gli uccelli.
5 E lo costrinsero a farsi frate! Per fortuna visse nel convento del
Carmine dove Masaccio aveva dipinto i suoi famosi affreschi. Su questi
il giovane Fra Filippo meditò ed a questi si ispirò. Prese i voti nel
1421, ma già nel 1432 aveva lasciato il convento. Più tardi fece vita
comune con una giovane e bellissima donna, Lucrezia Buti, che per lui
10 abbandonò il convento e fu madre di Filippino Lippi, anch'egli ben
noto pittore. Lippo Lippi fu sciolto dai voti da Papa Pio II e poté
sposare Lucrezia Buti. Ebbe vita tutt'altro che felice e tranquilla.
Spesso dové lottare con la povertà. I Medici lo protessero e spesso lo
tolsero dalle mani della polizia. Morì a Spoleto il 9 ottobre del 1469.
15 Raccolse il suo ultimo respiro Fra Diamante, suo discepolo e collaboratore, che gli educò il figlio Filippino e lo amò teneramente. Lippo

FRA FILIPPO LIPPI
N. FIRENZE 1406 - M. SPOLETO 9 OTT. 1469

Lippi fu sepolto a Spoleto senza pompa alcuna. Ma Lorenzo de' Medici diede l'incarico al figlio del grande artista, Filippino Lippi, di costruirgli un magnifico monumento di marmo a Spoleto, dove ancor oggi egli riposa dopo una vita tanto tempestosa.

5   L'arte di Lippo Lippi ha molti tratti in comune con quella di Masaccio e di Fra Angelico, i cui affreschi egli studiò ed ammirò. Questi due grandi maestri gli servirono di guida nella tecnica più di ogni altro pittore del tempo. Nel contenuto egli è differentissimo così dal tragico Masaccio come dall'etereo e mistico Fra Angelico. Lippo
10   Lippi espresse sulle sue tele il suo amore per l'infanzia e la sua meraviglia dinanzi alla maternità o alle varie forme della natura. Profondissimo fu il suo senso di osservazione nella diversità del viso umano. Per questo i suoi quadri sono pieni di belle e squisite donne, di bambini e di forti profili di uomini.

15   Lippo Lippi lavorò per i Medici e per ricche famiglie private, come quella degli Alessandri. La bellissima Madonna negli Uffizi fu dipinta per Cosimo de' Medici. La squisita bellezza della donna, che con riverenza non disgiunta da amore adora il bambino, costituisce una della più geniali creazioni sul tema della maternità. Nel palazzo Pitti
20   vi è un'altra *Madonna con Bambino* che è quasi altrettanto bella. Questo tondo ha per sfondo la nascita della Madonna. È un'opera tutta intessuta di motivi umani.

Lippo Lippi predilesse dipingere l'Annunziazione. Ne abbiamo molte copie, tutte differenti ed originalissime.

25   Gli affreschi più famosi del Lippi si ammirano nella cattedrale di Prato. Qui dipinse la *Danza di Salomè*, che fu parte della storia di San Giovanni Battista. È un lavoro audace nel quale il Lippi esprime il suo amore per il movimento, per la bellezza muliebre come per la gioia del vivere. Qui sono anche gli affreschi nei quali racconta la
30   storia di Santo Stefano, che culmina nella scena, severa ma tranquilla, delle esequie del Santo.

La morte colse il gran pittore mentre lavorava alla *Incoronazione della Vergine* nel duomo di Spoleto. Fra Diamante condusse a termine gli affreschi, l'ultimo atto di devozione e di affetto verso il suo ben
35   amato maestro.

La cantoria è tutta un sorriso d'infanzia.   [The choir loft is resplendent with the
smiles of childhood.] ANDERSON.

LUCA DELLA ROBBIA

1400-1482   **XIV**

CHI PENSA a questo artista grande e buono vede sorgersi dinanzi
all'immaginazione una vasta successione di figure bianche su sfondi
celesti con decorazioni di festoni che bellamente corrono intorno ai
suoi tondi. In essi Luca scolpì figure di Madonne e di angioli, proiezione
5 della sua ammirazione per la donna e del suo amore per i bambini.

Luca fu un innovatore nella scultura. Si servì dell'argilla invece
di materiali più preziosi e costosi, quali il marmo, il bronzo, l'argento
e l'oro. Volle mettere l'arte alla portata dei molti in un'epoca in cui
solo i prìncipi ed i ricchi potevano permettersi il lusso dell'arte. Egli
10 aveva prima lavorato sul marmo che maneggiava con squisita perizia,
ma il suo spirito umanitario lo spinse a servirsi dell'argilla. L'argilla
è fragile e si sgretola. Ed ecco Luca che inventa una invetriatura che
copre e protegge l'argilla. Fu un grande artista veramente democratico.

Le prime opere di Luca sono in marmo, come la *Cantoria* a Santa
15 Maria del Fiore (1431) che egli mise in simmetria di quella di Donatello. È tutta un sorriso di infanzia, che emana dal dolce viso degli
angioli.

I lavori in terracotta incominciarono ad apparire nel 1441, e furono
lunette di porte e decorazioni per soffitti. Quando ebbe perfezionato
20 il suo metodo, se ne servì in opere di vaste proporzioni come *La
Resurrezione* e *L'Ascensione* che si ammirano nel Duomo di Firenze.
L'invenzione di Luca ebbe un immenso successo ed egli riempì specialmente la Toscana e l'Umbria di medaglioni e di lunette. Fu seguito
dal nipote Andrea (1435-1525), autore dell'*Annunziazione* e del
25 *Bambino in fascie,* come dal di lui figlio Giovanni (1469-1527). In
questo modo l'arte rimase nella sua famiglia per più di un secolo.

Luca della Robbia esemplifica il carattere di naturalezza e di semplicità che caratterizzò molti degli artisti del Quattrocento. In questo
è vicinissimo al grande scultore Donatello ed ai Bellini. In questi

"L'Annunziazione" di Andrea della Robbia nella Chiesa Maggiore di Verna.
["The Annunciation" by Andrea della Robbia, in the Cathedral of Verna.]
ALINARI.

sommi maestri l'arte ebbe qualche cosa di casalingo che rende difficile
comprendere come le loro opere possano essere così perfette e grandi.
Lo studio dove lavoravano questi artisti si chiamava modestamente
bottega. L'arte rimaneva in una famiglia allo stesso modo che un
mestiere si perpetuava nella stessa casa. E questo è vero anche oggi   5
in Italia riguardo ai mestieri. Nel Quattrocento si applicava alle varie
arti ed il figlio seguiva le orme del padre per più generazioni. L'esempio classico della semplicità che caratterizzava la vita degli artisti ci
viene offerto da Donatello, uno degli scultori più straordinari in tutta
la storia dell'arte. L'autore di opere che sono miracoli di perfezione,   10

Decorazione in rilievo di Giovanni della Robbia nell'Ospedale di Pistoia. [Bas-reliefs by Giovanni della Robbia in the Hospital at Pistoia.] ALINARI.

e che si ammirano specialmente nei musei e nelle chiese di Firenze, soleva andare egli stesso a far la spesa per la sua mensa frugale. Almeno questo ci dice Giorgio Vasari nelle *Vite* dei grandi artisti del suo tempo che egli ha così bellamente ed umanamente descritte. Ci
5 narra infatti nella vita di Donatello che questi, nel vedere il Cristo che Filippo Brunelleschi aveva scolpito, rimase tanto sbalordito dalla perfezione dell'opera dell'amico che lasciò andare le cocche del grembiule da lavoro dove aveva messo le provviste fatte, e le uova, il formaggio, il pane e le altre cose caddero per terra rompendosi ed
10 imbrattandosi. Questo era il tenore di vita di geni quali Brunelleschi, creatore della cupola di Santa Maria del Fiore, di Lorenzo Ghiberti, l'autore delle miracolose porte del Battistero, e di Donatello, l'autore di *San Giorgio* e di *San Giovanni Battista*.

Luca è il più grande ed originale dei tre della Robbia, sebbene anche
15 Andrea e Giovanni siano artisti finissimi. Di Giovanni sono celebri le decorazioni in rilievo nell'ospedale di Pistoia in cui simboleggia le opere di carità.

Naturalmente a Luca spetta la gloria di essersi per primo servito della terracotta inventando una invetriatura che ne rese possibile l'uso
20 e che è così resistente che a distanza di secoli ancora protegge le sue dolci figure.

ANDREA MANTEGNA

1431-1506   **XV**

UNO DEI sommi pittori della fine del Quattrocento fu Andrea Mantegna. Sposò una donna della casa dei Bellini e visse in intimi rapporti con questi grandi maestri pari suoi. Mantegna e Jacopo Bellini con i figli Gentile e Giovanni rappresentano la pittura dell'Italia settentrionale che diede contributi così straordinari specialmente con la Scuola   5
Veneziana durante il secolo XVI.

Mantegna nacque nei dintorni di Vicenza e studiò dapprima con Francesco Squarcione, artista mediocre che ebbe grande e vera passione per i ruderi classici. Maestro ed alunno andarono a Roma e si ispirarono alla grandezza dell'arte classica. Squarcione se ne servì da uomo   10
pedante e riempì i suoi quadri di elementi classici che soffocano quel poco di suo che egli aveva da esprimere. Mantegna, spirito originale, seppe superare il pericolo di rimanere archeologo o collettore di ruderi classici, e prese dal classicismo il senso dell'euritmia, della composizione e del vigore. Il differente modo con il quale maestro mediocre   15
e discepolo di genio reagirono ai contatti culturali derivati dal classicismo ci aiuta a comprendere la parte negativa e quella positiva dell'età del Rinascimento. Gli artisti grandi e veri, poeti, pittori, scultori o architetti, si servirono degli esempi classici per raffinare il loro gusto e non per copiare. In ogni epoca gli artisti mediocri copiano, gli artisti   20
grandi assorbono ciò che offre l'ambiente culturale, ma plasmano le loro opere esprimendo se stessi, le loro idee, le loro aspirazioni, le loro gioie, e più spesso i loro dolori. Il classicismo addolcì la tendenza del temperamento di Andrea Mantegna verso un naturalismo violento che avrebbe potuto finire in rozzezza. Nel *Cristo morto*, che è il suo capo-   25
lavoro e che si trova nella Galleria Brera a Milano, la brutalità della morte è resa con una forza che solo la preoccupazione estetica ha potuto sollevare verso il piano dell'arte. La perfezione del disegno e dell'anatomia temperano l'urto che quei piedi enormi producono in

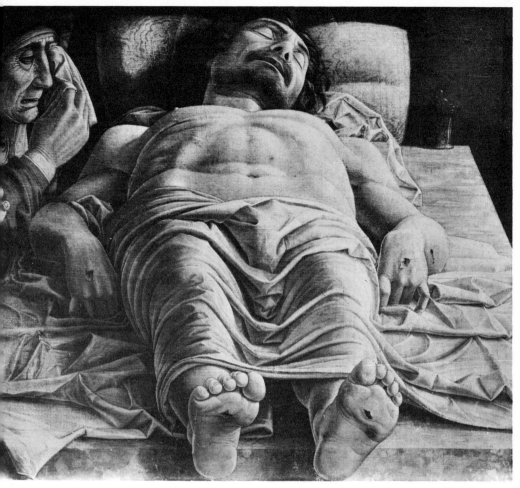

chi osserva questo quadro straordinario. Ciò è anche vero del *Martirio di San Giacomo* che affrescò a Padova nella Chiesa degli Eremitani Sullo sfondo vi è un enorme arco romano che attenua con la bellezza del suo profilo l'impressione della morte del Santo. Vi è una molti-
5   tudine infinita di teste che potrebbero offendere il carattere di unità del quadro se non fosse per la presenza di quell'arco che lo impedisce con la sua mole che tutto domina e tutto unisce.

    Le sue opere sono sparse un po' dappertutto in Europa, ma specialmente nel Louvre a Parigi, nella Galleria Nazionale a Londra ed in
10   quella di Vienna. Dipinse un gran numero di quadri religiosi come di quadri a soggetto mitologico. Nel suo spirito di artista non vi era contradizione: la sua meta era quella di arrivare alla perfetta espressione della personalità umana attraverso una forma che ha la solidità della scultura.

IN ALTO: "San Giacomo condotto al supplizio," a Padova. A DESTRA: *(In alto)* La camera degli sposi a Mantova. *(In basso)* La Vergine ed il Bambino. [ABOVE: "St James led to Torture," at Padua. ALINARI. RIGHT: *(Above)* The bridal chamber at Mantova. ALINARI. *(Below)* The Virgin and Child.]

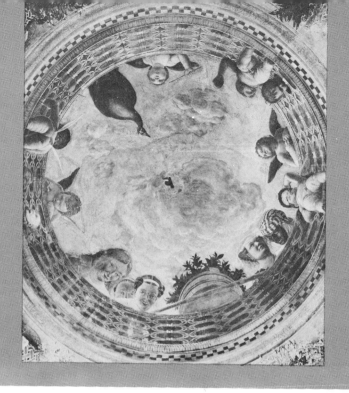

Mantegna lavorò specialmente a Mantova per i Gonzaga. Nel famoso
Castello di Corte egli affrescò il Marchese Ludovico Gonzaga e la moglie
Barbara di Brandeburgo con la loro famiglia e la loro brillante corte.
Il suo occhio di attento osservatore non gli fece dimenticare neppure
il povero nano della corte. Anche qui due colonne racchiudono i
personaggi e danno unità al quadro. Nello stesso castello, nella Camera
degli Sposi, egli affrescò il soffitto rappresentandovi un pezzo di cielo
a forma circolare intorno al quale donne ed amorini sono raffigurati
mentre guardano in giù e sorridono un po' furbescamente.

Mantegna fu uno dei più grandi ritrattisti di ogni epoca. I suoi quadri, anche i religiosi, offrono un gran numero di ritratti di illustri contemporanei. Questo fatto aggiunge un carattere di intimità e di vicinanza alla vita quotidiana ai suoi quadri religiosi. Mantegna tra-
5 sfuse nelle sue Madonne e nei suoi santi il suo interesse nella vita umana. Le opere di questo grande maestro sono poemi di vita, glorifi-cazione della bellezza della natura, del vigore del corpo umano, della dolcezza dei bambini. Le Madonne del Mantegna sono studi originalis-simi della bellezza femminile. I suoi santi sono modellati su visi sui
10 quali si era soffermato l'occhio osservatore dell'artista. Il *San Seba-stiano* del Mantegna, oltre che essere simbolo religioso dell'ammirazione del pittore, è l'espressione della perfezione fisica del giovane soldato. Nella morte del bellissimo giovane il Mantegna fa sentire quanto è bella e preziosa la vita. Il suo *San Giorgio* dell'Accademia di Venezia
15 è tutta una visione di forza, di audacia e di vittoria espressa attraverso la potente figura del guerriero che ha vinto il drago morente ai suoi piedi.

Il paesaggio del Mantegna è oltremodo ricco e variato, sempre fuso con il tema centrale. In lui il paesaggio è veramente uno stato d'animo,
20 sia che riveli un dolore cupo e tragico o una gioia pura e serena. Tutto è vita, amata e vissuta, nella sua arte complessa e pensosa. O che prenda temi biblici, classici o contemporanei, il Mantegna ritiene sempre il suo stile solido ed incisivo.

A SINISTRA: San Giorgio. IN BASSO: Cristo ed i due ladri. [LEFT: "St. George." ALINARI. BELOW: Christ and the Two Thieves.

LUCA SIGNORELLI

1441-1523   **XVI**

NACQUE A CORTONA, ma risentì fortemente l'influsso della pittura fiorentina e specialmente di quella del Verrocchio e di Piero della Francesca, suo maestro. La maggior parte dei suoi lavori si trovano nell'Umbria ed a Roma.

L'amore del nudo egli lo apprese specialmente dai maestri fiorentini, e se ne servì con una specie di ossessione anche quando il tema era religioso. Il giovane pittore umbro aveva abbandonato la sua Cortona, dove aleggiava lo spirito francescano, e si era trasferito alla Firenze de' Medici, mondana e voluttuosa. Portava con sé un temperamento

5

I "Dannati" ed i "Beati" nella cattedrale di Orvieto.   [The "Damned" and the "Blessed" in the Cathedral of Orvieto.] ALINARI.

introspettivo e meditativo, e Firenze con la vita gaia e spensierata delle classi nobiliari e ricche lo fece riflettere sul destino umano che sfocia nella morte, e sul piacere che termina nelle pene infernali. Questo è il sostrato di pensiero che anima la pittura di Luca Signorelli. Come
5   tutti i grandi artisti, egli è un profondo pensatore che ha meditato a lungo sul contrasto fra la natura e la legge divina: la natura che spinge l'uomo verso i piaceri mondani e la legge divina che punisce inesorabilmente l'uomo che si abbandona ad essi.

Questo contrasto fra la natura e la legge, fra l'umano ed il divino
10   ebbe la sua piena espressione negli affreschi della Cappella Nuova nel duomo di Orvieto. Il Signorelli vi lavorò dal 1499 al 1504 quando aveva raggiunta la piena maturità della sua arte. Sono una delle opere più gigantesche nella storia della pittura e costituiscono un vero poema pittorico.

Nell'ispirazione centrale dell'oltretomba gli servì di guida Dante, il cui ritratto Signorelli incluse in uno dei pannelli. Nell'espressione il tirocinio sotto il Verrocchio e lo studio della prospettiva sotto Piero della Francesca gli furono di grande aiuto. Nelle figure che popolano
5 le varie fasi del dramma della fine del mondo si risente l'influsso della scultura del Verrocchio, influsso che è anche visibile nelle figure di Michelangelo. Il risalto delle linee pittoriche è determinato dalla preoccupazione di rendere la solidità delle figure con lo stesso rilievo della scultura.

10 Pochi artisti hanno sentito come Signorelli l'ammirazione per la forma del corpo umano, per i muscoli forti e sporgenti, per le membra tese nello sforzo e nel movimento. Per questo gli affreschi della Cappella Nuova offrono un groviglio di corpi umani e di demoni che desta in chi li guarda la sensazione dell'orrore e della meraviglia: orrore per
15 la macabra brutalità dei demoni, meraviglia per la bellezza delle figure umane che ci presenta, come pure per l'insieme da cui emana la perplessità che il pittore sa comunicare all'osservatore del tragico destino dell'uomo. L'orrore è il tema che Luca Signorelli sa rendere meglio di ogni altro. Si osservino i due distinti pannelli dei Dannati
20 e dei Beati per convincersene. In ambedue si osserva la stessa tecnica nel rendere il corpo umano, ma la perfezione dei Beati è statica e non tocca chi la studia, mentre quella dei Dannati è dinamica e tale che, una volta vista, non è possibile dimenticarla.

La visione apocalittica della fine del mondo abbraccia molte fasi di
25 questo dramma che ha sempre attirato l'immaginazione ed il pensiero degli uomini così potentemente. Nel soffitto il Signorelli ha dipinto Cristo giudice dei buoni e dei cattivi, i Profeti, i Patriarchi, i Padri della Chiesa ed un coro di vergini. È la Chiesa militante e trionfante. Alle pareti laterali ha illustrato l'episodio dell'Anticristo, che finisce
30 con la sua cacciata dal Paradiso ed il ritorno nel regno del male. Poi seguono gli altri episodi: la resurrezione dei morti al suono della tromba di due bellissimi angeli, la divisione dei beati e dei dannati, quelli assunti alla gloria, questi preda degli spiriti del male che li travolgono e tormentano inseguendoli nell'aria tetra del giorno del
35 terrore. Tre angeli, con la spada tratta, dominano gli spiriti maligni e riaffermano la vittoria del bene e della legge.

Luca Signorelli lavorò molto e fino agli ultimi anni della sua lunga

esistenza. Giorgio Vasari scrive che raggiunse la tarda età di ottantadue anni. Morì nella sua Cortona rispettato ed amato dai suoi concittadini.

Benché la sua fama sia dovuta agli affreschi di Orvieto, altre opere e con altra ispirazione egli dipinse a Cortona, nella Cappella Sistina a Roma, a Volterra ed a Loreto. Nel museo di Berlino vi è un'opera

5

giovanile, *Il trionfo del dio Pan*, che Vasari dice dipinta per Lorenzo il Magnifico. Mostra l'influsso della Firenze de' Medici sull'arte di Luca Signorelli così nel soggetto mitologico come nella tecnica. Nella Galleria degli Uffizi vi è anche una *Sacra Famiglia* di lui, opera prege-
5 volissima, ma senza quella forza e passione che le scene apocalittiche sapevano svegliare nella sua anima.

CRISTOFORO COLOMBO

1451-1506   XVII

LA FINE del secolo XV ed il principio del seguente furono caratteriz-
zati da lunghi viaggi e pericolose esplorazioni. Oltre che al naturale
desiderio di conoscere nuove terre e nuovi popoli ciò fu dovuto al fatto
che i Turchi nel 1453 si erano impadroniti di Costantinopoli, chiudendo
le vie carovaniere sulle quali erano passati i mercanti che trafficavano   5
con l'Oriente. Il Mediterraneo si avviava di nuovo ad essere un mare
morto.

L'Italia ne soffriva più d'ogni altra nazione. È vero che il commercio
con i nuovi grandi stati nazionali, Spagna, Francia ed Inghilterra, era
ancora abbastanza intenso, ma è anche vero che l'oro adesso partiva   10
dall'Italia mentre nei secoli anteriori vi affluiva. Il fiorino si deprezzò
del cinquanta per cento fra il 1450 ed il 1500. L'industria della lana,
che era stata una delle maggiori sorgenti di ricchezza per Firenze come
per le altre repubbliche italiane, andava perdendo il suo primato a
causa della lana inglese che era meno fina ma costava di meno. Firenze   15
esportava ancora in Inghilterra la seta ed i tessuti in filo di oro, ma ciò
era ben piccola cosa rispetto alla perdita dei mercati della lana. Da
paese intensamente commerciale l'Italia si vedeva costretta a rientrare
in una economia agricola, e proprio nel momento in cui i signori
italiani prodigavano tesori nelle arti e nel fastoso tenore di vita. Per   20
questo la mente degli uomini grandi ed audaci si tormentava nella
ricerca di nuove vie per raggiungere le materie prime di cui l'Europa
e l'Italia scarseggiavano.

82

Colombo testifica di essere nato a Genova.   [Columbus testifies that he was born in Genova.]

Due rotte diversissime furono tentate. I Portoghesi si proposero di navigare lungo le coste occidentali dell'Africa, girarne la punta meridionale e veleggiare verso le Indie. Già si erano fatte esplorazioni nell'Atlantico e si conoscevano le isole Canarie, le Azzorre e le isole
5 del Capo Verde. Bartolomeo Diaz esplorò le coste del Senegal e della Guinea, e nel 1486 passò il Capo di Buona Speranza che egli chiamò Capo delle Tempeste.

Gli Italiani pensarono ad una rotta più audace: salpare dall'occidente e spingersi sempre più innanzi fino a toccare le Indie. Questa
10 fu la rotta seguita così da Cristoforo Colombo come da altri viaggiatori italiani a servigio di nazioni straniere. Nel 1497 Giovanni Caboto, un genovese che aveva preso la cittadinanza veneziana, esplorò il Labrador e la baia dell'Hudson per incarico del re Enrico VII d'Inghilterra.

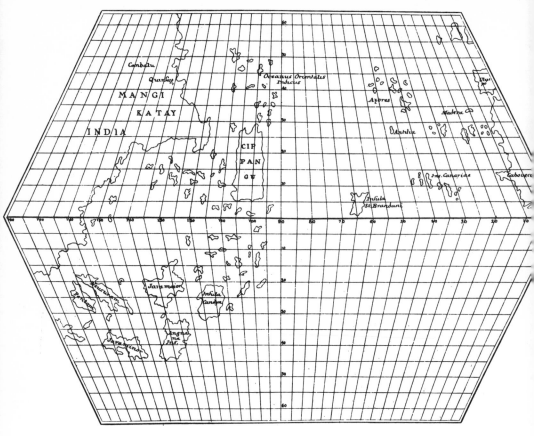

Anche il figlio Sebastiano seguì le sue orme, e tentò di arrivare alle
Indie attraverso le terre del nordest del continente americano. Un altro
italiano, Giovanni da Verrazzano esplorò il golfo del Saint Lawrence
in nome della Francia ed aprì la via a Jacques Cartier per la scoperta
del Canadà nel 1536. Questo spiega perchè il Canadà fu colonizzato   5
in parte dagli Inglesi ed in parte dai Francesi. Contemporaneo di
Colombo fu Amerigo Vespucci che scoprì la costa del Venezuela che
chiamò "piccola Venezia." Ebbe l'onore di dare il suo nome all'America per aver descritto il sudovest del continente in lettere che ebbero
subito pubblicità in tutta l'Europa. I numerosi tentativi di giungere   10
alle Indie furono coronati dalla vittoria nel 1513 quando Vasco Nuñez
de Balboa passò l'istmo di Darien e scoprì le coste del Pacifico. Vasco
de Gama, seguendo la rotta proposta dai Portoghesi, era giunto all'India
nel 1497, quando scoprì le coste del Malabar.

La prima scoperta del Nuovo Mondo fu dovuta alla visione di un   15
uomo di scienza ed al coraggio di un marinaio. Lo scienziato fu il
fiorentino Paolo dal Pozzo Toscanelli, il quale intuì che, data la sfericità
della terra, era possibile di arrivare alle Indie salpando dall'occidente

Confronto fra la mappa del Toscanelli, 1474, e quella del Caveri, 1502 *(in alto)*, preparata sulle informazioni di Colombo e di Vespucci.   [Comparison between Toscanelli's map, 1474, and that of Caveri, 1502 *(above)*, prepared with information from Columbus and Vespucci.]

e navigando verso l'oriente. Il marinaio che comprese ed accettò questa
idea geniale ed ebbe l'intrepidezza di attuarla fu Cristoforo Colombo.

Colombo nacque a Genova nel 1451, figlio di un tessitore. Anch'egli
seguì il mestiere del padre, ma figlio della Genova marinaia si sentiva
chiamato al mare. Mentre tesseva, la sua immaginazione gli avrà rica-   5
mato in mobili figurazioni sogni di viaggi e specialmente quelli della
scoperta delle Indie. Seguiva quel sogno sulle mappe dell'illustre
Toscanelli, mentre lo tormentava l'idea della difficoltà dell'impresa.
Sarebbe egli giunto di nuovo dove era arrivato Marco Polo, il cui libro
egli leggeva con ammirazione ed anche con una punta di invidia?   10

Nel 1474 sappiamo che Colombo era a bordo di una nave genovese
che andava all'isola di Chio. Non aveva potuto più resistere all'appello
del mare. Il dado era tratto. Due anni più tardi si trovava a Lisbona
dove si era rifugiato quando il veliero in rotta per l'Inghilterra su cui
viaggiava era stato attaccato dai pirati. Il destino lo allontanava dalla   15
sua Genova, mentre lo spingeva verso l'attuazione del suo sogno.

A Lisbona sposò una donna del luogo, Felipa Moniz Perestrello.
Era di famiglia di marinai e nella sua casa Colombo trovò scritti di
navigazione che allargarono ancora di più il suo conoscimento di quella
scienza. La sua donna morì ben presto e gli lasciò un figliuolo dal   20
nome di Diego.

Colombo era uno di quegli uomini che non si danno riposo quando si
sentono chiamati a fare qualche cosa di grande. Lo vediamo andare dal
re Giovanni II di Portogallo e parlargli del suo viaggio, dimostran-
dogli i vantaggi che ne verrebbero al suo paese e l'importanza dell'im-   25
presa. Il re si mostrò indifferente e Colombo con il figliuolo fuggì a
Siviglia. Dopo molte difficoltà gli riuscì di farsi presentare alla corte
di Ferdinando ed Isabella dal confessore di questa, Padre Pérez. La
regina parve ascoltare con speciale interesse il progetto grandioso
seppure vago di Colombo. Rimase oltremodo addolorata quando la   30
commissione reale radunata a Salamanca per esaminare il progettato
viaggio decise che Colombo era un pazzoide e che le sue teorie erano
assurde.

Colombo partì da Salamanca triste e scoraggiato. Andò a Cordova
e lì conobbe ed amò una gentildonna spagnola, Beatriz Enríquez de   35
Araña. Dal loro amore nacque un figliuolo al quale diede il nome
di Ferdinando, tentando così di farsi perdonare il fallo e di entrare

nelle grazie del re. Solo nell'agosto del 1492 gli riuscì di convincere i Re Cattolici ad aiutarlo nella sua audace impressa. Partì da Palos con tre caravelle, la Santa Maria, la Pinta e la Niña, e con centoventi uomini dei quali ottantotto componevano l'equipaggio. Questi erano stati scelti fra uomini che scontavano in prigione la pena a vita per delitti e rapine.

Dopo tre mesi di viaggio verso una meta che egli solo vedeva e dopo la repressione di ammutinamenti e ribellioni, il 12 ottobre del 1492 avvistò terra. Colombo chiamò San Salvador l'isola delle Bahamas dove aveva messo piede e dove aveva issato la bandiera spagnuola. Credette di essere arrivato alle Indie e cercò di identificare i luoghi che i geografi del tempo e Marco Polo avevano descritti. Appunto per questo chiamò Indiani le pellirosse che abitavano il continente americano. Ripartì par la Spagna il marzo dell'anno seguente e fu ricevuto a Palos con onori e feste.

Colombo traversò l'oceano Atlantico quattro volte, ma sempre con minore esito e perdendo sempre più il favore dei Re Cattolici. Nel 1500 fu perfino messo in catene da un nuovo governatore, Francesco de Bobadilla, che con un'audacia pari all'ingiustizia, imprigionò il grande navigatore e lo rimandò in Spagna in catene. La morte pose fine alla vita avventurosa e tutt'altro che lieta di Cristoforo Colombo nel maggio del 1506. Fu seppellito dapprima a Siviglia, ma i suoi resti furono trasportati a Haiti e poi a Cuba. Quando la Spagna perdette Cuba nel 1898 nella guerra con gli Stati Uniti, le ceneri di Colombo furono trasportate di nuovo a Siviglia dove tuttora riposano.

Colombo non era un romantico sognatore. Era audace, prammatico e forte. Si accinse al viaggio dopo che fu divenuto navigatore espertissimo e dopo lunghi studi scientifici. Nella conferenza di Santa Fe

con Ferdinando ed Isabella impose condizioni a lui vantaggiosissime:
un titolo nobiliare a sé ed ai suoi discendenti, il grado di ammiraglio
ed il titolo di viceré delle terre che scoprirebbe. Solo il suo carattere
forte gli permise di mantenere l'ordine fra la ciurma composta di
uomini fatti per la violenza. Si racconta di lui che, al ritorno alla corte   5
dopo la scoperta del Nuovo Mondo, udendo dire da un cortigiano a lui
nemico che la sua scoperta era cosa che tutti sapevano, gli diede una
risposta veramente originale. Si fece portare un uovo lesso ed invitò
il cortigiano a farlo tener dritto. Né questi né alcuno dei presenti ci
riuscirono. Allora Colombo batté l'uovo sulla tavola, ne ruppe il guscio   10
e dimostrò al suo critico che era possibile far tener dritto l'uovo. Il
cortigiano, con boria pari all'ignoranza, esclamò: —Chi non sapeva
fare ciò? Colombo rispose: —Immagino tutti, ma io solo l'ho fatto.

Colombo ci ha lasciato una vasta collezione di scritti che nel 1892
furono pubblicati dal governo italiano nella ben conosciuta edizione   15
nazionale. Comprendono le lettere ed il giornale di bordo.

Non è giusto diminuire l'importanza del viaggio di Colombo con il
dire che Danesi, Finlandesi e Normanni si erano spinti fino alle coste
dell'America molti secoli prima e che avevano chiamato Vinland la
costa dove egli approdò nel 1492. Nel secolo XV pochi sapevano di tali   20
viaggi che non avevano lasciato traccia alcuna di sé. Le scoperte sono
importanti per gli effetti che producono.

La scoperta del Nuovo Mondo fu uno di quei fatti di capitale importanza che determinano nuove direzioni nella storia umana. Colombo
aprì un nuovo continente all'Europa ed alla civiltà occidentale. L'im-   25
portanza della sua impresa è commensurata ai benefici che la sua
scoperta ha portati alla vecchia Europa.

NICCOLÒ MACHIAVELLI

1469-1527   **XVIII**

NICCOLÒ MACHIAVELLI viene generalmente chiamato il "segretario fiorentino." Occupò quel posto importante dal 1498 al 1512.

Alla fine del secolo XV le città italiane o parteggiavano per il partito democratico capitanato dalla Francia o per quello dell'Impero
5 rappresentato dalla Spagna. Firenze giaceva sotto il giogo del despotismo dei Medici, ma vi era sempre vivo l'amore per l'antica repubblica e per le forme libere di governo. Quando nel 1494 Carlo VIII di Francia, invitato da Ludovico il Moro, invase l'Italia e senza difficoltà alcuna avanzò verso Firenze, gli elementi democratici fiorentini, guidati
10 da Girolamo Savonarola, scacciarono i Medici e proclamarono la repubblica. Dopo la morte di Savonarola (1498), Niccolò Machiavelli divenne il segretario della repubblica.

Era suo dovere di tenere informata la Signoria ed il Consiglio dei Dieci sulle condizioni interne della città e sulle sue relazioni con gli
15 altri stati. Machiavelli, nato all'azione politica, si gettò con entusiasmo a tale lavoro. Per quattordici anni rese importanti servigi alla repubblica ed offrì consigli che, ahimé! non furono né compresi né seguiti.

In qualità di segretario prese parte a molte ambascerie in Italia e fuori, il che gli servì di scuola nel giudicare la vita politica del suo

tempo. Fra le esperienze che lasciarono un'orma profonda in lui e
nella sua opera di scrittore va ricordata la sua andata a Pisa nel 1500
durante l'assedio che Firenze aveva posto a quella città per essersi
ribellata ed aver dichiarato la sua indipendenza. Le truppe mercenarie
mandate da Luigi XII di Francia in aiuto a Firenze si erano ammu-   5
tinate e sbandate, lasciando i soldati fiorentini soli nella lotta. Machiavelli si sarà certo domandato quale affidamento si potesse fare su tali
soldati per la sicurezza dello stato. Sognò allora la creazione di una
milizia nazionale composta di cittadini che difendessero Firenze per
amor patrio e non per guadagno. Tale progetto fu da lui presentato   10
alla Signoria nel *Discorso dell'ordinare lo stato di Firenze alle armi.*
Un altro *Discorso* presentò alla Signoria nel 1502 dopo di avere
presenziato la repressione di Arezzo fatta da Firenze con truppe francesi. Machiavelli concluse che nel trattare efficacemente tali ribellioni
o bisognava farsi amare dalle popolazioni sottomesse o bisognava   15
annientarle. È un'idea che ritorna spesso anche in opere posteriori.

Nello stesso anno (1502) Machiavelli visitò il campo di Cesare
Borgia che con l'aiuto del padre, Papa Alessandro VI, cercava di
ridurre l'Italia in suo potere con violenza ed inganni. Scrisse in
quell'occasione per la Signoria il resoconto oggettivo e preciso del   20
modo tenuto dal Valentino per disfarsi dei suoi nemici.

Più importanti furono le ambascerie fatte da Machiavelli in Francia
ed in Germania, che diedero luogo ai celebri scritti che si intitolano
Ritratti delle cose della Magna e *Ritratti delle cose della Francia.*
Il freddo e perspicace osservatore conclude che esisteva una relazione   25
inversa fra libertà e potenza dei due stati. La Francia godeva minore
libertà della Germania, ma era più forte.

L'attività di segretario della repubblica ebbe fine nel 1512 quando
Spagna e Germania si unirono contro la Francia e mandarono le loro
soldatesche contro Firenze. La milizia cittadina che Machiavelli aveva   30
organizzata con tanta fede e con tanto lavoro non resistette. La repubblica cadde e tornarono i Medici. Machiavelli, quale ardente difensore
della repubblica, fu imprigionato e torturato, ma dopo un anno di
prigionia fu rimesso in libertà. Si ritirò a vivere in un suo piccolo
podere a San Casciano nel contado di Firenze e lì furono scritte le sue   35
opere maggiori: *I discorsi sopra la prima deca di Tito Livio, Il Principe,* e più tardi la *Storia di Firenze.*

L'esilio gli rese impossibile la carriera diplomatica, ma non poté togliergli la libertà del pensare. Durante il giorno era costretto a vivere fra la gentuccia del paese, come egli confessa nella celebre lettera scritta a Francesco Vettori il 10 di dicembre del 1513, ma la
5   sera indossava la nobile veste del suo ufficio di segretario della repub-

blica e per ore studiava le opere degli antichi scrittori e meditava
sulle vicende di Roma e della sua Firenze.

Machiavelli è uno dei fondatori della scienza politica. Concepì la
vita politica come espressione delle forze che formano lo stato, ne
determinano le varie vicende e ne creano la storia. La storia è in con-   5
tinuo flusso. Nel campo internazionale le variazioni sono determinate
dal crescere o dall'indebolirsi degli stati. Nella vita interna i partiti
determinano i cambiamenti che continuamente ed inevitabilmente
hanno luogo.

Machiavelli scopre nelle vicende umane un rigoroso determinismo   10
storico che riposa sull'ambizione, sulla forza e spesso sulla violenza.
Vi arriva osservando da vicino ciò che era avvenuto nella storia di
Roma ed in quella di Firenze. Da uomo di scienza isola il bacillo
politico e lo esamina indipendentemente da considerazioni morali e
religiose. Non è né ateo né immorale. È solo un oggettivo ma appas-   15
sionato uomo di scienza che ha raggiunto determinati princìpi e scruta
la storia per trovarvi la dimostrazione di essi. Ammette che la fortuna
o il caso abbiano una parte nella vita politica, ma crede che la storia
umana, nella sua essenza, sia determinata dalla volontà dell'uomo forte
e dai vari fattori sociali e politici che la compongono.   20

I due punti fissi da cui Machiavelli toglie il materiale che trasporta
nel suo laboratorio per sottoporlo ad un rigido esame sono la Roma
classica e la Firenze e l'Italia dei suoi tempi. Nei *Discorsi su Livio*
analizza il nascere, il crescere ed il cadere di Roma. Nelle *Storie
fiorentine* studia le vicende della sua città come repubblica e sotto i   25
Medici, venendo giù fino alla morte di Lorenzo il Magnifico (1492).
Il Principe ha per meta la considerazione della necessità dell'unità
dell'Italia sotto un solo principe onde non essere preda dell'ambizione
dei grandi stati europei.

Machiavelli finì la sua vita povero e deluso. Avendo tentato di   30
riavvicinarsi ai Medici, fu messo da parte quando nel 1527 la repubblica fu di nuovo proclamata e durò per tre anni fino al memorabile
assedio nel quale Michelangelo diresse le fortificazioni, e le milizie
cittadine organizzate da Machiavelli si coprirono di gloria. Ma egli,
come non ebbe la soddisfazione di vedere il frutto del suo lavoro, così   35
non provò l'acerbo dolore di vedere la morte della sua amata repubblica nel 1530.

TVTTE LE OPERE
DI NICOLO MACHIAVELLI
CITTADINO ET SECRETARIO
FIORENTINO,

DIVISE IN V. PARTI,
ET DI NVOVO CON SOMMA ACCVRATEZZA
RISTAMPATE.

M.   D.   L.

Machiavelli è stato ingiustamente presentato come un mostro di immoralità. Se l'immoralità fosse la base del suo sistema, il suo pensiero politico non avrebbe valore alcuno. Certo egli concede una gran parte all'utilitarismo, ma è bene riflettere che spesso egli si
5   limita a riconoscere la presenza dell'utilitarismo nei prìncipi e negli stati che egli osserva. Si è detto che Machiavelli giustifica la violenza. Machiavelli la giustifica solo quando un principe voglia creare uno stato nuovo, ma aggiunge che il principe deve poi dedicarsi alla felicità ed al benessere dei sudditi. Solo così il principe potrà contare sull'a-
10   more di questi e sulla sicurezza del suo stato. Machiavelli specifica-mente nel suo *Principe* condanna la crudeltà in Agatocle Siciliano, ed aggiunge le memorabili parole: "Non si può chiamare virtù ammazzare i suoi cittadini, tradire gli amici, essere senza fede, senza pietà, senza religione, i quali modi possono forse fare acquistare impero, ma non
15   gloria."

93

Nella parte positiva del suo pensiero Machiavelli raggiunge atteg-
giamenti che fanno di lui un precursore dell'idea della monarchia
costituzionale. Per lui l'autorità del principe riposa sul favore popolare
e da questo dipende anche la vera difesa dello stato. Costantemente
ammonisce il suo principe che il popolo si contenta di poco e che solo   5
desidera pace e benessere. Il popolo deve essere il suo alleato contro
i nobili ambiziosi e faziosi.

Nell'intimo del suo cuore Machiavelli era rimasto repubblicano.
E la repubblica esaltò ripetutamente nel *Principe* benché il libro fosse
dedicato ad un Medici, Lorenzo di Piero de'Medici. Né si dimentichi   10
che nelle *Storie fiorentine* si leggono pagine appassionate per la vecchia
repubblica e che nel *Discorso sopra il riformare lo stato di Firenze*,
diretto a Leone X, anch'egli un Medici, ardisce di proporre la repubblica per la sua città. I critici di Machiavelli hanno spesso chiamato
opportunismo quella che è saggezza di uomo pratico avvezzo a descri-   15
vere le cose come le vede nella storia e nella vita. Non vi è dubbio
alcuno che Machiavelli rimase fedele alla repubblica. Ma la vedeva
come un sogno omai perduto, di cui voleva conservare lo spirito nelle
nuove forme che la libertà richiedeva in un'Europa nazionalista, forte
e pronta alla conquista. Era assurdo volere che l'Italia continuasse a   20
vivere spezzettata in numerose repubbliche come quando gli stati nazionali non esistevano. Era come un voler essere eternamente bambini,
privi del coraggio di accettare le leggi dell'inesorabile passare degli
anni e della vita.

Machiavelli merita anche l'onore di essere ricordato come scrittore   25
e stilista. Non solo scrisse pagine bellissime nelle sue opere politiche,
ma fu anche l'autore di una fortissima commedia, la *Mandragola*, e di
un'ironica novella, *Belfagor Arcidiavolo*. Inoltre, le sue numerosissime
lettere rivelano costantemente l'acutezza del suo pensiero nel leggere
nel cuore dei suoi contemporanei come la finezza del suo umorismo,   30
che l'aiutò grandemente a sopportare la tristezza e l'ingiustizia della
sua sorte.

Machiavelli possedette una grande sincerità ed un intelletto acutis-
simo. L'unione di queste due qualità lo portò all'attenta osservazione
degli uomini e della storia, attraverso la quale arrivò a formulare le   35
leggi che guidano la vita dei popoli.

LEONARDO DA VINCI

1452-1519   **XIX**

VISSE A cavaliere del secolo XV e del XVI, epoca che produsse un
numero incredibile di uomini eccellenti nelle arti e nel pensiero.
Leonardo rappresenta l'incarnazione più perfetta di quell'ideale tipo
umano che il Rinascimento chiamò l'uomo universale. Ebbe tali qualità
5   fisiche ed intellettuali che rende a noi posteri difficile avvicinarci a
lui e sentire in lui uno che porta il peso della nostra umanità. Fu
dotato di una forza fisica straordinaria che gli permetteva di piegare
verghe di ferro come se fossero virgulti. Era estremamente bello e la
bellezza della sua gioventù resistette fino a tarda età. Si avventurò
10   in ogni campo del sapere e fu eccellente pittore, scultore, ingegnere,
poeta e musico. Non fu mai soddisfatto delle scoperte fatte, ma tentò
sempre nuovi metodi e nuove forme.

  Leonardo fu figlio naturale di un notaio di Vinci, borgo nelle
vicinanze di Firenze. Passò gli anni giovanili nella bottega di Andrea

Verrocchio, famoso scultore e pittore, alla cui scuola impararono l'arte
Sandro Botticelli, Perugino, Lorenzo di Credi e molti altri ancora.
I Medici furono i suoi mecenati durante questi anni. Nel 1483 andò
a Milano, invitato da Ludovico il Moro. Nel 1513 lo troviamo a Roma,
dove gli artisti erano sicuri di trovare asilo e protezione nella corte   5
splendida e mondana di Leone X. Non sembra che Leonardo trovasse
di suo gusto quell'ambiente, e nel 1515 emigrò in Francia, invitato da
Francesco I. La corte di Francia conosceva già l'eccellenza della sua
arte, avendo egli lavorato, mentre dimorava a Milano, per Luigi XII.
Leonardo morì in Francia nel 1519, onorato dal re Francesco I ed   10
universalmente acclamato quale uomo straordinario.

Leonardo fu costantemente tormentato dal desiderio di conoscere e
di investigare la natura. Nei suoi *Pensieri,* che sono il diario intellettuale dove egli ha registrato attentamente ogni suo movimento di mente
e di cuore, egli si serve della parola "natura" dando a questo termine   15
un nuovo valore. Per i filosofi tradizionali natura era un concetto più
che una realtà. Per Leonardo essa è il mondo che ci circonda: il cielo,
il mare, le piante, i fiori, gli animali e specialmente l'uomo. Conoscere
la natura significava sentirsi riempire di maraviglia dinanzi alla bel-

Leonardo si avventurò in ogni campo del sapere e fu eccellente pittore, scultore, ingegnere, poeta e musico.   [Leonardo ventured into every field of
knowledge. He was painter, sculptor, engineer, poet, and musician.] ALINARI.

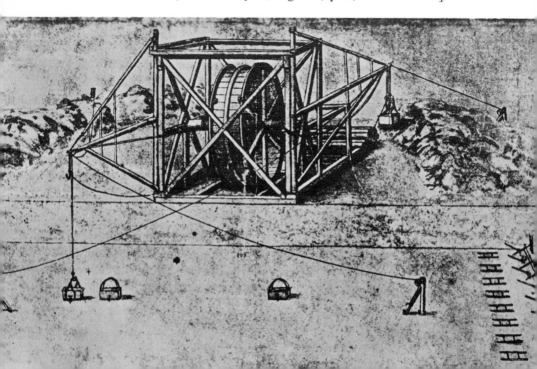

lezza ed al mistero che avvolge ogni cosa vivente o esistente. Questo egli chiamava "contemplare la natura," e scienza ed arte si fondevano bellamente in quell'atto del suo spirito. Per questo sezionava i muscoli prima di dipingere il corpo umano.

5　Nessuno ha glorificato la facoltà del pensare quanto Leonardo. Nei suoi *Pensieri*, egli scrisse: "Il corpo nostro è sottoposto ai cieli, ed i cieli sono sottoposti allo spirito dell'uomo che pensa." Scrisse anche queste mirabili parole: "I sensi sono terrestri; la ragione sta fuori di essi quando contempla." Leonardo può considerarsi il padre dell'idea-

10　lismo moderno. Egli anticipa di un secolo il pensiero di Descartes che pronunciò le famose parole: "Penso, dunque sono." Anche per Leonardo il pensare era la funzione più alta e caratteristica dell'uomo. Si fece del pensiero lo strumento per arrivare alla verità, la cui essenza era per lui la chiara comprensione della natura.

15　Questo atteggiamento prammatico condusse Leonardo a disprezzare coloro che ad ogni piè sospinto mettevano avanti l'autorità degli Antichi. Sono memorabili queste parole di lui: "Chi disputa allegando l'autorità, non adopera l'ingegno, ma piuttosto la memoria." Ed aggiunge questo: "Odi somma stoltizia di quelli, i quali biasimano

20　coloro che imparano dalla natura, lasciando stare gli autori, discepoli di essa natura." Difende se stesso ripetutamente dall'accusa di non sapere di lettere: "Sebbene, come loro, non sapessi allegare gli autori, molto maggiore e più degna cosa a leggere è allegare l'esperienza, maestra ai loro maestri." Come Dante, egli scrive con disprezzo dei "letterati" del suo tempo; gente che viveva parassiticamente nelle corti e glorificava le parole senza curarsi dell'originalità del pensiero. Per 5 Leonardo l'essenziale era "l'esperienza," e scrivere era rivelare il frutto della sua contemplazione della natura. Considerava l'esperienza madre del sapere. Osservava il volo degli uccelli e pensava che un giorno sarebbe stato possibile per l'uomo di volare. Osservava il nuoto dei pesci ed intuiva il sottomarino. 10

L'atteggiamento prammatico di Leonardo ci aiuta a comprendere la vera grandezza del Rinascimento. Esso non fu già il ritorno agli Antichi che non erano mai stati dimenticati, ma una nuova scoperta del mondo e dell'uomo, aggiungendo nuove conclusioni e scoperte alle conclusioni ed alle scoperte degli Antichi. Copernico distrusse il sistema 15 geocentrico di Tolomeo ed introdusse il sistema eliocentrico. Andrea Cesalpino gettò le basi della mineralogia e della botanica. Realdo Colombo ed Alessandro Achillini crearono la scienza dell'anatomia, basata sulla diretta osservazione degli organi del corpo umano, e rigettarono le conclusioni di Aristotile e di Galeno. Machiavelli e 20 Guicciardini esaminarono la natura della vita politica e della storia prendendo ad esame i fatti come sono e mettendo da parte sogni irreali e fantasie. Questi uomini ebbero chiara visione che il sapere umano è cumulativo. Leonardo, capace di precisione matematica e di intuito poetico, parlò per essi tutti nei suoi scritti meravigliosi. 25

Leonardo fu soprattutto uno scienziato. La contemplazione della natura era per lui "scienza," e considerava la pittura un aspetto e la continuazione di questa "scienza." I paesaggi di Leonardo si comprendono a pieno solo se si considerano in relazione al fascino che ogni parte, sia pure piccola, della natura esercitava su di lui. La 30 complessità dello sfondo nella *Vergine delle Rocce*, ora nel Louvre, diviene viva e cresce in bellezza quando si guarda da questo punto di vista. La solidità delle figure di Leonardo, quale si osserva nell'*Autoritratto*, nella *Vergine delle Rocce*, nell'*Annunziazione*, in *San Giovanni Battista* o nella figura di *Sant'Anna* come nella *Gioconda*, è 35 frutto di questa scienza materiata di entusiasmo e di meraviglia.

Il tempo ha già distrutto una gran parte di ciò che produsse nella

pittura questo grande genio ed indefesso lavoratore. La sua grandezza
è più vasta di quella che si ricava dallo studio delle sue opere, ora
sbiadite o scomparse. I suoi scritti ci fanno intravedere una figura più
grande di quella che si può ricostruire da ciò che ci rimane di lui.
L'Ultima Cena nel refettorio del convento di Santa Maria delle Grazie
a Milano ci dà solo una pallida idea di ciò che essa dovette essere
quando Leonardo la affrescò nella pienezza delle sue forze nel 1498.
Oggi possiamo solo intuire il dramma che il maestro volle fissare
nell'ultima cena di Gesù con i suoi discepoli alla vigilia della sua

passione e morte, causate dal tradimento di Giuda. Tutto il resto è
perduto per noi: l'attuale bellezza e forza del viso di Gesù, i colori
dello sfondo, delle vesti, delle carni, tutto ciò a cui diede forma il
dramma ideato ed attuato dal maestro. Anche la *Gioconda* rimane
un mistero per noi. Fu essa Lisa del Giocondo della quale Leonardo
colse il sorriso finemente ironico per tutto ciò che la vita ha di illogico
e di ingiusto, o è essa perduta nella bellezza del paesaggio e della
musica offertale dai suonatori di liuto e di organo che si intravedono
nello sfondo del quadro? Che si possano dare tali lontane interpreta-
zioni della stessa tela mostra quanto poco ci rimane della bellezza
originale del quadro. Ma non vi è nessuno che pensando alle opere
di Leonardo non senta in esse la presenza del genio.

Chi studia le sue opere rimane ammirato dalla spontaneità delle
sue composizioni. Ogni ombra di sforzo è assente in esse. Egli ebbe
da natura l'istinto del plasmare e della bella forma. Il pensiero
spontaneamente gli fioriva in figure dolcissime, quali le sue teste di
donna o si rivelava in possenti figure quali quelle dei disegni per il
monumento allo Sforza. O che il tema sia quello della dolcezza o quello
della potenza, esso sembra manifestarsi per forza propria di cuil il
pittore è solo lo strumento. Leonardo scrisse questo sul mistero della
creazione artistica: "Gli ingegni elevati, quando meno lavorano, più
adoperano, cercando con la mente l'invenzione."

Nella vita mortale Leonardo fu chiuso nel mondo dei suoi pensieri.
Nella vita dell'immortalità rimane tutto solo nella sua grandezza quale
simbolo di un'esistenza che sembra trascendere i limiti dell'umano.

A SINISTRA: "San Giovanni Battista." A DE-
STRA: Testa di vecchio.   [LEFT: "St. John
the Baptist."   RIGHT: Head of an old man.]
ALINARI.

Folengo metteva in ridicolo i falsi umanisti che esaltavano il latino e disprezzavano il volgare.   [Folengo ridiculed the false humanists who exalted Latin and spurned the vulgar tongue.]

TEOFILO FOLENGO

1491-1544   **XX**

TEOFILO FOLENGO nacque a Mantova alla fine del secolo decimo-
quinto, ma passò molti anni della sua vita nell'Italia meridionale.
Fu frate benedettino con un temperamento molto diverso da quello che
ci aspetteremmo in una persona che deve vivere nel chiostro in pre-
5 ghiera e meditazione. Invece Folengo, il Lippo Lippi della storia
letteraria del Cinquecento, aveva un temperamento fantastico ed un
naturale sensuale e litigioso. Per questo abbandonò l'ordine benedettino che aveva abbracciato nel 1512, e si guadagnò la vita facendo il
pedagogo con la ricca e potente famiglia Orsini a Venezia ed a Roma.
10 Nel 1534, stanco della sua vita randagia e tutt'altro che sicura, rientrò
nell'ordine e visse oscuramente, dedicandosi a limare la sua poesia.
Morì nel nord dell'Italia nel 1544.

Folengo ebbe grande ingegno poetico e fu un vero artista che visse
più per la sua arte che per se stesso. La sua opera lo ricollega alla
15 letteratura di avventura della quale i racconti cavallereschi come i
viaggi in questo mondo o nell'altro erano una chiara espressione.
Il poema a cui il Folengo deve la sua fama è il *Baldus*, pubblicato nel
1517 in una nuova lingua, creazione del Folengo e di minori poeti che
lo precedettero, e che va sotto il nome di "maccheronica." La lingua
20 maccheronica è l'italiano ed i vari dialetti sottoposti alla forma latina
a scopo di destare il riso in chi legge ed ascolta. Psicologicamente
rappresenta la reazione delle persone d'ingegno e di buon senso alle
esagerazioni dei falsi umanisti che esaltavano il latino e disprezzavano
il volgare, senza conoscere bene né l'uno né l'altro. Folengo si servì
25 della lingua maccheronica come strumento artistico per rivelare il suo
disprezzo per i falsi religiosi ed i pedanti come per esaltare la sincerità
del sentire e la spontaneità della condotta umana. Ecco perché i suoi
eroi sono cavalieri e paladini che vanno errando per il mondo sfogando
con violenza e stranezze i soprusi a cui li hanno sottoposti la società

RLINI COCAI
OETÆ MANTVANI

Macaronicorum Opus.

in pristinam formam per me Magi-
Acquarium Lodolam optime reda-
, in his infra notatis titulis diuisum.

TONELLA, Quæ de amore Tonelli erga Za-
rinam tractat. Quæ constat ex tredecim Sonolegiis, septem Ecclogis, & vna Strambottolegia.

PHANTASIÆ Maçaronicon, diuisum in vigintiquinque Maçaronicis, tractans de gestis magnanimi, & prudentissimi Baldi.

MOSCHÆÆ Facetus liber in tribus partibus diuisus, &
tractans de cruento certamine Muscarum & Formicarum.

LIBELLVS Epistolarum, & Epigrammatum, ad varias personas directarum.

VENETIIS, M.D.LXXIII.
Apud Joannem Variscum, & socios.

OPVS MERLINI
COCAII POETAE
MANTVANI

Macaronicorum.

Totum in pristinam formam per me Magistrum
Acquarium Lodolam optime redactum, in his
infra notatis titulis diuisum!

ZANITONELLA, Quæ de amore Tonel-
li erga Zaninam tractat. Quæ constat ex tredecim Sonolegiis, septem Ecclogis, & vna Strambottolegia.

PHANTASIAE Macaronicon, diuisum in
vigintiquinque Macaronicis, tractans de gestis magnanimi, & prudentissimi Baldi.

MOSCHEAE Facetus liber in tribus partibus
diuisus, & tractans de cruento certamine Muscarum & Formicarum,

LIBELLVS Epistolarum, & Epigrammatum
ad varias personas directarum.

VENETIIS,
Apud Horatium de Gobbis. 1581.

L'opera di Merlin Cocai (Teofilo Folengo) risente dell'arte di Luigi Pulci. *(In alto,* illustrazione dal *Morgante maggiore.)*   [The work of Merlin Cocai (Teofilo Folengo) show contacts with the art of Luigi Pulci. *(Above,* illustration from the *Morgante maggiore.)*]

ed i conventi. Il nucleo centrale del *Baldus* e delle altre opere satiriche del Folengo è lo spirito antisociale dell'autore. Questo nòcciolo viene distemperato in una folla spesso amorfa di personaggi che si abbandonano ad atti grotteschi, volgari e grossolani, il che non permette che il tema centrale si approfondisca e sviluppi. Questa ci sembra la ragione della relativa popolarità che gode l'opera di Teofilo Folengo.

5

   Baldo, il protagonista, risente dell'arte di Luigi Pulci nella grossolanità dei suoi atti, sebbene sia nato dalla nobile stirpe di Rinaldo e di

105

Questo sie l'assedio di Padoa

"Su! su! qui mecum vult gattam, vengat avantum! . . ." parole "maccheroniche" di
Cingar, eroe di Folengo.   ["Here! here! Whoever wants the cat, come forward! . . .
"Maccheronic" words of Cingar, Folengo's hero.]

quella del re di Francia. Nato in Italia ed italianizzato come Orlando
e Rinaldo ed altri eroi carolingi, Baldo rappresenta la gioventù che
non conosce legge né misura. Messo in prigione a Mantova a causa
delle sue violenze e delle sue beffe, viene liberato da Cingar, mariolo
che ne ha fatte di ogni colore. Con un gigante, Fracasso, ed un mostro
metà cane e metà uomo, Falchetto, si mettono a girare il mondo e dopo
stranissime avventure in cui si è sbizzarrita la fantasia di Folengo
arrivano all'inferno dove il poeta li lascia dopo aver descritto minuziosamente quel luogo.

In lingua maccheronica scrisse anche la *Moschaea,* la guerra fra le
mosche e le formiche, parodia dei poemi epici come della politica
del tempo, e la *Zanitonella,* raccolta di liriche maccheroniche nelle
quali Folengo si burla della poesia pastorale e falsamente platonica del
suo tempo.

Nel 1526 scrisse l'*Orlandino,* in lingua italiana, che rispecchia
anch'esso la maniera grottesca a cui il Folengo sottopone gli eroi cavallereschi quando ne fa la satira.

Importante per la storia del pensiero di Teofilo Folengo è il *Caos,*
opera veramente caotica nella forma (è scritta parte in italiano, parte
in latino e parte in lingua maccheronica) e caotica nel tema centrale in
quanto vuole rispecchiare la confusione delle idee dell'autore nella
sua gioventù. Egli è preda dei piaceri sensuali e dell'amore, come di
molte superstizioni religiose. Dopo un lungo vagabondaggio nel regno
dell'errore, egli arriva a redimersi attraverso la lettura dei libri sacri
della *Bibbia.* Questa gli illumina la via sulla quale egli, a guisa di
Dante nel suo viaggio, propone di camminare.

Nella tradizione anglosassone Folengo è meglio conosciuto sotto il
nome di Merlin Cocai. Questo era il suo pseudonimo quando scriveva
opere non consone alla vita religiosa che aveva scelta.

Folengo fa parte dei tanti spiriti tormentati ed irrequieti che vissero
nel secolo XVI, epoca nella quale la convenzione e l'artificialità
dominavano negli ambienti culturali ufficiali. Egli fu il compagno di
Pietro Aretino, di Benvenuto Cellini, di Gian Battista Gelli e di
Giordano Bruno, per nominare solo i più grandi fra gli "scapigliati"
di quel secolo. Rabelais, l'autore di *Gargantua* e *Pantagruel,* si è
ispirato moltissimo allo spirito di satira e di ribellione che pervade
l'opera di Teofilo Folengo.

LUDOVICO ARIOSTO

1474-1533

È UNO DEI poeti italiani più amati e più letti. Ancor oggi le persone del popolo amano leggere i lunghi episodi dell'*Orlando Furioso*.

Nacque a Reggio Emilia e studiò legge a Ferrara, dove il padre era a servigio della famiglia d'Este. Era uno di dieci figliuoli. Morto il
5 padre nel 1500, Ludovico dovette accollarsi la responsabilità della numerosa famiglia. Entrò a servigio degli Este e nel 1503 era familiare, un po' segretario un po' lacchè, del Cardinale Ippolito d'Este. Ebbe anche incarichi militari e dal 1518 al 1525 fu governatore della Garfagnana, regione che dipendeva da Ferrara e dagli Este.
10 Tornato a Ferrara nel 1525, vi si costruì una casetta dove visse tranquillamente limando e ripulendo il suo *Orlando* fino al 1533, anno della sua morte. Gli fu compagna tenera ed affettuosa una nobile donna, Alessandra Benucci Strozzi, che per venti anni l'Ariosto ebbe a compagna della sua vita. Prima fecero vita comune senza sposarsi,
15 ma dopo molti anni regolarizzarono la loro unione, forse nel 1527. Vi è una nota di grande tenerezza in quest'amore illegittimo che occupò una gran parte della vita del poeta.

Parte integrale della sua vita di corte, e perciò opere di poco valore, sono le commedie dell' Ariosto: la *Cassaria* ed *I Suppositi*, scritte nel
20 1509, il *Negromante* del 1520 e la *Lena* del 1529. Le scrisse per divertire gli amici della famiglia d'Este e sono una banale copia della commedia latina di Plauto e di Terenzio.

Più vicine alla vita quotidiana del poeta e vive sono le sette *Satire* in cui egli ironizza la vita falsa e vuota che lo circondava. Sono utili
25 documenti per vedere da vicino le corti, gli uomini di lettere, che l'Ariosto detestava (si trova qui usata per la prima volta, con significato di falso letterato, la parola "umanista"), come pure il temperamento casalingo e buono dell'autore, costretto a vivere in un mondo che non era di suo gusto. Le satire furono scritte dal 1517 al 1525. Aveva

già scritto la sua opera capitale: l'*Orlando Furioso*. Vi era venuto
lavorando durante dieci anni e lo pubblicò nel 1516. Seguitò a lavo-
rarvi con infinita cura ed amore, e ne pubblicò due nuove edizioni,
una nel 1521 ed una, definitiva, nel 1532, un anno prima della morte.

Una della ragioni che spinsero l'Ariosto a scrivere il suo poema fu   5
la celebrazione della famiglia d'Este di cui l'Ariosto canta l'origine,
imitando l'*Eneide* che cantò l'origine dell'Impero Romano e la gloria
dell'Imperatore Augusto. A tale scopo l'autore inserì la storia dell'a-
more di Ruggiero e di Bradamante, capostipiti leggendari della famiglia d'Este, nel racconto delle avventure e dell'amore del più grande   10
paladino della Cristianità, Orlando. Ripigliando, svolgendo e cambiando l'*Orlando Innamorato* di Boiardo, l'Ariosto ci presenta il
paladino non più romanticamente innamorato come aveva fatto il
Boiardo, ma pazzo, conseguenza dell'amore non corrisposto di Angelica.
Il Boiardo aveva concesso ad Orlando la felicità di essere amato dalla   15
bella saracena. L'Ariosto gli nega tale felicità e fa sì che Angelica,
prototipo della donna leggera, preferisca sposare Medoro, un rozzo
soldato saraceno, al grande paladino della Cristianità. Contradizioni
del cuore umano e della vita! Orlando è portato dal caso a vedere le
prove dell'amore di Angelica e di Medoro: i nomi dei due innamorati   20
incisi negli alberi di un boschetto dove essi si erano rifugiati mentre
tornavano all'oriente. Dinanzi a tale terribile verità, Orlando impazzisce
ed il suo amico Astolfo deve volare alla luna a cavallo dell'ippogrifo
per ritrovare il cervello del povero innamorato.

L'*Orlando* ci presenta molti dei personaggi che erano stati cantati   25
dall'epica cavalleresca anteriore. Anche il tema storico centrale è
preso da questa tradizione che si era compiaciuta a cantare la lotta
fra i paladini cristiani ed i re e popoli saraceni. Infatti il poema si
apre con la sconfitta dei Cristiani da parte dei Saraceni guidati da
Agramante, con l'assedio di Parigi e le vicende di una lunga guerra   30
che finisce con la vittoria completa dei Cristiani. Su questa breve trama
l'autore ha intrecciato infiniti episodi nei quali predomina l'elemento
erotico e romantico. I personaggi sono generalmente guidati dall'a-
more, anche se combattono per la fede cristiana. L'Ariosto crea così
un romanzo d'avventure fantastiche e strabilianti dalle quali sono   35
sempre assenti la monotonia e la brutalità.

L'*Orlando* è una gloriosa tela su cui sono proiettate un'infinità di
figure contrastanti e rivelanti infiniti aspetti dell'umanità. Due temi

L. Cassas

PHO. YVES & BAR...

Orlando Furioso, CANTO XIX: I due innamorati Angelica e Medoro si sono rifugiati in un boschetto mentre tornano all' oriente.   [The two lovers Angelica and Medoro have sought refuge in a thicket while they are returning to the east.]

fondamentali vi si intrecciano e vi si fondono: il sogno e l'ironia. L'Ariosto si perde nelle avventure dei suoi personaggi che per amore vanno raminghi per tutto il mondo. Canta per essi e per se stesso tranquilli cantucci di campagna allietati di verde e di canti d'uccelli,
5 ma improvvisamente, quasi ridendo della propria sentimentalità, ironizza il loro sogno, tronca le ali alle loro aspirazioni romantiche e li fa cadere in situazioni da cui non possono uscire se non a patto di divenire pazzi, di soffrire e perfino di morire. Questa vicenda di sogno e di ironiche situazioni allaccia e dà unità ai molteplici e numerosissimi
10 elementi che tumultuosamente si svolgono nel poema.

L'elemento che più avviva il poema è quello psicologico, una psicologia che non è mai artificiosamente messa in rilievo, ma che circola tranquillamente attraverso le situazioni che si svolgono nel poema. L'Ariosto riflette e distilla nel suo libro la sua filosofia della vita, filo-
15 sofia bonaria di chi ha concluso che bisogna accettare la vita come è, che la vita è sempre pronta ad offrirci quello che meno ci aspettiamo, e che solo chi ha imparato a sorridere delle debolezze umane può comprendere e scusare le azioni degli uomini.

Più ricca diviene la vena psicologica quando si osserva la grande
20 varietà di temperamenti che l'Ariosto ha prestato ai suoi personaggi. Rodomonte è il Saraceno senza fede e tutto viltà. Ruggiero, invece, è nobile, benché saraceno, e come tale si convertirà al Cristianesimo e sposerà la nobile Bradamante.

Gli innamorati del *Furioso* costituiscono una infinita gradazione
25 e vanno dall'amore passione fino all'amore sacrificio e morte. Fiordiligi è una figura gentilissima di innamorata che trova nell'amore tutta la ragione del suo essere e, quando vede morire l'uomo che essa ama, non può vivere e trova la sua salvezza e felicità nel morire accanto al suo Brandimarte. Angelica, mobile e volubile, è all'altro estremo,
30 ma è pur essa una figura ricca di variazioni e di luci come lo sono Bradamante ed Isabella, le più lumeggiate fra le donne dell'Ariosto. Se l'analisi della mobilità della donna è una delle caratteristiche del romanzo moderno, Angelica è una delle prime donne "moderne" e l'*Orlando* uno dei primi romanzi moderni.

35 L'*Orlando Furioso* non è solo un romanzo di avventure. Come tutte le grandi opere è un libro che invita il lettore a meditare sulla vita umana e sulle debolezze umane.

BENVENUTO CELLINI

1500-1571   **XXII**

CELLINI è una della figure più geniali e spontanee che si incontrino nel Cinquecento. Fu un grande artefice e lavorò con raro gusto e grande perfezione in bronzo come nei metalli più fini quali l'oro e l'argento. Il suo capolavoro è il *Perseo* che si ammira nella Piazza della Signoria a Firenze. Di lui è con certezza la finissima saliera   5 d'oro di Francesco I che si trova nel museo di Vienna. Cellini uomo è lontanissimo da Cellini artista, in quanto l'uomo in lui è tutto violenza e magari volgarità, mentre Cellini artista rappresenta un'altezza raramente raggiunta nella storia della scultura. Si interessò anche nell'aspetto teorico dell'arte e ci ha lasciato due saggi manoscritti, intitolati   10 *Dell'oreficeria* e *Della scultura*. Fino a qual punto arrivasse la potenza creatrice del suo genio e la finezza del suo gusto, lo mostrò nel *Perseo*. Il Perseo vittorioso su Medusa, la cui testa recisa dal corpo esanime egli solleva in alto, è una figura che gareggia con il Davide di Michelangelo per purezza di forme, audacia di concetto e perfezione plastica.   15

La vita del Cellini fu movimentata e turbolenta. Da Firenze andò girovagando in molte città d'Italia finché nel 1519 si recò a Roma. Vi fu accolto benevolmente grazie ai suoi doni di cesellatore e di finissimo orafo. Nel 1527 si trovava in quella città quando gli Spagnoli l'assediarono e la saccheggiarono. Nella *Vita* Cellini narra le sue   20 prodezze durante l'assedio e ci racconta come da Castel Sant'Angelo egli ferì mortalmente il principe d'Oranges. Ci dice anche della profonda stima che il pontefice Clemente VII ebbe per lui, al punto che nel 1529 lo fece capo della zecca pontificia. In tale ufficio disegnava le monete che venivano coniate nella zecca. Accusato da Pier Luigi   25 Farnese, nipote di Paolo III, di aver rubato i gioielli del Papa, fu messo in prigione a Castel Sant'Angelo. Tentò di fuggire saltando da un alto muro, ma si ruppe una gamba e fu ricatturato. L'intervento di un cardinale francese gli ottenne il perdono del Papa ed il permesso

di andare alla corte di Francesco I, re di Francia, a Fontainebleau. Vi rimase fino al 1545, quando, avendo dirette parole ingiuriose alla favorita del re, Madame d'Etampes, dovette ritornare a Firenze. Lì si mise a servizio di Cosimo I de' Medici, ma incontrò le stesse gelosie che aveva conosciute durante tutta la sua vita. In pagine sincere e violente ha raccontato i fieri contrasti che ebbe con un altro artista della corte, Baccio Bandinelli. Gli ultimi suoi anni furono tutt'altro che lieti. Si vide anche in strettezze economiche e pensò perfino di darsi alla vita religiosa. Fu durante gli anni passati nella corte di Cosimo che creò il *Perseo*. Morì a Firenze nel 1571.

Se il *Perseo* è il capolavoro di Cellini scultore, la sua autobiografia è l'opera che mostra le sue grandi qualità di narratore. È una delle opere classiche del Cinquecento quale ritratto morale del Cellini e come documento dell'epoca. Il Cellini la scrisse ed in parte la dettò ad un ragazzo quattordicenne verso il 1566 quando era già vecchio. I fatti che vi racconta vanno fino al 1562. Rimase manoscritta fino ai primi anni del secolo XVIII.

Il Cellini scrisse come parlava, il che diede pregi straordinari di vivacità e di spigliatezza alla sua opera. Raramente un uomo si è rivelato con tanta sincerità e limpidezza. La *Vita* è uno dei libri più

116

ALINARI

romanzeschi che siano mai stati scritti. Non importa se ciò che vi si
narra sia letteralmente vero. Ciò che conta è che il Cellini sa renderlo
tale. Egli era profondamente convinto che solo cose straordinarie
potessero accadere nella sua esistenza. Se per caso non lo erano, ci
5 pensava la sua fantasia a renderle tali. Per questo la nascita, il tirocinio da orafo, i suoi lavori, tutto è circondato dal nimbo del meraviglioso: risse, duelli, fughe, poi intercessioni di persone altolocate, e
tutto finisce sempre bene per lo straordinario Benvenuto. L'entusiasmo
e l'ottimismo sono così potenti e persistenti nella *Vita* che essi danno
10 un carattere positivo all'egocentrismo del Cellini. A misura che ci si
inoltra nella lettura della biografia, quest'uomo straordinario ci diviene
sempre più simpatico e dimentichiamo tutti i suoi vizi e le debolezze
del suo carattere. In ogni altro uomo chiameremmo vanteria insopportabile il racconto che il Cellini ci fa di prodezze di ogni genere.
15 Nella *Vita* le pagine più dilettevoli sono quelle dedicate al ricordare le
sue fughe, i suoi duelli, le risposte date ai suoi nemici e rivali, le sue
amicizie con uomini di grande importanza. Generalmente spiace sentire
la persona lodata ripetere le lodi tributategli da questo e da quello.
Nel Cellini ciò si accetta come fatto naturale e si finisce con l'averne
20 piacere insieme a lui.

    L'opera del Cellini è anche utilissima per conoscere da vicino la
vita del tempo, gli usi, le vicende politiche, le condizioni sociali. Vi si
trovano ammirevoli ritratti di Michelangelo, di Clemente VII, di
Paolo III, di Luigi Alamanni, di Benedetto Varchi e di altri insigni
20 personaggi. Ma nessuno è così chiaramente tratteggiato e scolpito
come l'autore stesso in tutta la verità della sua natura avventurosa ed
audace.

MICHELANGELO
BUONARROTI

1475-1564   **XXIII**

LE PERSONE colte di ogni paese considerano Michelangelo uno dei più grandi geni che sia mai apparso a redimere la nostra umanità dall'accusa di essere vile e corrotta, tanto profonde e vaste sono le orme lasciate dal suo passare. Eccelse nelle tre arti plastiche maggiori: la pittura, la scultura e l'architettura, e si distinse anche come poeta. Ma ciò che attira l'attenzione di chi lo studia e desta una ammirazione sempre crescente è la presenza di lui uomo nelle sue opere. In lui

ALINARI

La Sibilla Eritrea. [The Erythrean Sybil.] ANDERSON.

l'artista e l'uomo sono vicinissimi. L'arte era parte della sua vita quotidiana, senza quella distanza che interviene fra l'esperienza attuale e quella fantastica. Le sue figure, nel marmo o sulla tela, più che essere pura espressione artistica soffrono le passioni del suo cuore e vivono i pensieri del suo intelletto. Dotato di una forza fisica stra- 5 ordinaria nel suo corpo quasi titanico, con un viso dai lineamenti potenti e quasi rozzi, sempre chiuso nei suoi pensieri, si vede viaggiare fra Firenze e Roma, crucciato da ciò che avveniva in Italia politica- mente, insofferente di critiche, pronto ad offendersi ed a vendicarsi di chi lo contrariava. È ben noto ciò che avvenne ad uno dei suoi critici, 10 Messer Biagio da Cesena, che, guardando il *Giudizio Universale* con i prelati del séguito di Paolo III, si permise di obiettare alla nudità delle figure. Michelangelo lo dipinse nel basso del quadro, nell'Inferno, servendosi di lui per modello di Minosse, il giudice infernale della *Divina Commedia*. 15

Michelangelo lavorò specialmente a Roma ed a Firenze. Suoi mecenati furono i Medici e sette papi, da Giulio II a Pio IV. Ebbe gravi crucci con Giulio II e specialmente con Bramante, suo rivale nei lavori di costruzione della basilica di San Pietro. La leggenda narra che quando era vinto dall'ira cessava l'opera a cui attendeva, saltava a 20 cavallo, e galoppando furiosamente tornava a Firenze. Spesso comin-

Il profeta Isaia. [The Prophet Isaiah.] ANDERSON.

ciava un lavoro, la cui mole, contro sua volontà, assumeva proporzioni
così vaste che egli lo lasciava incompiuto. Ideò e principiò la Biblioteca
Laurenziana, il monumento a Giulio II, le tombe dei Medici, ma non
condusse a termine questi grandiosi lavori. Perfino la cupola di San
5 Pietro fu lasciata incompiuta da lui. La condussero a termine due
suoi alunni, Guglielmo della Porta e Domenico Fontana. Ciò gli
torceva l'anima in dolore e tormento.

A Michelangelo architetto dobbiamo, fra tante costruzioni, anche il
Palazzo Farnese a Roma che, nella perfetta simmetria della facciata
10 e del cortile, è uno dei modelli dell'architettura del Cinquecento. Vi
ebbe a collaboratore Antonio da Sangallo il Giovane. Anche nell'architettura egli seppe trasfondere il suo temperamento ardente e tormentato.
Questo è vero specialmente della sacristia nella Chiesa di San Lorenzo
a Firenze e nelle severe tombe dei Medici.

15 Michelangelo si considerava specialmente scultore. Soleva firmarsi
"Michelangelo, scultore." Fu solo per l'insistenza di potenti personaggi,
quali Giulio II e Paolo III, che egli acconsentì a dipingere gli affreschi
della Cappella Sistina. Michelangelo scultore ci ha lasciato la *Pietà*,
Davide, il *Mosè*. La *Pietà*, che rappresenta la Vergine che straziata
20 sorregge il figliuolo morto sulle ginocchia, è tutta tenerezza di madre.
Audace e forte è il *Davide*, dal maschio viso nobilmente classico, che

si ammira nel Museo di Belle Arti a Firenze. Mosè è sdegnoso e titanico, capo del suo popolo, simbolo di autorità e di potenza. Si trova nella vecchia chiesa di San Pietro in Vincoli a Roma, e sembra trop-

po grande per il modesto e quasi nudo luogo che lo ospita. La leggenda
racconta che, ad opera finita, Michelangelo percotesse con il martello il
ginocchio della statua, gridandole di parlare. Il grande scultore
confidò ai suoi amici e discepoli in che cosa consisteva la sua arte.

5 Quando si trovava dinanzi ad un blocco di marmo, egli sentiva e
vedeva imprigionata in esso l'immagine che gli fluttuava nella mente.
Il suo còmpito consisteva solo nel far saltar via il marmo che copriva
la forma ideale intravista dal suo intelletto, e liberandola farla vivere
nel mondo dell'arte. In un celebre sonetto confessò che non vi era

10 nessun concetto che la mano dell'artista, a servizio dell'intelletto ed a
questo ubbidiente, non potesse rivelare, liberando l'immagine dal
soverchio di marmo che la copriva. È una delle idee più geniali che
sia mai stata rivelata da un artista. Soleva anche dire questo: "Si
dipinge con il cervello e non con la mano."

15 L'opera più grandiosa che dobbiamo a Michelangelo sono gli
affreschi che coprono la volta ed una delle pareti della Cappella
Sistina. Nel soffitto egli affrescò le Sibille ed i Profeti; nella parete
dipinse il *Giudizio Universale*. La volta della Sistina fu dipinta in
cinque anni, dal 1508 al 1512. Gli affreschi coprono diecimila piedi

20 quadrati. Sono divisi in pannelli nei quali il Maestro dipinse trecen-
tonovantaquattro figure. Michelangelo ebbe una chiara visione dell'immensità dell'opera che Giulio II desiderava da lui. Quando il Bramante
gliela fece aggiudicare nella speranza che il suo rivale fallisse, egli
dapprima si schermì adducendo che non era pittore e suggerendo che

25 Raffaello Sanzio si provasse all'opera colossale. Quando Giulio II
gli impose di fare il lavoro, Michelangelo pose al Papa alcune condizioni. Egli avrebbe costruita la propria impalcatura che gli permet-
terebbe di dipingere mentre giaceva supino. A nessuno sarebbe permesso di entrare nella Sistina mentre egli lavorava. Egli farebbe

30 tutto da sé, incluso il pestare i propri colori. Per mesi e mesi Michelangelo, supino, sull'impalcatura, mangiando pochissimo e dormendo
solo quando si sentiva esausto, lavorò alla grandiosa opera nella quale
raccontò la storia dell'uomo dalla creazione del mondo alla caduta
di Adamo e di Eva. Intorno al poema della creazione e della tragedia

35 del male, si ammirano le figure dei Profeti e delle Sibille che prean-
nunziarono la venuta di Cristo. Come Dante, che Michelangelo ammirava oltre ogni dire, egli non sentiva contradizione alcuna fra la

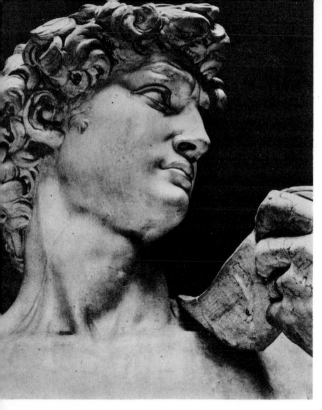

La leggenda racconta che, ad opera finita, Michelangelo percotesse con il martello il ginocchio della statua, gridandole di parlare. [Legend has it that, once the work was finished, Michelangelo struck the knee of the statue with his hammer, shouting to it to speak.] ALINARI.

spiritualità dei classici e quella del Cristianesimo. Ambedue erano fuse nella vastità del suo intelletto e nell'unità che ricevevano dalla sua arte.

Il *Giudizio Universale* fu affrescato quando Michelangelo aveva sessanta anni. Vi lavorò dal 1534 al 1541, per quasi otto anni. Paolo III gli impose di compiere questo lavoro, che doveva rappresentare la più vasta singola opera in tutta la storia della pittura. Michelangelo ebbe il genio e la forza di condurre a termine tale lavoro gigantesco. Il *Giudizio Universale* ha sessanta piedi di altezza e trenta di larghezza. È diviso in tre piani. Su in alto è rappresentato simbolicamente il regno dei cieli; nel centro vi è la figura di Cristo che giudica i buoni ed i cattivi; in basso è dipinto il regno infernale di Caronte, quale lo immaginò Dante fiorentino. Contemplando l'immensa folla di figure che turbinano nel quadro si è dominati dal terrore di coloro che sono per entrare nell'eternità del dolore e della perdizione. Il quadro rivela il dolore di Michelangelo vecchio che medita sul destino umano. In lui si sente la pensosità che aveva prestata alla Sibilla Cumana.

Michelangelo fu anche poeta e ci ha lasciato un volumetto di poesie che illuminano così la sua attività di artista come la vita interiore dell'uomo che è conscio delle contradizioni dell'esistenza e del proprio cuore.

5

10

15

20

CVMAEA

La sibilla cumea nella Cappella Sistina, uno dei più profondi studi del viso umano.
[The Sybil of Cuma in the Sistine Chapel, one of the greatest studies of the human
face.] ALINARI.

È doveroso confessare che la perfezione artistica della sua poesia non
raggiunse quella delle altre arti. Spesso si innalza ad un platonismo
piuttosto astratto ed a volte si abbassa verso un realismo di tempra
popolare senza raggiungere l'originalità. Ma qualche volta il suo genio
risplende nel verso come in un frammento di scultura. Il sonetto *Non* 5
ha l'ottimo artista alcun concetto è una delle composizioni più profonde
e belle che conosca la storia della poesia. In esso vivono, in perfetta
armonia ed unità, l'esperienza dello scultore e quella dell'uomo.
Michelangelo vi ha racchiuso la confessione che in lui l'artista era
superiore all'uomo morale. Come scultore aveva potuto dare forma 10
nel marmo ad ogni fantasma della sua mente. Come uomo aveva saputo
trovare solo morte ed imperfezione nella donna amata. Per colpa tutta
sua non era riuscito a ritrovare nell'amore la purezza alla quale
aspirava. Così confessa Michelangelo a Vittoria Colonna, gentildonna
e poetessa del suo tempo per la quale nutrì profonda e sincera amicizia. 15
Celebri sono anche i versi che Michelangelo scrisse in risposta a quelli
che un suo amico, Giovanni Strozzi, compose per la bellissima statua
di Michelangelo, la *Notte*. Lo Strozzi aveva scritto:

> La notte, che tu vedi in sì dolci atti
> Dormir, fu da un Angelo scolpita   20
> In questo sasso, e perché dorme ha vita.
> Destala, se nol credi, e parleratti.

Michelangelo rispose facendo parlare la donna che rappresenta la notte:

> Caro m'è il sonno e più l'esser di sasso,
> Mentre che il danno e la vergogna dura.   25
> Non veder, non sentir m'è gran ventura;
> Però non mi destar, deh! parla basso.

Questi versi riflettono lo spirito tormentato dell'uomo, tormento che
Michelangelo seppe prestare alle sue gigantesche figure.

Michelangelo amò profondamente la repubblica fiorentina, quale 30
l'aveva fatta rivivere il sacrificio e la morte di Girolamo Savonarola.
Quando le truppe imperiali di Spagna e di Germania assediarono
Firenze nel 1529, Michelangelo diresse i lavori per fortificare la città
ed impedire il ritorno dei Medici. Fu invano. Le truppe imperiali
vinsero, e la repubblica cadde per sempre. Questi fatti contribuirono 35
molto ad accrescere la tristezza della grande anima di Michelangelo
Buonarroti.

TIZIANO VECELLIO

1477-1576   **XXIV**

FRA I NUMEROSI e grandi pittori della Scuola Veneziana si distinse
Tiziano Vecellio. La sua figura colpisce lo studioso dell'arte per la
lunga ed attivissima vita (arrivò alla tarda età di novantanove anni),
per la poeticità che seppe diffondere nei suoi quadri, per la bellezza
5 degli sfondi, la perfezione del disegno e la ricchezza dei colori. Fu
lavoratore instancabile e produsse molti dei suoi capolavori dopo i
settanta anni. Nonagenario, la sua mano ancora ferma gli permetteva
di fissare sulla tela la visione del suo intelletto. Produsse moltissimo
e per questo le sue opere sono sparse nei musei del mondo intero.

10 Nacque nel Cadore di benestante famiglia e portò con sé a Venezia,
dove andò a studiare, la sanità e la forza dei suoi monti. Entrò ben
presto nella bottega di Gentile e Giovanni Bellini, dove ebbe a compagni Giorgione, Palma il Vecchio e Lorenzo Lotto. Una sincera e
profonda amicizia si strinse fra Giorgione e Tiziano. La tenne viva
15 il loro amore per l'arte ed il desiderio di trovare nuove forme di
espressione nella pittura. Chi passa dalla considerazione della pittura
sobria e severa dei Bellini a quella ricca di colori e tutta glorificazione
della vita e della bellezza che Giorgione e Tiziano seppero creare, si

ALINARI

rende conto di quanto fosse vivo nei due giovani il desiderio di tracciare e seguire nuove vie, differenti da quelle dei riveriti maestri.
Tanto fu sincera la collaborazione fra Giorgione e Tiziano che, benché
lavorassero insieme, l'invidia non riuscì a turbare la loro cara amicizia.

I due giovani furono invitati a dipingere il Fondaco dei Tedeschi.   5
È difficile dire quali affreschi siano di Giorgione e quali di Tiziano,
tanto più che questi completò quelli che il suo amico non terminò a
causa della sua morte immatura.

Il valore di Tiziano fu subito riconosciuto a Venezia, ed alla morte
di Giovanni Bellini (1516) la Serenissima lo scelse a prendere il   10
posto di "pittore di palazzo" lasciato vacante dal vecchio maestro.
In qualità di pittore di palazzo fece il ritratto di almeno cinque dogi,
fra cui quello potentissimo del doge Andrea Gritti (1533). Molti di
questi ritratti andarono distrutti nell'incendio nel 1577, ma basta quello
del Gritti a testimoniare la grandezza di Tiziano ritrattista. L'artista   15

Pietro
Aretino

ALINARI

Andrea
Gritti

vi seppe rivelare la forza ed il carattere del grande diplomatico e condottiere attraverso il viso freddo, impenetrabile e la mano potente che sorregge il mantello come resse il destino della repubblica.

La fama di Tiziano si sparse subito oltre Venezia, a Ferrara, a Roma
5 e perfino all'estero. Ma egli preferì lavorare nella città che amava più d'ogni altra, e raramente abbandonò la sua fastosa e bella Venezia. Fra i quadri che dipinse in quella città sono da menzionarsi l'*Assunta* per la Chiesa dei Frari e *San Pietro Martire* per la Chiesa dei Domenicani.

10 Della vita privata di Tiziano sappiamo che viveva in modo principesco nella sua casa di San Canciano ai Birri. Amava festeggiare lautamente i suoi amici. Ebbe tre figliuoli, due maschi ed una femmina, la prediletta Lavinia, che amò teneramente. La ritrasse in molti quadri e lasciò di lei vari ritratti. Prìncipi, re, imperatori e papi cercarono la
15 sua amicizia e fecero a gara a servirsi di lui come pittore. Lavorò per Carlo V e per Filippo II di Spagna e fu protetto da essi in maniera degna della grandezza del pittore. Nel Museo del Prado si può ammirare il ritratto equestre di Carlo V. Dipinse anche molti quadri per Filippo II fra i quali l'*Ultima Cena* dell'Escoriale.

20 Fra i papi ebbe intime relazioni con Paolo III della famiglia

Farnese. Ci ha lasciato due straordinari ritratti di lui, uno in cui
Paolo III è solo ed un altro, posteriore, nel quale egli è ritratto con
due nipoti. L'artista ha saputo cogliere il carattere freddo, calcolatore
ed iracondo di Paolo III con una chiarezza ed evidenza straordinarie.
Le sue lunghe ed aristocratiche mani sono uno studio anatomicamente   5
e psicologicamente perfetto.

Tiziano ebbe anche intime relazioni con letterati ed artisti del suo
tempo. Conobbe Michelangelo a Roma e con lui conversò nel 1545,
mentre lavorava sulla *Danae* che stava dipingendo per Paolo III.
Conobbe anche l'Ariosto e Pietro Aretino, dei quali ci ha lasciato il   10
ritratto. Fu anche intimo amico del grande architetto veneziano, Jacopo
Sansovino.

Tiziano morì nella peste che visitò Venezia nel 1576 e che uccise
anche il suo figliuolo. Tanto grandi erano la fama e l'affetto che
Tiziano godeva a Venezia che la Serenissima, benché avesse decretato   15
che i morti di peste non potessero essere seppelliti nelle chiese, permise
che egli riposasse nella Chiesa dei Frari.

Tiziano si ispirò generalmente alla realtà attuale, ma ci ha lasciato
anche alcuni soggetti mitologici, quali i *Baccanali* e la *Danae*, e molti
quadri di carattere religioso. Nella sua opera predominò il ritratto,   20
ed egli fu il più grande ritrattista del Rinascimento italiano. Ma in
tutte le sue opere risplendono egualmente le caratteristiche che hanno
fatto di lui una delle pietre miliari dell'arte del dipingere. La *Danae*,
la *Vergine dell'Assunta*, le donne che immortalò nelle sue tele sono
fondamentalmente identiche in quanto rivelano l'esaltazione della bel-   25
lezza muliebre e l'incanto delle forme femminili, della delicatezza delle
carni, dello splendore della pelle nivea, degli occhi e dei capelli.
Tiziano fu un vero poeta e la sua opera costituisce un immenso poema
in cui egli esaltò la vita umana. La *Bella*, la *Giovane Donna in Pelliccia*, la *Flora* sono nuove creazioni sul tema della bellezza e dell'amore   30
quali forze sublimi della vita.

Bisogna guardarsi dal fare di Tiziano un sensuale e nulla più, una
specie di Boccaccio della pittura. Tiziano amò la vita e nell'esaltarla
nei suoi quadri la approfondì e ne rivelò nuovi aspetti. Possedette un
temperamento sano ed una squisita sensibilità che gli permise di essere   35
sensuale senza volgarità. Egli rende lirica e bella la contemplazione
del nudo come nessun altro pittore ha mai saputo fare. È il più terrestre ma anche il più umano dei pittori italiani.

Ritratto di una donna detta "La Bella" che si trova nella Galleria Pitti a Firenze.
[Portrait of a woman called "La Bella" which is in the Pitti Gallery in Florence.]

ALINARI.

Il viso umano è stato raramente studiato ed approfondito come lo ha
studiato e penetrato Tiziano nei suoi ritratti. L'originalità dei suoi
ritratti risiede nel fatto che egli, da fine osservatore e psicologo, seppe
cogliere il carattere del modello e rivelarlo drammatizzandolo. Nel
Ritratto di Alfonso d'Avalos, marchese del Vasto, questi, vestito della   5
corazza, è pronto a partire per la guerra e prende congedo dalla sua
donna che lascia con tanto rimpianto. Lo sfondo attraverso una finestra

132

è torbido come l'avvenire di chi parte verso l'ignoto. La donna guarda
un globo di vetro che regge fra le mani, indagando pensosamente ciò
che il domani riserba per lui e per essa. Nel ritratto dell'Ariosto,
questi è rappresentato mentre legge il suo *Orlando Furioso* a Lucrezia,
5   moglie di Alfonso I d'Este. Tiziano accentra tutta la vita del modello
nel viso con mezzi tecnici semplicissimi, quali il contrasto fra il bianco
del viso ed il nero delle vesti su uno sfondo di insolita sobrietà.
Tale il *Ritratto del doge Gritti* (1533), il *Ritratto d'Uomo* del 1560,
quello di *Pier Luigi Farnese* (1546), di *Paolo III* (1543) o il *Ritratto*
10   *dell'Uomo del Guanto* (1520).

Tiziano è una delle più grandi figure che siano passate attraverso
la storia dell'arte. I colori che profuse nelle sue tele sono uno dei più
grandi doni che l'arte abbia fatto agli uomini. Fu anche maestro del
disegno, ma un disegno che non serba nulla di geometrico. È un
15   disegno caldo, ricco di vita, che egli mise a servizio dei dolci profili
e perfetti corpi al rendere i quali dedicò la sua vita e la sua arte. Una
delle glorie del suo naturalismo fu l'interesse nel giuoco della luce
sulla prospettiva e sulle figure dei suoi quadri.

Fra i grandi del Cinquecento Tiziano occupa un posto tutto suo.
20   Egli rese grande quel secolo in modo differente da artisti quali Michelangelo, Tintoretto, El Greco. Per questo quel secolo fu così diverso ed
originale. Ogni grande artista volle crearsi una via tutta sua. Questo
fece Michelangelo, e questo fece il suo contemporaneo Tiziano Vecellio.

Nel ritratto di "L'uomo del guanto" (a sinistra), e nel ritratto di
ignoto (a destra), il contrasto del
nero e del bianco mette in risalto
il viso pallidissimo.   [In the
portrait of "The Man with the
Glove" (to the left), and in the
portrait of the unknown (to the
right), the contrast of the black
and white brings into relief the
very pale faces.] ALINARI.

TORQUATO TASSO

1544-1594   **XXV**

TORQUATO TASSO è una delle figure più romantiche e meno comprese della letteratura italiana.

L'aureola di romanticismo gli fu data dalla leggenda del suo amore per Eleonora d'Este, principessa a Ferrara, dove il Tasso era poeta di corte. Il Goethe, fra tanti, accettò come vera tale leggenda e la svolse   5
idealeggiando quell'amore nel suo famoso dramma *Torquato Tasso*. Oggi la critica ha rigettato tale relazione fra principessa e poeta riducendo l'amore del Tasso per Eleonora d'Este alla rispettosa, anche se galante, ammirazione che i cortigiani offrivano alle dame della corte. La critica ha anche distrutto l'idea del Tasso perfetto uomo di corte.   10
Sotto il cortigiano ha ritrovato l'uomo che nella protezione di Alfonso d'Este conobbe infiniti dolori ed amarezze.

Il Tasso fu per natura incline alla malinconia. Le vicende familiari, quali l'essere figliuolo di un esule, l'immatura morte della madre, le peregrinazioni in cerca di un signore che lo proteggesse e si servisse   15
dei doni della sua mente, non fecero che approfondire tale carattere.

Certo lo vediamo sempre solitario, pronto ad appassionarsi, ad amare, a sentirsi offeso, a racchiudersi nel proprio dolore. Sia che dimori a Padova nella corte di Scipione Gonzaga o a Ferrara nella casa degli Este, la sua vita esteriore non corrispose mai a quella interiore; questa
5 tutta intimità e bisogno d'affetto, quella tutta formalismo e mondanità. I suoi amori sembravano esaurirsi nelle raffinatezze del cerimoniale di corte e nei madrigali che indirizzava alle fanciulle da lui vagheggiate, Laura Peperara e Lucrezia Bendidio. In realtà la sua lirica, che costi-tuisce un'opera imponente e vasta con duemila e più poesie, non era
10 che un lontano e scialbo riflesso della fiamma che gli bruciava nel cuore e la cui violenza egli solo conosceva. Le sue liriche, se lette rendendosi conto che sotto il petrarchismo si nascondeva l'anima di un vero poeta e di un uomo tutto sensibilità e passione, appaiono fra le più squisite ed originali della poesia italiana. Non tutte, naturalmente, come è da
15 aspettarsi dall'opera di un poeta di corte; ma qua e là vi sono gioielli che non hanno riscontro nel malinconico languore che le avvolge. La tragedia del Tasso fu quella di non aver potuto essere se stesso né nella vita né nella sua opera di poeta. Per questo come uomo fu infelice e come poeta non è stato compreso a pieno.
20 Oltre a questi numerosissimi componimenti lirici, il Tasso ci ha lasciato un dramma pastorale, l'*Aminta*, scritto nel 1573, e la *Gerusa-lemme liberata*, che egli finì nel 1575. In questi lavori scorre una copiosa e genuina vena di poesia, ma contenuta, oppressa e spesso soffocata dalle forme convenzionali delle quali il poeta fu obbligato
25 a servirsi. Per comprendere questo contrasto e questa dolorosa contra-dizione è necessario rendersi conto del carattere artificiale della cultura del secolo XVI negli ambienti ufficiali quali le università e le corti. Accanto ai veri umanisti vivevano mediocri maestri di rettorica che nascondevano la loro vacuità intellettuale sotto il manto del classicismo,
30 esaltando il passato e dichiarandosi odiatori della civiltà moderna. La teoria dell'imitazione, tragico male della letteratura europea durante i secoli dell'Umanesimo, fu da essi introdotta negli ambienti cortigiani ed impedì così il progresso delle scienze come il libero canto dei poeti. La parte formalizzata che ci lascia freddi ed indifferenti nell'*Aminta* e
35 nella *Gerusalemme* fu dovuta alla mancanza di libertà del Tasso nel doversi conformare alle regole dei falsi letterati del suo tempo.
L'*Aminta* possiede un nucleo di limpida poeticità nella tristezza di

CANTO
DECIMOSETTIMO.

ARGOMENTO.

Il suo essercito immenso in mostra chiama
L'Egitto, e poi contra i Christian l'inuia.
Armida, che pur di Rinaldo brama
La morte, con sua gente anco giungia.
E per meglio satiar sua crudel brama,
Se in guiderdon de la vendetta offria.
Ei vestia intanto arme fatali: doue
Mira impresse de gli aui illustri proue.

1

GAZA E' CITTA', de la Giudea nel fine,
Sù quella via, ch'in-
uer Pelusio mena:
Posta in riua del ma-
re & hà vicine
Immense solitudini d'arena:
Le quai, come austro suol l'onde marine,
Mesce il turbo spirante; onde à gran pena
Ritroua il peregrin riparo, ò scampo
Ne le tempeste de l'instabil campo.

2

Del Re d'Egitto è la città frontiera,
Da lui gran tempo inanzi à i Turchi tolta.
E però, ch'opportuna, e prossima era
A l'alta impresa, oue la mente hà volta;
Lasciando Menfi, ch'è sua regia altera,
Qui traslato il gran seggio, e qui raccolta
Già da varie prouincie insieme haue
L'innumerabil hoste à l'assemblea.

3

Musa, quale stagione, e qual là fosse
Stato di cose, hor tu mi reca à mente:
Qual'arme il grande Imperator, quai posse,
Qual serua hauesse, e qual compagna gëte:
Quando del mezo giorno in guerra mosse
Le forze, e i regi, e l'ultimo oriente.
Tu sol le schiere, e i duci, e sotto l'arme
Mezo il mõdo raccolto, hor puoi dettarme.

Poscia

Aminta che ama non riamato la bellissima Silvia, la casta ninfa del
seguito di Diana, solo interessata alla caccia ed alle corse. Il Tasso
compose questo poemetto drammatico per divertire gli ospiti degli
Este nella villa dell'isola Belvedere sul Po. Il tema della malinconia
fu sacrificato dal poeta al divertimento dei cortigiani mondani e gode-   5
recci. Il lavoro assunse un tono di commedia che è in stridente contrasto
con i bellissimi versi esprimenti i sentimenti del poeta nascosto in
Aminta. È facile comprendere perché il Tasso accetti la tradizione
pastorale arcadica. È doloroso vedere fino a quale punto il dovere del
cortigiano opprima ed offenda i sentimenti dell'uomo e del poeta.   10

Lo stesso problema si presenta nella *Gerusalemme*, poema intorno
alla prima Crociata, che egli scrisse quando l'Europa si sentiva minac-
ciata dalla potenza dei Turchi e la memoria della battaglia di Lepanto
era ancor viva nella memoria dei contemporanei. Il Tasso non aveva
nulla di epico. Ancor meno epica era la sua età, specialmente per la   15
povera Italia, che languiva sotto la servitù della Spagna. Il Tasso
fu spinto a scrivere il poema epico dal fatto che, come poeta di corte,
egli desiderava glorificare la discendenza degli Este da Rinaldo e
cantare la vittoria dei Cristiani sui Turchi. Accettò la forma epica
perché i maestri di rettorica avevano decretato che l'epica era la forma   20
metrica più nobile. Non aveva sancito questo Aristotile nella sua
Poetica? Così nacque la *Gerusalemme*, frutto di una sublime fantasia
legata alla forma spuria del poema epico. Avvenne l'inevitabile. La
bellezza della *Gerusalemme* non risiede nell'epicità che ha assunto
forme mediocri e spesso grottesche. I veri personaggi non sono né   25
Goffredo né gli altri guerrieri. Sono le anime appassionate e destinate
al dolore ed alla morte: Clorinda, Erminia, Rinaldo, Tancredi, Olindo
e Sofronia. Non è la guerra che interessa il poeta, ma l'amore ed il
gioco delle passioni. Armida è viva psicologicamente perché deriva
la sua vita dall'interesse del poeta nella sua bellezza e nella potenza   30
dei suoi vezzi. Goffredo è morto perché il poeta non s'interessa nel
guerriero. La bellezza dell'opera è nelle parti liriche nelle quali il
Tasso ha versato l'onda del suo sentimento e la ricchezza della sua
fantasia. Vi sono versi la cui melodia ed il cui potere evocativo non
si dimenticano mai. Vi sono albe delicatissime, giuochi di luce e di   35
ombra, cantucci misteriosi di campagna che solo chi ha osservato
la natura attentamente ed amorosamente è capace di creare. La ric-

chezza dell'anima del poeta si riflette nel poema attraverso le sensazioni delicatissime e le squisite emozioni che fremevano nel cuore sensibilissimo del Tasso. Di qui nascono gli episodi di amore e di dolore che fanno di lui un precursore dell'arte psicologica dei tempi a noi vicini.

5 Come poeta delle passioni che si infiltrano e dominano il cuore umano, il Tasso è artista finissimo. Pochi poeti si sono sollevati alle altezze ed alla finezza raggiunte da lui. Nell'analisi psicologica i poeti cavallereschi anteriori al Tasso sono grossolani e rozzi.

La *Gerusalemme* vive per la liricità che è nascosta sotto la conven-
10 zione del poema epico. I critici che accettano tale coesistenza come fatto naturale non pensano a quanto dolore costò al Tasso il doversi conformare al gusto della sua età. Se fu naturale per il Tasso prepararsi a scrivere la *Gerusalemme* meditando sulla natura del poema epico ed a raccogliere le sue conclusioni nei tre *Discorsi dell'arte*
15 *poetica,* certo non fu naturale dover sottoporre il poema alla revisione che ne fecero i quattro letterati scelti da Scipione Gonzaga a tale scopo. Il poeta ne soffrì tanto che la sua salute se ne risentì e la sua mente ne fu sconvolta. Quello che soffrì dal compimento della *Gerusalemme* alla sua morte nel 1594 offre materia per un dramma così vero da non
20 richiedere invenzione alcuna. Basterebbe la trascrizione fedele ed oggettiva dell'esistenza del povero poeta, che vede ostilità da ogni parte, che diffida anche di sé, che ha dubbi sulla sua fede religiosa e chiede di essere esaminato dai rappresentanti dell'Inquisizione. E come può far meraviglia tale morbosa diffidenza in chi era stato obbligato a
25 dubitare perfino delle proprie capacità di poeta?

Il capitolo sulla pazzia del Tasso è storia documentata e pietosissima. Per ordine di Alfonso d'Este fu rinchiuso per sette anni nell'ospedale di Sant'Anna quale pazzo furioso. Quando le forze gli scemarono tanto da renderlo innocuo ed inutile, fu lasciato libero. Dopo varie
30 peregrinazioni finì i suoi giorni nel monastero di Sant'Onofrio sul Gianicolo. Solo nella morte trovò la pace che il mondo gli aveva sempre negata.

GALILEO GALILEI

1564-1642   XXVI

GALILEO GALILEI è una di quelle grandi figure che con il loro pensiero hanno determinato nuove direzioni nella storia del progresso umano. Egli illumina il secolo XVII non solo con la grandezza della sua mente, ma anche con la bontà del suo cuore e con la sua onestà.

Fu figlio di Vincenzo Galilei, uomo versatissimo nelle scienze e nella   5 musica. Il padre voleva che Galileo si dedicasse alla medicina e lo mandò a studiare a Pisa. Ma il giovane si sentiva nato per le scienze positive e gli ripugnava seguire le lezioni di maestri che consideravano le conclusioni di Aristotile il criterio assoluto per determinare il vero o il falso negli studi della medicina. Egli invece era persuaso che solo   10 con l'attenta osservazione dei fenomeni fisici e con la dimostrazione matematica di essa si potesse arrivare alla verità scientifica. Perciò nel 1585 abbandonò lo Studio di Pisa ed andò a Firenze dove per quattro anni si guadagnò il pane quotidiano dando lezioni private su Dante, ma sempre seguitando i suoi studi della fisica. Gli scritti letterari sulla   15 forma e sulle proporzioni dell'Inferno dantesco, sulla poesia dell'Ariosto, che ammirò infinitamente, e sulla *Gerusalemme liberata* del Tasso, che criticò spietatamente, furono il frutto di quegli anni di insegnamento.

Nel 1589 tornò a Pisa come lettore di matematica e lì venne accrescendo la sua dottrina e formulando il suo metodo di investigazione.   20 Vi rimase fino al 1592 quando accettò l'invito dello Studio di Padova ad insegnare in quell'antica università, le cui tradizioni liberali gli promettevano la libertà di cui non godeva a Pisa. Rimase a Padova diciotto anni, i più tranquilli e produttivi della sua esistenza.   25

Galilei aveva già accertato l'isocronismo delle oscillazioni del pendolo (1585) e fatto studi profondi sul centro di gravità e sul moto. Aveva anche inventato la bilancia idrostatica (1589) e nel 1590 aveva pubblicato in latino un trattato sulla caduta dei corpi gravi. Ai giorni

GALILEO GALILEI LINCEO FILOSOFO E MATEMATICO DEL SER.mo GRAN DVCA DI TOSCA

F. Villamoena Fecit.

di Galilei il moto di un corpo veniva spiegato misticamente con la teoria che vi era una reciproca attrazione fra il corpo ed il luogo dove esso andava. Galilei con i suoi studi sull'inerzia, sulla resistenza e sulla forza formulò per primo la teoria scientifica del moto, spiegandolo attraverso la considerazione di fattori fisici controllabili e controllati.

A Padova egli inventò il compasso di proporzione, il termoscopio (un primo passo verso il termometro) ed il telescopio, scoperte che applicò alle varie scienze, rinnovando così l'insegnamento della meccanica, dell'idraulica e della fisica. Nell'anno 1609 scoprì il carattere montuoso della luna, molte stelle fisse, la Via Lattea, e le stelle medicee, quattro satelliti di Giove che egli poté vedere servendosi del telescopio.

La fama del Galilei era divenuta universale. Il suo nome era conosciuto anche fuori dell'Italia a scienziati e filosofi quali Renato Descartes, Francesco Bacone e Giovanni Keplero. Nel 1610 ricevette dal Granduca Cosimo II de' Medici l'invito a tornare a Pisa. Galilei l'accettò ed abbandonò il rifugio tranquillo e libero di Padova per un luogo più celebre e mondano che doveva costargli tante amarezze. Il metodo induttivo seguito da lui con tanto ardore, i suoi scritti nei quali aveva rigettato le idee correnti del suo tempo, le sue nuove conclusioni, le sue scoperte e specialmente la sua difesa del sistema copernicano destarono preoccupazione ed ostilità fra i gesuiti reazionari e gli aristotelici del suo tempo. Questi due gruppi, ignari che nuocevano così alla scienza come alla Chiesa, attaccarono il Galilei e

ALINARI

persuasero il Sant'Ufficio a condannare il grande scienziato per aver aderito al sistema copernicano ed averlo difeso. Vi fu una prima schermaglia nel 1616 quando l'Inquisizione condannò come falsa la dottrina copernicana. Galilei fu ammonito dal Cardinale Bellarmino e si sottomise benché non si sentisse persuaso. Nel 1619 ebbe una   5
nuova polemica con il Padre Orazio Grassi e rigettò il platonismo del gesuita scrivendo un trattato sulle comete. Questo fu seguito da un altro scritto *Il Saggiatore* o bilancia di precisione nel quale con logica ed ironia Galilei mostra l'assurdità delle credenze del suo aristotelico avversario. *Il Saggiatore* fu pubblicato a Roma dall'Accademia dei   10
Lincei nel 1623.

In quello stesso anno fu eletto Papa Urbano XIII della nobile famiglia Barberini, che ammirava grandemente in Galilei l'uomo di scienza e l'onorava della sua amicizia. Galilei fu oltremodo felice dell'elezione e sperò che la Chiesa seguirebbe una politica liberale. Infatti ricevette   15
dal Papa il permesso di stampare il *Dialogo dei massimi sistemi*, opera nella quale alla difesa del sistema copernicano si accompagna un acerbo attacco contro l'aristotelismo. Questo libro importantissimo apparve nel 1632. In quello stesso anno Galilei fu chiamato dinanzi al tribunale dell'Inquisizione e sentì la condanna delle sue idee. O ricantava   20
le idee esposte nel libro o si esponeva alla tortura. Vecchio e quasi

144

DIALOGO

DI
GALILEO GALILEI LINCEO

MATEMATICO SOPRAORDINARIO

DELLO STVDIO DI PISA.

E Filosofo, e Matematico primario del

SERENISSIMO

GR. DVCA DI TOSCANA.

Doue ne i congressi di quattro giornate si discorre
sopra i due

MASSIMI SISTEMI DEL MONDO
TOLEMAICO, E COPERNICANO;

*Proponendo indeterminatamente le ragioni Filosofiche, e Naturali
tanto per l'vna, quanto per l'altra parte.*

CON PRI VILEGI.

IN FIORENZA, Per Gio: Batista Landini MDCXXXII.

CON LICENZA DE' SVPERIORI.

GIORNATA PRIMA,

Interlocutori,
SALVIATI, SAGREDO, E
SIMPLICIO.

S.ALV.

E V la conclusione, e l'appuntamento in questo
di ieri, che noi dovessimo in questo
giorno discorrere, quanto piu di-
stintamente, e particolarmente per
noi si potesse, intorno alle ragioni
naturali, e loro efficacia, che per
l'una parte, e per l'altra fin qui
sono state prodotte ... fautori della posizione Coper ... e Tole-

maica, e da i seguaci del Sistema Coper ...
locando il Copernico la Terra tra i ...
viene a farla essa ancora un Glob ...
bene, che il principio delle nostr ...
esaminando quale, e quanta ...
progressi peripatetici nel di ...
del tutto impossibile; atteso ...
tura sustanze diverse ...
tare; quella impas ... b
caduca. Il quale ...
insinuandolo pr ...
ti generali, e ...

Copernico re ...
lua la Terra ...
esser un Glo ...
simile ad ...
Pianeta.

384

Dialogo terzo

resta nell'Emisferio illuminato prescrive la lunghezza del
giorno, e il rimanente è la quantità della notte.
Proposte queste cose, per più chiara intelligenza di quello, che
resta da dirsi, verremo a descriverne una figura; e prima se-
gneremo la circonferenza di vi, cerchio, che ci rappresenterà
quella dell'orbe magno descritta nel piano dell'Eclittica, e questa divideremo in quattro parti eguali, con li due diametri
Capricorno, Granchio, Libra, e Ariete, che nell'istesso tempo
ci rappresenteranno i quattro punti cardinali, cioè li due Sol-
stizij, e li due equinozij; e nel centro di tal cerchio noteremo il
Sole O fisso, & immobile. Segnamo hora circa i quattro punti Capricorno, Granchio, Libra, e Ariete, come centri, quattro cerchi eguali, li quali ci rappresentino la terra in essi in
quattro tempi costituita. La quale co'l suo centro nello spazio
di un anno cammini per tutta la circonferenza Capricorno,
Ariete, Granchio, e Libra, movendosi da Occidente verso
Oriente,

Disegno sem-
plicissimo, che
rappresenta la
costituzione
Copernicana,
e le sue conse-
quenze.

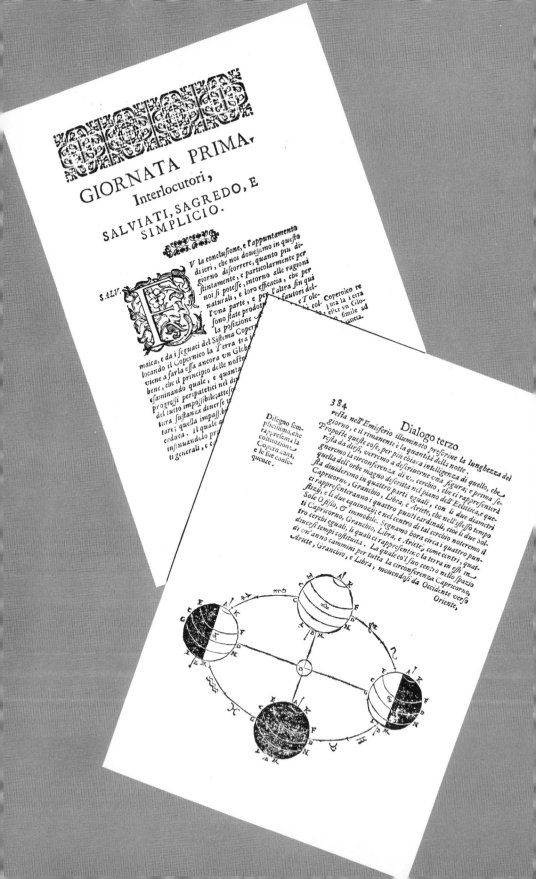

cieco, non ebbe la forza di resistere ed abiurò la dottrina copernicana. La leggenda gli attribuisce le celebri parole che il vecchio uomo di scienza, riferendosi alla terra, avrebbe pronunziato nell'uscire dalla camera del tribunale: "Eppur si muove!"

5 Passò gli ultimi nove anni della sua vita nella villa ad Arcetri, consolato dall'affetto dei suoi discepoli: il Padre Benedetto Castelli, Evangelista Torricelli, l'inventore del barometro, e Vincenzo Viviani, il suo biografo.

Galilei rappresentò nel secolo XVII la lotta contro coloro che con-
10 fondevano le verità religiose con quelle scientifiche e dichiaravano che religione e scienza riposano sull'autorità della Chiesa e di Aristotile. La lotta non era nuova. Fin dal secolo XIII erano apparsi uomini che credevano che la scienza deva seguire procedimenti differenti da quelli delle verità rivelate. Pietro d'Abano, Pico della Mirandola, Pietro
15 Pomponazzi furono precursori del Galilei in quanto dichiararono l'in- dipendenza della scienza e della religione.

Galilei formulò e sviluppò il suo sistema nelle opere che venne scrivendo a misura che nelle sue osservazioni, attraverso esperimenti condotti con la severità e l'onestà del vero scienziato, egli scopriva le
20 leggi che governano l'universo sensibile. Uomo profondamente reli- gioso, egli si sentiva chiamato da Dio a rivelare agli uomini le nuove verità che egli scopriva.

Galilei occupa un posto eminente anche nella storia delle lettere. La sua prosa è limpido specchio del suo pensiero e fa parte di quella
25 tradizione italiana che non rinnegò mai la semplicità e la sincerità. Galilei fece del secolo XVII una delle epoche più mirabili del pensiero umano.

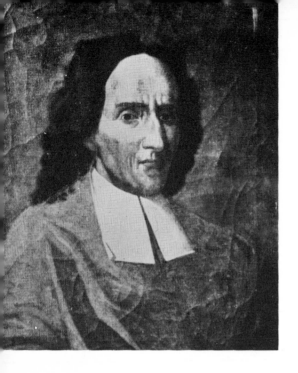

GIAMBATTISTA VICO

1668-1744   **XXVII**

VICO FU UN oscuro professore di rettorica o eloquenza nell'università
di Napoli. Oggi viene considerato il padre dell'idealismo moderno.
Vico preparò la via a Kant, Hegel, Bergson, Croce e Gentile, i rappresentanti meglio conosciuti di questo movimento. Creò una sintesi della
storia umana nella quale scienza e metafisica, umano e divino sono   5
intimamente fusi. Questa unione accetta il trascendentale, senza met-
terlo in contrasto con l'attuale.

Vico nacque a Napoli nel 1668, figlio di un modesto libraio. Si
avviò allo studio della legge, ma non fece l'avvocato perché non trovò
clienti. La qualità teoretica della sua vasta mente che gli rendeva   10
impossibile quella professione lo spinse a studiare con ardore il latino
ed il greco e la cultura classica. Nel 1686 abbandonò Napoli e si
acconciò a fare da aio ai figliuoli di un nobile signore, che dimorava

in campagna, per nove anni. Passava il tempo libero a studiare nella biblioteca del convento del luogo ed accrebbe così il suo conoscimento del passato. Aveva sperato di divenire professore di diritto, ma nel 1697 dovette accontentarsi del posto di professore di rettorica nell'uni-
5 versità. Due anni dopo sposò una donna analfabeta dalla quale ebbe otto figliuoli. Visse moderatamente contento della sua famiglia, tutto inteso a scrivere ed a studiare. Il primogenito Ignazio gli diede molti dolori con la vita irregolare che menava, ma lo compensarono il figlio Gennaro, che alla sua morte gli succedette nella cattedra, ed una
10 figliuola, Luisa, che si dilettava di poesia. Nell'insieme la sua esistenza non fu comoda. La numerosa famiglia assorbiva il suo magro stipendio ed egli era obbligato a dare lezioni private. Nella sua autobiografia ci dice che i suoi libri furono scritti fra lo strepito che facevano i figli ed i nipoti. Negli ultimi anni della sua vita le condizioni della sua
15 salute furono molto cagionevoli, e perdé la memoria. Morì nel mese di gennaio del 1744.

Vico ci ha lasciato molte opere. Oltre la sua autobiografia e le poesie

Napoli [Naples]

Donna bella, e gentil, pregio, ed onore
Chiaro, immortal dell'amoroso regno,
Qual può giammai umana arte, ed ingegno
Degne ordir lodi al vostro alto valore?

Poiché, se quel, ch'aprite a noi di fuore,
Contemplo, sembran paragone indegno
Perle, ostro, ed oro; anzi a vil pregio io regno
(Sia con sua pace) il Sole, e'l suo splendore.

Ma i cortesi pensieri, e i bei desiri,
Gli onesti, santi, angelici costumi,
Le parole di senno, e grazia ornate;

Qual mai d'alto parlar ben largo fiume
Lodar potria? O degna, che l'etate
Io consumi per voi tutta in sospiri.

d'occasione, abbiamo di lui sei prolusioni, una importantissima opera sulle leggi, *Il diritto universale,* in tre volumi, scritta in latino fra il 1710 ed il 1720, molte lettere e la *Scienza nuova* che apparve nel 1725. Vi lavorò per venticinque anni e continuò a ritoccarla fino alla sua morte. La terza edizione uscì postuma.

L'interesse principale di Vico nella *Scienza nuova* è l'investigazione della storia dall'età leggendaria a quella dei tempi moderni. Parte dal postulato dell'identità del conoscere con il fare. Conoscere perfettamente un oggetto è poter riprodurlo, rifarlo. Ne segue che il mondo della natura, essendo creazione di Dio, può essere perfettamente compreso solamente da Lui, mentre quello della storia, essendo creazione dell'uomo, è aperto alla comprensione di questo.

Distinse tre fasi nella storia del genere umano: l'età degli dei, quella degli eroi, e quella degli uomini. In esse si osserva una progressiva diminuzione della fantasia ed un progressivo aumentarsi della riflessione. L'età degli dei fu caratterizzata dalla scoperta della divinità e della religione, dalla formazione della famiglia e dal costituirsi della società primitiva. Questa età fu seguita da quella degli eroi in cui individui straordinari si distinsero con le loro opere dagli uomini della media comune e ricevettero da questi privilegi e diritti. Ne nacquero abusi contro i quali la massa si ribellò domandando per sé i privilegi ed i diritti prima concessi solo agli eroi. Questi furono abbassati al livello comune e così ebbe principio l'età degli uomini.

Vico vide questi cicli nella storia della Grecia, di Roma, e dell'età moderna, e formulò la teoria dei "corsi e ricorsi." Ogni popolo riinizia la sua vita, e questo nuovo principio è una nuova fanciullezza. I Greci scoprirono Giove. I popoli moderni hanno riscoperto il Dio cristiano. La sua teoria non nega il progresso, anzi lo identifica con la libertà e la democrazia. Nella *Scienza nuova* i patrizi romani sono considerati i rappresentanti dell'età degli eroi, e l'età degli uomini coincide con la vittoria del popolo romano che si impadronì delle leggi e si fece libero. Vico raggiunge questa conclusione, sebbene egli esalti l'età primitiva e ne riveli la poeticità.

La geniale divisione della storia in tre età è una parte importante della *Scienza nuova*, ma la novità del pensiero del Vico risalta specialmente dalle premesse e dalle conclusioni che accompagnano la sua divisione. La maggiore di queste premesse è, forse, che l'immaginazione

che predominò nell'età mitica è un attributo differente ed anteriore
alla riflessione ed alla ragione. Nel passato si era glorificata la ragione
a scapito della fantasia. Vico considera l'immaginazione un attributo
autonomo dell'uomo e da essa fa nascere la poesia. Ogni età è distinta
dall'altra. L'età primitiva della storia umana non deve essere valutata   5
attraverso la presenza o assenza della ragione, come fanno coloro che
hanno una visione assoluta, e perciò astratta, del progresso. Essa deve
valutarsi attraverso la presenza dell'immaginazione. I poeti furono
anteriori ai filosofi e la poesia fu il linguaggio naturale dei popoli
primitivi. I poeti furono altresì gli storici dei popoli primitivi, sicché   10
i miti non sono storia imperfetta e falsata, ma hanno valore proprio
nella loro poeticità e bellezza.

La valorizzazione della fantasia portò Vico a rigettare il concetto
dell'arte che era prevalso prima di lui. Presso i classici e presso i pensatori medievali la poesia era stata considerata una umile ed indegna   15
ancella della filosofia. Platone scacciò i poeti dalla sua repubblica
ideale, e Dante fu ammirato perché nel suo poema si mostrò grande
teologo e filosofo. Gli studiosi del Rinascimento non si allontanarono
dal concetto intellettualistico della poesia e le attribuirono una funzione
pedagogica. Boileau e Malebranche in nome della "verità" condan-   20
narono tutta la letteratura italiana, accusandola di avere espresso sogni
vani ed irreali. Vico reclamò l'indipendenza dell'attività fantastica da
quella speculativa, e fu il vero iniziatore dell'estetica moderna, avendo
enunziato le sue idee prima del Baumgarten, che scrisse la sua *Aesthe-
tica* nel 1750. Con l'esaltazione della fantasia Vico preparò anche la   25
via al concetto d'arte che predominò nell'età romantica: la poesia
riflesso dell'entusiasmo dell'uomo e non freddo prodotto ed oggettiva
applicazione di regole.

Vico continua e svolge il pensiero del Rinascimento e specialmente
quello di Machiavelli che dichiarò la storia creazione dell'uomo. Ma   30
egli va al di là del segretario fiorentino nel considerare la storia creazione collettiva dei popoli e non opera degli individui. Insiste che
nella storia opera lo spirito collettivo che assorbe e trasforma le azioni
individuali. Queste hanno una portata che trascende ciò che si pro-
ponevano gli individui, sicché anche il male, la tirannide e le guerre   35
divengono fattori che influiscono nella "rivelazione" della storia. La
storia è rivelazione del bene, cioè di Dio. Questa visione teleologica

della storia fa di Vico l'iniziatore della filosofia della storia come espressione dell'anima collettiva dell'umanità.

Vico fu portato alla scoperta di queste nuove idee attraverso i suoi studi della storia del diritto. Nella *Scienza nuova* non fece che chiarire ed ampliare i concetti già espressi nell'opera latina, il *Diritto Universale*. Lo strumento principale di cui si servì nella sua ricerca, oltre le varie tradizioni, fu specialmente il linguaggio dei popoli primitivi. Per Vico gli uomini, al nascere, non possedevano il linguaggio, ma se lo crearono lentamente a misura che si sviluppò la loro civiltà. Gli uomini preistorici si servivano di medaglie, di blasoni e di stemmi per esprimere i loro sentimenti. Più tardi nel linguaggio predominò il simbolo e poi, nell'età degli uomini, venne il parlare comune che è frutto della riflessione e non della fantasia. Ne segue che, dal punto di vista della poesia, il parlare comune è inferiore a quello primitivo. In questo Vico veniva a cozzare con le conclusioni di Cartesio e di Locke, grandi ammiratori della "ragione."

Come tutti coloro che hanno sofferto, Vico aveva concluso che l'uomo trova maggiore conforto e forza nell'immaginazione che nella ragione. Da questo contrasto nasceva la differenza fra scienza e fede, fra scienza ed arte. Né egli poteva accettare gli schemi astratti e fissi in cui Cartesio, novello Aristotile, aveva racchiuso la viva realtà della natura e della storia. La realtà, credeva Vico, si ribella alle sue classificazioni perché essa è in continuo flusso ed è differente in ogni momento della nostra esistenza. È forse più giusto dire che il filosofo napoletano reagiva contro i cartesiani piuttosto che contro Cartesio. Non si opponeva al metodo sperimentale del maestro, ma alle esagerazioni dei suoi seguaci. Uno scritto preziosissimo che esprime chiaramente il pensiero del Vico è una sua prolusione letta nell'Università di Napoli e pubblicata nel 1709. In essa egli discute le condizioni della cultura del suo tempo e rivela l'abisso che lo divideva da essa.

La lettura delle opere del Vico è tutt'altro che facile. Egli possedette molte delle qualità, anche quelle cattive, dei letterati del suo secolo, sebbene nessun letterato fosse dotato del suo genio. I singoli libri del Vico sono una foresta immensa ed impervia. Il suo pensiero è una luce vivissima a cui si giunge dopo lunghe peregrinazioni. Anche in questo senso è giusto paragonare la *Scienza nuova* alla *Divina Commedia*. Vico è il poeta della filosofia della storia.

CARLO GOLDONI

CARLO GOLDONI appartiene al gruppo di quei drammaturghi che dal secolo XVI in poi hanno cercato la materia della loro arte nello studio della società del loro tempo.

Nelle sue *Memorie,* scritte in francese quando contava ottanta anni,
5 sono riflesse l'intera sua vita e la sua carriera di drammaturgo, quali gli apparvero nella vecchiaia. È uno dei libri più sinceri della letteratura autobiografica. Vi rivela tutto se stesso nel suo carattere bonario, lontano dagli eroismi, ma sempre umano e generoso. Egli stesso si riconosce un temperamento molto pacifico, che attribuisce al fatto che
10 sua madre non soffrì molto nel darlo alla luce. Ci confessa che aveva il cuore molto tenero per le donne e che fece molti strappi alla fede coniugale. La paziente e buona donna Nicoletta, che aveva sposata a Genova nel 1736, li sopportò sempre con rassegnazione mortificante. Goldoni la esalta nelle *Memorie* come il genio benefico della sua
15 esistenza e della sua vita di commediografo.

Fin da giovane, Goldoni si propose di dare all'Italia una nuova commedia. L'arte comica versava in tristi condizioni perché le persone colte prediligevano la tragedia di stile classico o l'opera, mentre il popolo accorreva ad ascoltare le buffonate volgari e banali della Com-
20 media dell'arte. Goldoni, da artista serio e da persona di buon gusto, sentiva che era possibile interessare il pubblico con un'arte che fosse dignitosa e divertente. Convinse i suoi contemporanei, almeno quelli di Venezia, che il realismo era la forma adatta alla nuova epoca storica che tanti preannunziavano.

25 Al realismo letterario corrispondeva in lui una profonda fede negli ideali della borghesia. Non ammirava né la vita vacua della nobiltà né le esagerazioni degli estremisti politici che invocavano la rivoluzione. La borghesia, con i suoi ideali di lavoro e di giusta misura, gli offriva un modello di vita buona, equa e tranquilla.

30 Goldoni nacque da una benestante famiglia della borghesia. Bambino di quattro anni, il suo principale divertimento era il teatro di marionette che il padre, dottore in medicina, aveva costruito per lui. Ci dice

che a nove anni scribacchiò una commedia che lesse alla bambinaia
prima di farla sentire alle persone di famiglia ed agli amici del padre.
A Rimini abbandonò la scuola per unirsi ad una compagnia di attori, e
nelle università di Pavia e di Padova, dove studiò legge, chiudeva
i libri di diritto ogni volta che vi era da ascoltare una commedia o un   5
dramma. Intanto nei ritagli di tempo lasciatigli dalla professione
scriveva brevi schizzi drammatici e perfino drammi storici (*Amala-
sunta, Belisario*).

La decisione finale di abbandonare la legge per il teatro venne nel
1747 quando fu scritturato come poeta del teatro Sant'Angelo dall'im-   10
presario Girolamo Medebac con l'impegno di scrivere otto commedie
l'anno e due libretti per musica. I quattro anni che passò in quel teatro
furono i più fecondi della sua carriera. Molti dei suoi migliori lavori
(*La vedova scaltra, La bottega del caffè, La locandiera*) furono scritti
mentre era poeta al Sant'Angelo e lottava con il pubblico e con un suo   15
avversario, l'abate Pietro Chiari.

Goldoni cominciò a divezzare il pubblico dalle grossolanità della
Commedia dell'arte con molta prudenza. Infatti, benché nei primi
lavori si servisse di personaggi tradizionali, quali Pantalone e
Momolo, tolse loro la maschera e scrisse la loro parte, che prima era   20
affidata all'improvvisazione dei comici. Il pubblico applaudì le sue
commedie ed il Goldoni si considerò vincitore. Ma questi applausi
destarono l'invidia del Chiari, che nel 1749 era poeta del teatro San
Samuele e che gli mosse una guerra sleale e spietata. Era motivata
in parte dal desiderio di far concorrenza al teatro Sant'Angelo, ma vi   25
entravano anche ragioni d'arte. Il Chiari offriva al pubblico drammi
romanzeschi e sentimentali, mentre Goldoni seguiva un'arte che era

A sinistra: La casa del Goldoni a Venezia.   In alto: Donne di società da un quadro
di Pietro Longhi, pittore contemporaneo del Goldoni.   [Left: Goldoni's house in
Venice.   Above: Society women from a picture by Pietro Longhi, a contemporary
of Goldoni.] Anderson.

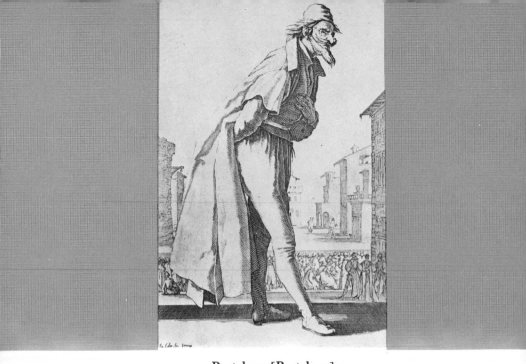

Pantalone [Pantaloon]

vicina alla vita e ricca di pensiero. Di qui nacquero le parodie delle opere di Goldoni che Chiari sceneggiava nel suo teatro. Così quando Goldoni presentò *La vedova scaltra*, il Chiari mise sulla scena *La scuola delle vedove*. Ma il Goldoni trionfò del Chiari perché nel 1751 ebbe un esito strabiliante con i posti che andavano a ruba. Quell'anno 5 scrisse diciassette commedie, senza contare i libretti di opere comiche ed altri lavori. Alcune di queste commedie furono scritte in italiano, altre in dialetto veneziano.

Nel 1752 Goldoni passò al teatro San Luca, diretto dai fratelli Antonio e Francesco Vendramin, con i quali rimase fino al 1761, 10 quando emigrò in Francia. Durante questo periodo scrisse altre commedie importanti *(I rusteghi, Un curioso accidente, Le baruffe chiozzotte)*, ma fu addolorato per la lotta fattagli da un nuovo e più pericoloso antagonista, Carlo Gozzi. Il Gozzi, lanciandosi nella guerra fra "chiaristi" e "goldonisti", attaccò così Chiari che Goldoni in nome 15 della buona tradizione drammatica italiana rappresentata per lui dalle fantastiche e spontanee creazioni della Commedia dell'arte. Per lui il realismo del Goldoni era un'offesa alla vera arte pari al sentimentalismo romanzesco del Chiari. Gozzi si impegnò a provare, specialmente al Goldoni, che egli, con le maschere tradizionali scriverebbe opere di 20

158

fantasia, lontanissime dal suo realismo, le quali sarebbero applaudite dal pubblico veneziano. Mantenne la promessa con la presentazione delle sue "fiabe", fra cui bellissime sono *Turandot*, messa in musica da Puccini, e *L'amore delle tre melarancie*, che è servita al libretto 5 dell'opera di Sergio Prokofiev.

Il successo del Gozzi fu in parte responsabile per la decisione di Goldoni ad andare in Francia per due anni come poeta della Commedia Italiana presso la corte del re. Gli anni che passò a Parigi furono tutt'altro che felici. Si ritrovò in mezzo ai comici dell'arte e nell'am- 10 biente buffonesco che aveva tentato di distruggere a Venezia. Finito il contratto, Goldoni si lasciò lusingare dall'invito di insegnare la lingua italiana alle figliuole del re. Nel 1768 l'insegnamento ebbe fine ed egli fu pensionato dal governo francese. Quando scoppiò la rivoluzione nel 1789, perdé la pensione e conobbe giorni di miseria e di abban- 15 dono. Morì nel 1793, assistito dalla buona donna Nicoletta e da un nipote. Ironia della sorte! Il governo gli concesse di nuovo la pensione il giorno dopo la morte, ad intercessione di Giuseppe Maria Chénier, fratello del poeta. Durante il soggiorno in Francia scrisse il *Ventaglio*, ed una commedia in francese, *Le bourru bienfaisant*, che fu bene 20 accolta dal pubblico parigino e dai giornali.

La critica ha fatto di Carlo Goldoni un fedele fotografo della società del suo tempo. Vi è una parte di verità in questo giudizio, ma ridurre la sua arte ad un realismo fotografico significa rimpicciolirla e con- siderarne solo gli aspetti esteriori. Se egli avesse solo rappresentato 25 la società nella quale viveva, i suoi lavori sarebbero statici: una serie di scenette, di piccoli quadri magari ben fatti, ma senza unità e movi- mento, le qualità più spiccate delle commedie del Goldoni. Da *La vedova scaltra* (1748), uno dei primi lavori, al *Ventaglio* (1771), si osserva lo studio psicologico del carattere e l'attenta osservazione dei 30 motivi che generano l'azione. Chi legge *La vedova scaltra* con il pre- concetto della fotografia della società non vede i veri meriti di questa bella commedia di carattere alla quale l'onesto nazionalismo del Goldoni dà forza comica e brio. L'autore ci presenta una giovane ed avvenente vedova circondata da un Inglese, che la corteggia spendendo 35 sterline; da un Francese, che le offre il suo ritratto; da uno Spagnuolo, che le invia il suo albero genealogico; e da un Italiano, che le dà il vero amore e che essa fa suo sposo.

Ritratto di Carlo Gozzi, la cui lotta costrinse il Goldoni ad esulare in Francia.
[Portrait of Carlo Gozzi, whose hostility compelled Goldoni to go into exile in France.]

I motivi di carattere sociale delle commedie del Goldoni sono mezzo e non fine. È vero che il Goldoni si interessò nel rappresentare il cicisbeismo, la perniciosa consuetudine che legalizzava l'immoralità nel matrimonio, concedendo alla donna il privilegio di scegliersi un
5 ammiratore che l'accompagnava al teatro e l'aiutava perfino a vestirsi. Ma il Goldoni subordinò questo interesse al fine di svelare i tristi effetti che il cicisbeismo faceva nascere. *Il cavaliere e la dama* come *La dama prudente* acquistano nuovo significato quando si leggano da questo punto di vista. *La dama prudente* diviene un profondo dramma
10 psicologico nel quale il cicisbeismo serve di sfondo ad uno studio finissimo delle reazioni di due sposi che sono vittime di questa malsana ed insulsa convenzione, finché si ribellano e se ne vanno a vivere in campagna, lontano dalla falsa vita di società. Anche nel *Cavaliere e la dama* attraverso la fotografia del cicisbeismo, il dramma vive del
15 contrasto fra varie coppie frivole e corrotte e la coppia ideale di Eleonora e Rodrigo. Vi è anche l'amara osservazione che gli uomini sono più gelosi del danaro che dell'onore.

Lo stesso giudizio si può estendere alla moda della villeggiatura sulla quale il Goldoni scrisse quattro commedie. In esse egli mette
20 a nudo le debolezze umane che si rivelano attraverso questa consuetudine, che ai tempi dello scrittore era una vera malattia. La commedia *La villeggiatura* racchiude il dramma doloroso e profondo di donna Lavinia che si trova tradita dal marito e disprezzata da Paoluccio, il cicisbeo frivolo ed indegno del quale ella si è sinceramente innamorata.

25 *La locandiera* è certo un gioiello di naturalezza e di semplicità, ma ciò che rende sempre nuovo questo forte lavoro è la complessa psicologia di Mirandolina che, senza perdere il suo fedele fidanzato, sa far cadere ai suoi piedi un gran nemico delle donne, il cavalier di Ripafratta, e si lascia corteggiare da un marchese e da un conte, per
30 sposare in ultimo il suo bravo primo cameriere. E quanta saggezza e prudenza in questa decisione! Mirandolina si guadagna con un sol colpo il marito e non perde l'impareggiabile primo cameriere.

Questo fondo di pensiero, di buon senso e di perfetta misura costituisce il nucleo centrale dell'arte drammatica di Carlo Goldoni.
35 Esso dà significato e bellezza ai suoi lavori che ancora resistono sulla scena così dei teatri italiani che di quelli stranieri.

VITTORIO ALFIERI

1749-1803   **XXIX**

VITTORIO ALFIERI, nato ad Asti nel 1749 da famiglia nobile e benestante, è specialmente noto come il rinnovatore del dramma classico nella seconda metà del Settecento. Egli merita di essere ricordato anche come pensatore e come uomo di carattere. Un suo ritratto ce lo

5 mostra con la parrucca e lo spadino, come era di moda fra i nobili del suo tempo. In realtà egli fu uomo di pensiero ed amante della libertà.

L'Alfieri ci ha lasciato la sua autobiografia che fu scritta negli ultimi anni della sua vita. L'ultima pagina porta la data del quattordici maggio 1803, anno della sua morte. L'autore ci ha lasciato un

10 prezioso documento del suo modo di vivere, dei suoi viaggi, dei suoi studi, e della sua attività di scrittore. Come le opere di tal genere, non è sempre precisa perché chi scrive ha di mira l'insieme e non i minimi dettagli. Inoltre l'autore vi si rivela come egli vede se stesso in un passato omai svanito, e scrive quando è altro da quello che era in

15 quel passato. Ciò non distrugge il valore di documento delle autobiografie in generale e di questa in particolare.

Ciò che colpisce nell'Alfieri è l'aver presentito problemi e soluzioni che caratterizzarono il pensiero della generazione del Romanticismo. Si interessò specialmente in problemi letterari, e rifletté a lungo sul

20 progresso e sulla libertà. Fu suo merito di averne presentato soluzioni raggiunte attraverso un'appassionata ricerca ed un'assoluta sincerità. Egli volle costantemente innestare il nuovo sul tronco della tradizione, sicché il presente potesse progredire prendendo tutto il bene possibile dal passato senza lasciarsi vincolare da esso. In arte ammirò le forme

25 classiche, ma cercò sempre un contenuto personale e soggettivo che ricorda i nobili poeti dell'età romantica: Goethe, Keats e Shelley. Nacque aristocratico e visse da aristocratico, ma amò la libertà con quella specie di furore che soleva caratterizzare ogni suo amore.

Le idee politiche dell'Alfieri sono state molto discusse, ma i critici

L'AMERICA LIBERA

O D I

DI VITTORIO ALFIERI

D A   A S T I.

Mai non si mostri al ver timido amico,
Chi non vuol perder vita *appo* coloro,
Che questo tempo chiameranno antico.

DANTE, Paradiso, Canto 17.

DALLA TIPOGRAFIA DI KEHL,
CO' CARATTERI DI BASKERVILLE.
M. DCC. LXXXIV.

sono stati ingiusti nel negare ad esse originalità. Forse hanno accusato l'autore di incertezza e di contradizione a causa della sua nascita aristocratica. In realtà tale origine dovrebbe condurre a concedere maggiore merito a chi, pur essendo di nobili natali, esaltò sempre la libertà e si dichiarò contro i reazionari ed i tiranni del suo tempo e del 5 passato. I suoi scritti politici *(Panegirico di Plinio a Traiano,* 1785; *Del principe e delle lettere,* 1786; *Della tirannide,* 1798) non lasciano dubbio alcuno sulla sincerità della sua fede politica. Tale era il suo amore per la libertà che rinunziò ai suoi possedimenti in Piemonte per non essere obbligato a chiedere permesso al re ogni volta che 10

164

desiderava di viaggiare. La libertà fu la costante guida delle sue azioni. Essa costituiva per lui il paragone di ogni forma di governo ed il comune denominatore di ogni progresso. Attribuì la mediocrità fastosa di una gran parte della letteratura italiana al fatto che gli scrittori,
5 legati alla corte, non erano veramente liberi. Trovò nella democrazia inglese del suo tempo e nella vecchia repubblica veneziana i governi più vicini al suo ideale politico. Colto a Parigi dallo scoppio della Rivoluzione Francese, dapprima inneggiò ad essa, ma, testimone degli orrori e degli eccessi del Regno del Terrore, la ripudiò come atto
10 indegno di uomini veramente liberi. Prese vivo interesse nella lotta per l'indipendenza degli Stati Uniti e la cantò nelle cinque odi dell'*America libera*. Egli è uno dei pochi pensatori che condannò la violenza e la tirannide così di destra che di sinistra.

Il modo come valutò nella *Vita* i suoi contemporanei rivela chiara-
15 mente il suo intimo carattere. A Vienna non si curò di farsi presentare al Metastasio, poeta di corte dell'imperatore. Avendolo visto genuflet-tersi dinanzi a Maria Teresa, sentì che non avrebbe mai potuto essere suo amico. In Federico II di Prussia sentì solo il principe militarista e dispotico. Si confessa fortunato di non essere nato in quella caserma
20 che era la Prussia. Non differente fu la sua reazione alla Russia allora sotto Caterina II. Vide nel governo di Pietroburgo l'incarnazione della tirannide e rifiutò di farsi presentare all'imperatrice. Chiamò i Russi degli Asiatici mascherati da Europei. Ma parlò con affetto e con profonda ammirazione del Parini e del Cesarotti, scrittori suoi con-
25 temporanei, che conobbe personalmente.

Il temperamento dell'Alfieri merita speciale attenzione. Fra i suoi contemporanei si distinse per caratteristiche che sono state riconosciute proprie degli uomini e dei poeti del periodo romantico. Molto roman-tico fu il suo modo di vivere. Nutrì una vera passione per i cavalli e
30 gli piaceva di correre a briglia sciolta, quasi cercasse quella libertà che non trovava nella società del suo tempo. Amò per tutta la vita Luisa Stolberg, contessa di Albany, moglie del pretendente al trono inglese, Carlo Edoardo Stuart. La conobbe a Firenze nel 1777 e la 'seguì per tutta l'Europa, conquistato dalla sua bellezza e dalle doti
35 del suo spirito. Alla sua morte la lasciò erede dei suoi averi.

Il suo fedele cameriere Elia seppe quanto fosse difficile servire il suo padrone che per un nonnulla montava sulle furie e si abbandonava

ANTIGONE TRAGEDIA.

ATTO PRIMO.

SCENA PRIMA.

ARGÌA.

Eccoti in Tebe, Argìa... lena ripiglia
Del rapido viaggio.... oh come a volo
D'Argo i' venni._Per troppa etade tardo
Mal mi seguisti, o mio fedel Menete:
Ma in Tebe io stò. L'ombre di notte amico   5
Velo prestaro all'ardimento mio;
Non vista entrai. Questa è l'orribil Reggia,
Cuna del troppo amato Sposo, e tomba.
O Polinice, il traditor Fratello
Quì con tua morte sol diè fine all'ire.   10
Invendicata ancor tua squallid'Ombra
S'aggira intorno a queste mura, e niega
Nell'empia Tebe al Fratel crudo appresso
Avèr la tomba; e par, ch'Argo m'additi....

P ij

Molti dei temi delle tragedie di Alfieri sono presi dalla storia classica.   [Many of
the themes of the tragedies of Alfieri are taken from classical history.]

ad atti di violenza. Nella *Vita* l'Alfieri ci racconta come durante il viaggio in Ispagna poco mancò che non uccidesse il povero Elia. Questi, nel pettinarlo, gli tirò un po' i capelli. L'impetuoso signore ·afferrò un candeliere e colpì alla tempia il cameriere, infliggendogli
5 una profonda ferita da cui uscì copioso sangue.

Alfieri ci si rivela tormentato costantemente dalla noia, quella noia che fu una delle forme del dolore universale a cui reagirono il Goethe, De Vigny, Leopardi e Foscolo. Viaggiava per sfuggirle, ma la noia lo perseguitava con la stessa furia con la quale i suoi cavalli galoppavano
10 da una capitale all'altra. Viaggiò in tutta l'Europa e si spinse fino alla Russia. Tornato in patria a ventitré anni, fece il suo bilancio morale e si accorse di non aver compiuto nulla, di vivere da parassita, e di essere pieno di presunzione. Dopo un tergiversare di altri tre anni, si gettò nello studio con quella stessa passione con la quale si era
15 logorato negli amori e nella vita oziosa di società. Si fece una cultura che fu notevolissima nel suo secolo. Imparò a fondo il latino ed il greco, e conobbe il francese, lo spagnolo e l'inglese. Possedette una conoscenza geniale e profonda della storia della civiltà occidentale. Studiò a fondo il pensiero degli enciclopedisti francesi e si imbevve,
20 attraverso Plutarco, della severa moralità dei classici. Ciò che più conta, riuscì a domare il suo temperamento sbrigliato e violento sicché, quando decise di divenire un grande scrittore di tragedie, fu capace di un lavoro tenace ed assiduo che nessuno avrebbe creduto possibile nell'Alfieri giovane.

25 La sua carriera di scrittore si iniziò nel 1774 con un primo tentativo di tragedia che si intitolò *Cleopatra*. Fu rappresentata al Carignano a Torino nel 1775, ed incontrò il favore del pubblico. Per una quindicina di anni ogni pensiero, ogni energia furono dedicati all'arte. Si accinse al lavoro dopo di essersi fatto un concetto ben chiaro del fine
30 che si proponeva. Era convinto che il dramma moderno di alto stile dovesse essere un rinnovamento della tragedia classica, ma lasciò completa libertà all'artista di scegliere i temi dalla storia, sia moderna che antica. In questo anticipò i princìpi che informarono il dramma romantico della prima metà del secolo XIX. Scrisse tragedie, farse e
35 commedie, ma solo le sue tragedie sono ancora lette e, ciò che più conta, rappresentate.

Il tipo di dramma prodotto dall'Alfieri offre una compatta unità di

contenuto e di forma. L'autore ha eliminato ogni elemento superfluo
sicché lo spettatore ed il lettore sono attratti dalla passione centrale
che si dibatte nel centro del dramma. Rispettò le unità di tempo e di
luogo, non perché prescritte dalla tradizione, ma perché utili all'unità
del dramma.   5

Molti dei temi delle sue tragedie sono presi dalla storia classica
(Antigone, Virginia, Agamennone, Sofonisba, Bruto, Mirra). Scelse
anche temi biblici come nel *Saul,* che è il suo capolavoro, ed in *Abele.*
Ma molte delle sue tragedie presentano personaggi della storia
moderna: *Filippo, Maria Stuarda, Don Garzia.* In tutti i suoi lavori 10
egli rappresentò il cozzo fra due volontà, una dedicata al bene, l'altra
dominata dal male. Il male era generalmente rappresentato dalla
tirannide ed il bene dall'amore alla libertà, il che spiega la popolarità
di cui godette l'Alfieri durante il periodo del Risorgimento italiano.
Egli fu uno dei primi patrioti nel nobile senso che la parola assunse 15
durante la lotta per l'indipendenza dell'Italia.

L'Alfieri riposa fra i grandi italiani nel tempio di Santa Croce. La
contessa d'Albany pregò il Canova di scolpire il suo mausoleo. Con
atto pietoso, la donna che egli amò sinceramente e profondamente,
diede questa commissione ad un artista che si ispirava agli stessi ideali 20
di classicismo cari all'Alfieri. A Santa Croce andò ad ispirarsi Ugo
Foscolo, che cantò nell'Alfieri il poeta della libertà.

Alfieri riposa nella chiesa di Santa Croce,
a Firenze, mentre gli Stuarts sono nel
mausoleo, anche scolpito da Canova, nella
basilica vaticana.   [Alfieri rests in the
Church of Santa Croce in Florence, while
the Stuarts are in the mausoleum, also
sculptured by Canova, in the Basilica of
the Vatican.] ALINARI.

ANTONIO CANOVA

1757-1822   **XXX**

IL NOME DI Antonio Canova viene giustamente unito al movimento
neoclassico che occupò una gran parte della vita culturale dell'Europa
dal principio del secolo XVIII ai primi decenni del secolo seguente.
Anche ai giorni nostri l'influsso classico fortunatamente non è cessato,
5   benché l'atteggiamento verso l'arte classica sia venuto cambiando nei
tempi moderni. Nel passato gli artisti, poeti, scultori o pittori credevano che l'unico tipo della bellezza fosse il classico, e si consideravano
umili continuatori dell'arte classica. Gli uomini dei secoli XII e XIII
conobbero solo la civiltà classica e non credevano che la civiltà
10 moderna potesse essere differente da quella classica e che, perciò, una
nuova arte potesse nascere. La posizione teorica che l'arte è figlia
dell'epoca e che perciò ogni epoca produce forme artistiche proprie,
differenti da quelle del passato e differenti anche in ogni artista, è un
punto di vista che è stato accettato solo in tempi vicini ai nostri. Fu nel
15 secolo XVIII che gli uomini di pensiero formularono questo problema

e lo risolvettero proclamando il carattere originale dell'arte. Questa nuova fede fu il cuore del movimento romantico. Ad esso si opposero i conservatori che continuarono a credere nell'universalità dell'arte classica e che, se artisti, si ispirarono ad essa. Ma durante il periodo romantico vicino ai poeti ed artisti novatori vissero poeti ed artisti,　　5 quali David in Francia, Goethe in Germania, Keats e Shelley in Inghilterra, Leopardi e Foscolo in Italia, che si opposero all'ideale romantico ed esaltarono l'arte classica.

In Italia, dopo le esagerazioni del barocco e del roccocò, si era sentito il bisogno di tornare alla purezza originale del Classicismo　　10 quale si era manifestato nella grandezza artistica della Grecia e di Roma. Questo movimento, importantissimo nella storia culturale dell'Europa, fu opera principalmente di Gioacchino Winckelmann, uno studioso tedesco che diresse gli studi ed i musei d'arte antica a Roma, e di Antonio Raffaello Mengs, anche lui tedesco, che visse in Ispagna　　15 ed a Roma e che nella pittura si ispirò all'ideale dell'arte italiana del Rinascimento. Verso il 1800 gli artisti, il maggior numero di essi, o si ispirarono al classicismo o seguirono la teoria romantica dell'entusiasmo e cercarono ispirazione nella storia nazionale.

A sinistra: Ebe, dea della giovinezza. In alto: Maria Luigia.   [Left: Hebe, goddess of youth. Alinari.   Above: Maria Luisa.]

Antonio Canova fu uno di questi ammiratori del classicismo. Nato a Treviso, nell'Italia settentrionale, si educò nella scultura studiando gli esempi classici che gli offrirono, prima Venezia, e poi Roma. Consacrò tutta la sua vita al culto dell'arte classica. Quando aveva
5 sessantadue anni e godeva fama incontrastata, andò a Londra per ammirare e studiare i frammenti del Partenone che Lord Elgin vi aveva portati nel 1815. Durante l'Impero napoleonico lo stile classico servì a nobilitare la politica del Bonaparte che ammantò il suo nazionalismo di grandezza romana e di paludamenti classici. Le classi
10 conservatrici, il papato e la monarchia, erano per il Classicismo come i liberali in politica erano partigiani del Romanticismo. Era perciò naturale che chi lavorava per il re e i papi si servisse delle forme classicheggianti. Tanto più che, dato che la scultura in marmo è costosissima, solo le persone aristocratiche potevano comprare le sue
15 opere.

Fra i lavori più importanti che il Canova ci ha lasciati vi è la tomba

171

di Clemente XIII della nobile famiglia Rezzonico in San Pietro a
Roma, la tomba degli ultimi discendenti degli Stuardi e Pio VI in
orazione, anche in quella basilica. Sono opere monumentali nelle
quali le figure umane, rese secondo la forma classica, esprimono
bellamente i sentimenti da cui era compreso il Canova dinanzi alla   5
morte dei potenti. Nella tomba a Papa Rezzonico tutto il monumento
esprime il tema dell'umiltà, umiltà che nasce dal contrasto fra la
grandezza del Papa e la presenza della morte. Di qui la figura del
Papa umilmente in ginocchio, con due leoni mansuetamente sdraiati
ai due lati della tomba.   10

Nel monumento funebre agli Stuardi, un angelo bellissimo guarda
la porta del sepolcro, tutto racchiuso nel dolore e come se stesse
meditando sulle sorti dell'uomo, umile o potente che esso sia.

Fra i busti del Canova sono oltremodo belli quello della Vestale
nell'Accademia d'Arte Moderna a Milano e quello della dea della   15
giovinezza, Ebe, nella Pinacoteca di Forlì.

I critici del Canova sogliono distinguere due periodi nella sua
carriera artistica. Uno giovanile, nel quale è visibile una specie di
moderato realismo, ed una seconda fase nella quale il Canova si
avvicinò sempre più alle forme classiche. Questa divisione è arbi-   20
traria, se si considera il fatto che una delle opere più perfette del
Canova, *Pio VI in orazione*, fu scolpita negli ultimi anni della sua vita.
Tale divisione rivela il punto di vista estetico dei critici realisti, ma
non prende in considerazione, come dovrebbe, quello del Canova.

La valutazione dell'opera di Antonio Canova va fatta attraverso la   25
considerazione della potenza del suo temperamento plastico e del-
l'ideale classico a cui si ispirò. Egli ebbe da natura il dono del
plasmare come solo pochi artisti. Fu scultore nato, ma la sua meta
fu quella di disciplinare e raffinare la sua potenza plastica attraverso il
senso di misura, di perfetta proporzione e di universalismo che sono 30
propri del Classicismo. La sua arte si allontanò dal realismo giovanile
non per servilismo teoretico, ma perché l'artista si elevò sempre più
rigorosamente alla contemplazione della bellezza ideale, allontanan-
dosi a bella posta e coscientemente dalla contemplazione delle forme
attuali. Come tutti gli artisti classici, Canova accettava la natura come 35
punto di partenza, ma non voleva racchiudersi in essa. Da questo punto
di vista, egli è sommo artista, e giusta è la fama che gli viene tributata.

Clemente XIII che prega umilmente in ginocchio.   [Clement XIII who humbly
kneels in prayer.] ALINARI.

UGO FOSCOLO

1778-1827 **XXXI**

UGO FOSCOLO fu uno di quei poeti del primo Ottocento che tennero
fede al Classicismo in un momento nel quale molti letterati, e specialmente i giovani, invocavano una nuova arte in nome del Romanticismo.
Come Keats, Shelley, Goethe e Leopardi, il poeta italiano trovava
nell'universalità dell'arte classica la propria giustificazione per rima-   5
nere in quella nobile tradizione. Nato in Grecia da madre greca e da
padre italiano, il Classicismo era in lui una viva memoria ed una
parte integrale del suo animo. Attraverso i miti e le leggende classiche
egli espresse tutto se stesso con una spontaneità ed una luminosità di
forma che fanno di lui uno dei maggiori poeti dell'Ottocento europeo.   10
   Riesce difficile a comprendere perché il Foscolo, con il suo temperamento appassionato e violento, rifiutasse di unirsi ai Romantici del
suo tempo. Vi è molto nella sua vita che corrisponde allo schema, sia
pure tutto esteriore, che si è detto proprio dei Romantici: la vita
irrequieta e randagia, i suoi numerosissimi ed incostanti amori, il   15
tenore di vita spendereccia che visse. O che dimorasse a Venezia dove
la madre tornò dalla Grecia nel 1792 alla morte del marito; o che
facesse la campagna napoleonica ed andasse a combattere in varie
città: Genova, Firenze, Milano; o che vivesse in Francia o in Inghil-

Solcata ho fronte, occhi incavati intenti,
Crin fulvo, emunte guance, ardito aspetto,
Labbre tumide, arguti, ed viso lento,
Capo chino, bel collo, irsuto petto.

Membra eschie, vestir semplice eletto,
Ratti i passi e pensier, gl'atti, gl'accenti,
Prodigo, sobrio, umano, rapido schietto,
Avverso al mondo avversi a me gli eventi.

Mesto i più giorni, e solo ognor pensoso
Alle speranze incredulo, al timore
Il pudor mi fa vile, e pronte l'ira

Cauta in me parla la ragion, ma il core
Ricco di vizi e di virtù, delira
Sono da morte avrò fama e riposo.

Ugo Foscolo

terra, dove andò in esilio nel 1815, il suo cuore fu sempre devastato
da violente passioni. Si costruì una sontuosa villa nelle vicinanze di
Londra con il denaro della sua figliuola Floriana. Questa gli era nata
da una giovane donna inglese incontrata nel 1805 durante il suo
soggiorno in Francia. Benché Foscolo guadagnasse moltissimo scri-   5
vendo per giornali e riviste londinesi, morì in miserrime condizioni.
Si può chiamare tutto ciò Romanticismo? Questo è il nome che ancora
si dà alle azioni capricciose e strane che sono sempre esistite ed esistono
sotto differenti nomi in differenti epoche. Il vero Romanticismo era
ben altra cosa. Il Foscolo lo aveva nel sangue e per questo ne rifiutò   10
il nome convenzionale.

Foscolo ebbe più debolezze che vizi perché non fece il male per
abitudine. Ebbe naturale dirittura d'animo ed amò appassionatamente
la libertà e l'Italia. Non capitolò né a Napoleone, che deluse il suo
amore per la libertà e la democrazia, né all'Austria, nella quale vedeva   15
il simbolo del vecchio regime che egli odiava.

Se non si unì ai Romantici, che pure tentarono di attirarlo dalla loro
parte, fu per amore della propria indipendenza e per timore delle
limitazioni e convenzioni che sono inevitabili in ogni gruppo. Non
bisogna confondere il Foscolo con quei nemici del Romanticismo che   20
rappresentavano la reazione politica ed economica del tempo. Nel suo
culto dell'arte classica, il credo romantico gli sembrava un capriccio
ed una posa. Per lui la letteratura, antica o moderna, era una sola, e
corrispondeva alla categoria dell'eterna ed universale bellezza. Per
questo tradusse l'*Iliade* d'Omero e molti frammenti dal greco, ma mise   25
anche in veste italiana il *Viaggio sentimentale* di Lorenzo Sterne.

Foscolo ebbe tre profonde passioni che costituirono la materia della
sua poesia: l'amore, la sopravvivenza alla morte, e l'arte. Cantò
l'amore specialmente nelle odi scritte nella gioventù. La sopravvivenza
fu il tema centrale dei *Sepolcri*. La gioia, la consolazione e l'azione   30
civilizzatrice delle arti furono la materia delle *Grazie*.

Le prime poesie del Foscolo sono convenzionali. Il giovane Foscolo
adatta la materia classica e la forma petrarchesca ai suoi amori con
esteriorità e pompa. Qua e là si trovano magnifici versi, come è da
aspettarsi in un grande ingegno poetico, ma il contenuto manca nelle   35
prime odi perché mancava nella vita dell'uomo. Vi era bravura, ma
non grande arte. Neppure avvenimenti e temi che si crede avrebbero

dovuto toccare il cuore ed accendere la fantasia del poeta sfuggono a
questo giudizio. L'ode *A Bonaparte liberatore*, quella *A Luigia Palla-
vicini*, una delle donne da lui amate, come l'ode *All'amica risanata*,
scritta per la contessa Fagnani-Arese, e perfino il sonetto *In morte del*
5   *fratello*, sono troppo sovraccarichi di cultura per essere espressione
lirica dei sentimenti del poeta.

Riuscì meglio, invece, in un romanzo epistolare, *Le ultime lettere
di Jacopo Ortis*, scritto nel 1796 a Venezia, e pubblicato in forma definitiva nel 1802. Il Foscolo rispecchia se stesso nelle sventure e nel
10 dolore disperato del protagonista. Questi, cercando sollievo alla sua
angoscia dopo che Napoleone, con il trattato di Campoformio, ebbe
venduto Venezia all'Austria, va in campagna e lì si innamora perdutamente di Teresa, giovane e nobile donna che non può far sua perché
promessa sposa ad un amico del padre. Jacopo Ortis, disilluso negli
15 ideali che avevano illuminato la sua gioventù, e senza speranza alcuna
per l'amore di Teresa, si uccide. Malgrado l'enfasi giovanile il romanzo
è un libro vivo ed offre uno dei primi esempi dell'analisi psicologica
che fu la grande novità nell'arte narrativa del secolo XIX. L'autore
vi rivela il suo amore per la libertà e per la sua Venezia con una
20 immediatezza e chiarezza che si cercano invano nelle prime poesie.
Tanta è la fiamma della passione che arde nel romanzo che i contatti
culturali con il Rousseau della *Nouvelle Héloïse* e con il *Werther* del
Goethe appaiono fortuiti incontri più che cosciente imitazione.

Un momento di maggiore intimità è riflesso nei *Sepolcri*, pubblicati
25 a Milano nel 1808. Il poeta fu spinto a scrivere questo carme, uno
dei più belli della letteratura italiana, dalla legge emanata nel 1806
da Napoleone che proibiva la sepoltura dei cadaveri nelle chiese e
nelle tombe private ed ordinava che tutti fossero seppelliti nei cimiteri
pubblici.

30 Il carme in versi sciolti si apre con l'assillante domanda se il sonno
della morte sia meno duro quando la pietà umana abbia offerto la
tomba alle ceneri degli uomini, e vigili cipressi ne consolino il silenzio
con la loro ombra. La risposta è dapprima un no desolato, da cui
lentamente il poeta si libera per assorgere a cantare il significato ed il
35 virile conforto che i vivi trovano nella tomba degli uomini grandi e
buoni. La tomba è simbolo di civiltà umana e d'amore. È vero che
la morte uccide la vita, ed allora ogni sensazione e pensiero finiscono

perché leggi immutabili pesano inflessibilmente sulla materia. Tutto è un continuo flusso, e tutto il tempo trasforma. Ma perché mai dovremmo distruggere l'illusione della sopravvivenza negando la tomba a chi è degno di memoria? La tomba è l'altare dove brilla la lampada votiva della memoria sicché chi merita di essere ricordato vive nel ricordo dei suoi cari. Ingiusta è perciò la legge che condanna il grande Parini ad essere confuso con i cadaveri di gente ignota e perversa. L'Italia ha dimostrato di sentire la severa e virile poesia del sepolcro dedicando Santa Croce al riposo dei suoi grandi. Qui i loro nomi saranno eterni

> " . . . finché il sole
>
> Risplenderà su le sciagure umane."

Il sepolcro rese giustizia agli eroi della Grecia, e le onde del mare

RITRATTO

DI

UGO FOSCOLO

Solcata ho fronte, occhi incavati intenti,
 Crin fulvo, emunte guance, ardito aspetto,
 Tumidi labbri ed al sorriso lenti,
 Capo chino, bel collo, irsuto petto;

Membra esatte; vestir semplice eletto;
 Ratti i passi, i pensier, gli atti, gli accenti;
 Sobrio, ostinato, uman, prodigo, schietto,
 Avverso al mondo, avversi a me gli eventi.

Mesto i più giorni e solo, ognor pensoso;
 Alle speranze incredulo e al timore,
 Il pudor mi fa vile, e prode l'ira;

Canta in me parla la ragion; ma il cuore,
 Ricco di vizi e di virtù, delira ——
 Morte, tu mi darai fama e riposo.

portarono alla tomba di Ajace le armi di Achille, di cui l'astuto
Ulisse si era ingiustamente impossessato. La poesia è la custode dei
sepolcri, ed Omero si ispirò alla tomba di Ilo e cantò gli eroi della
Grecia. Solo per il culto che la Grecia concesse alla tomba, noi
5 conosciamo la gloria di Troia e specialmente del grande Ettore.

Il carme è una grandiosa variazione sul tema della morte. Nella
pensosità della sua anima profonda, il Foscolo non poteva accettare le
conclusioni della filosofia illuminista sull'oltretomba. Né gli era
possibile di sollevarsi alle altezze della fede cristiana. Intelletto
10 costruttore, diede un suo significato e valore all'idea dell'al di là:
l'uomo degno e grande sopravvive alla morte del corpo se ha saputo
farsi amare con la nobiltà delle sue azioni.

Un altro tema, pur esso intimamente legato alla vita, servì di fulcro

Le tre Grazie, tema caro al Foscolo, che Botticelli aveva immortalato nella "Allegoria della Primavera." [The Three Graces, a theme dear to Foscolo, whom Botticelli had immortalized in the "Allegory of Spring."] ALINARI.

ad un grandioso carme, le *Grazie:* la fede nella realtà dell'arte. Il Foscolo lo dedicò ad Antonio Canova e già vi lavorava nel 1808. La morte gli impedì di condurlo a termine. È stato giustamente osservato che questo carme fa pensare alle statue lasciate incompiute da Michelangelo. Infatti ci è giunto in frammenti, ma questi sono così finemente lavorati che permettono di intravedere la sagoma dell'imponente costruzione che racchiudono. Il tema fondamentale delle *Grazie* è "la gioia dell'inno," la realtà, ultima ed inviolabile, dell'artista. Il poeta si è reso conto che la gioventù, la forza, la ricchezza, lentamente ma inevitabilmente, abbandonano l'uomo. Un velo di tristezza si distende sulla sua anima, ma il poeta si solleva da essa pensando che nessuno può togliergli la gioia dell'arte.

Il Foscolo ci dichiara nel poema che era sua intenzione di cantare "la gioia che vereconde voi [le Grazie] date alla terra." Svolge il tema in tre inni ritessendo i miti classici intorno all'amore *(Inno a Venere),* alla danza *(Inno a Vesta)* ed alle arti *(Inno a Pallade).* Le arti segnano la storia della civiltà. Gli antichi Greci fecero di

Pallade il simbolo della saggezza e della potenza. Noi moderni abbiamo perduto la perfetta civiltà perché nel nostro materialismo abbiamo disprezzato le arti. Pallade oggi vive in un'isola misteriosa, perduta nel silenzio dell'oceano. Lì è il suo regno e lì è la promessa del ritorno
5 degli uomini alla vera civiltà.

Le *Grazie* sono meditazioni sul vivere umano che hanno raggiunto la perfezione della forma nell'arte del Foscolo. Sono dense di pensiero e candide di bellezza come se scolpite in marmo pario. Foscolo confessò: "Sdegno il verso che suona e che non crea." E questo nobile
10 programma di poesia si riferisce così ai *Sepolcri* che alle *Grazie*. L'arte ha una funzione eminentemente umanizzatrice in lui. Il mito di Venere ci presenta il mondo in preda alla violenza ferina ed alla distruzione prima che la dea e le Nereidi apportassero agli attoniti selvaggi la religione ed il vivere civile.

15 È doveroso anche mettere in luce la potenza e l'attività speculativa del Foscolo, quali si rivelano nelle sue opere di critica letteraria ed in quelle storiche. Queste sono un documento chiarissimo del suo amore alla libertà, alla pace, ed alla democrazia. Contengono pure la sua difesa, come nella *Lettera apologetica*, del suo carattere e della dirit-
20 tura morale che i suoi nemici avevano negata.

Le opere di critica segnano una pietra miliare nella storia della critica. Foscolo si riallaccia coscientemente al Vico, le cui opere aveva attentamente studiate. Per lui la storia delle arti è la storia della civiltà, documentata dalle opere letterarie. Le vecchie distinzioni fra
25 lingua e pensiero, fra forma rettorica e sentimento, sono scomparse in lui. Con la poesia, come con l'estetica, Foscolo rompe il cerchio malefico della letteratura arcadica, leziosa e vuota, e riporta la letteratura italiana dentro la corrente del pensiero e della cultura europea. De Sanctis vide in lui il suo predecessore e lo chiamò il primo critico
30 dell'età moderna. Nessuno prima del Foscolo era penetrato nell'anima dei grandi poeti italiani ed aveva dichiarato la nobiltà della letteratura come maestra di vita.

Le ceneri del Foscolo riposano a Santa Croce dove furono trasportate nel 1871 dall'Inghilterra. Egli giustamente riposa fra i grandi che
35 aveva esaltati. La sua fama di poeta è venuta facendosi sempre più chiara e la critica moderna riconosce in lui uno dei più grandi poeti che vanti la storia della poesia.

GIACOMO LEOPARDI

È UNO DEI più grandi poeti dell'Ottocento ed il maggiore poeta lirico italiano. Cantò il proprio dolore infondendovi la nota del dolore universale, il che approfondì ed allargò il respiro della sua lirica. Fu infelice per ragioni personali, fra cui, principalissima, quella della sua salute fisica. A vent'anni era un povero corpiciattolo storpiato   5 dalla tubercolosi della spina dorsale, malattia che, mentre gli distruggeva il corpo, gli ingrandiva l'anima ed acuiva l'intelletto.

Giacomo Leopardi nacque da una di quelle nobili famiglie che conobbero giorni felici durante il Rinascimento e che agli inizi dell'Ottocento lottavano contro la decadenza e spesso contro la povertà.   10 Il padre di Leopardi, conte Monaldo, era un uomo di carattere mite che si interessava di letteratura e lasciava che la moglie, Adelaide Antici, governasse la casa. Ed essa comandava dispoticamente su tutti e gestiva le magre rendite della famiglia con mano ferrea. Padre e madre erano fortemente conservatori e religiosi, ma di una religione   15 priva di amore e di bontà. La differenza nelle idee, così politiche che religiose, fu una delle ragioni che scavarono un abisso fra genitori e figlio quando questi abbandonò i princìpi conservatori nei quali era cresciuto.

Il tenore di vita fredda e compassata a cui era obbligato spinse il   20 Leopardi a cercare rifugio nella grande biblioteca paterna. A dodici anni passava intere giornate e notti insonni sui libri, desideroso di acquistare dottrina e fama attraverso le lettere. Come la maggior parte dei giovani di buona famiglia, il Leopardi ricevette un'educazione classica. Conobbe perfettamente il latino ed il greco e da giovane   25 il suo grande desiderio era di scrivere su materia classica commenti, saggi o opere di immaginazione. Una delle sue prime opere fu una tragedia dal titolo di *Pompeo in Egitto*. Tradusse anche la *Poetica* di Orazio, gli *Idilli* di Mosco, la *Batracomiomachia*, il primo canto

dell'*Odissea* ed il secondo dell'*Eneide*. All'età nella quale ragazzi normali non pensano che a divertirsi, il contino Leopardi era già divenuto un erudito profondissimo. A diciannove anni la malattia che insidiosamente covava in lui si sviluppò e lo costrinse a rinunziare allo studio assiduo e quasi furibondo con il quale si era rovinata la salute. Nella solitudine desolata in cui viveva a Recanati gli fu cara l'amicizia di Pietro Giordani, famoso letterato di quel tempo, al quale il Leopardi scrisse intime e commoventi lettere che oggi formano parte del suo bellissimo epistolario.

Nel 1825 l'incomprensione della famiglia lo spinse ad abbandonare Recanati. Visse in varie città italiane: Roma, Milano, Bologna, Firenze e Pisa. Passò gli ultimi giorni della sua breve esistenza a Napoli dove era andato nella speranza che il clima aiutasse la sua salute. Si era guadagnata la vita lavorando per la casa editrice Stella di Milano e dando lezioni particolari. Pietosi amici, quali Pietro Colletta ed Antonio Ranieri, furono generosi con lui e lo aiutarono finanziariamente. Ranieri raccolse il suo ultimo respiro dopo averlo assistito fraternamente insieme alla sorella. Le sue ossa riposano in una chiesetta nei d'intorni di Napoli, che nel 1898, centenario della nascita del grande poeta, fu dichiarata monumento nazionale.

Il dolore fece di Giacomo Leopardi un gran poeta ed un profondo pensatore. La sua poesia è rappresentata da un piccolo volume di versi, intitolato *I Canti*. Il suo pensiero è rappresentato dai *Dialoghi*, dalle *Operette Morali*, dai *Pensieri* e specialmente dallo *Zibaldone*, raccolta di varie e profonde osservazioni che il poeta veniva scrivendo   5 giorno per giorno nella dolorosa intimità della sua esistenza. Sono osservazioni che si riferiscono a varie questioni di filosofia, di filologia, di arte e di letteratura. *Lo Zibaldone* costituisce uno dei più profondi e sinceri diari intellettuali che si possano consultare. Così le opere in prosa come *I Canti* furono scritte allo stesso tempo e rivelano, in vario   10 modo, l'intimo sentimento del vivere che il Leopardi distillava dalla sua dolorosa esistenza.

La filosofia alla quale il Leopardi giunse quando aveva appena vent'anni fu quella alla quale molti uomini inclini a pensare giungono nella vecchiaia: tutto è illusione nella vita, se l'unica certezza dell'uomo   15 è il morire. Il Leopardi non fu uomo religioso e la fede non lenì la sua disperazione. Vedeva uomini e cose quali vittime della natura, che per lui era dominata dal fato. La natura aveva creato in lui una

Leopardi passò a Recanati i primi ventisette anni della sua tragica vita.   [In Recanati Leonardo spent the first twenty-seven years of his tragic life.] ALINARI

inflessibile relazione fra sensibilità ed infelicità. Più l'essere è sensibile e più soffre. Chi è sensibile desidera la felicità con maggiore intensità di chi è insensible o possiede un grado minore di sensibilità. Siccome è impossibile raggiungere la felicità che si desidera, ne segue che l'aspirazione alla felicità finisce con il condurre l'uomo al disinganno ed al dolore. Gli animali sono più felici dell'uomo perché seguono l'istinto che a guisa di piccolo cerchio circoscrive le loro azioni e la loro esistenza. La pecora mangia e poi giace per terra e rumina in perfetta e completa beatitudine, ignara del destino che l'attende. Non così l'uomo che complica ogni suo atto con l'immaginazione e l'intelletto, e vive nella coscienza che la vita è un continuo correre verso la morte, il punto fisso di ogni esistenza. Queste idee ritornano continuamente in tutte le opere e formano l'oggetto del dialogo nelle *Operette Morali* fra la natura ed un'anima. Avvivate dal sentimento, formano anche la trama dei *Canti* in cui echeggia l'idea che l'anticipazione della felicità è più grande della felicità stessa, e che l'illusione è la grande forza che ci permette di sopportare il peso della vita.

I Canti sono un fedele riflesso della vita quotidiana del poeta. La loro vicinanza al vivere giornaliero fa sì che quasi in ogni poesia vi sia, riflesso o accennato, il fatto che toccò il cuore o l'intelletto del poeta. *Il Primo Amore* nacque dalla visita di una giovane cugina alla casa del Leopardi. Il poeta sentì di essersi innamorato di Geltrude Cassi e   5 descrisse il suo dolore nell'udire scalpitare giù nel cortile i cavalli che la portavano via. *A Silvia* è un gentile e triste idillio che fiorì nella gioventù del poeta per una fanciulla, morta giovanissima, che egli aveva veduta ricamare dalla sua finestra mentre essa modulava dolci canzoni. *L'Infinito* racchiude la risposta alla domanda che il poeta si   10 fece un giorno che andò su una collina, si sedette fra un gruppo di alberi e guardando il cielo si chiese che cosa vi fosse al di sopra dell'arco azzurro di esso. In esso il poeta dà un contenuto umano all'idea astratta dell'infinito. Al posto del nulla e del vuoto dinanzi ai quali il poeta si spaura, egli mette il pensiero della bellezza della   15 natura quale egli se la crea quando riflette che, anche se destinata a perire, la vita è bella e santa perché essa offre consolazione e gioia all'uomo. La stessa vicinanza dell'arte al vivere quotidiano del poeta si osserva nel *Passero Solitario*, riflesso della sua commozione al sentire il pigolio di un uccello accecato perché servisse di richiamo agli   20 altri uccelli. Il poeta vide in quel povero uccello il suo proprio destino. Erano ambedue esclusi dalla vita. La lirica *Alla Sorella Paolina* fu scritta nell'occasione delle nozze di questa nel 1822. Il poeta le dice che i suoi figliuoli sono destinati ad essere o felici, se pronti a venire a patti con il mondo, o infelici, se vogliono essere   25 indipendenti e virtuosi. Non è una poesia molto lieta, e certo è poco vicina alle idee convenzionali che si esprimono il giorno delle nozze. *Alla Luna* è un gioiello di sentimento e di intimità. Il poeta guarda la luna e si rende conto che un anno prima l'aveva contemplata nella stessa situazione e condizione nella quale la guarda ora. E riflette che   30 la sua esistenza è solo monotono dolore, e conclude che l'unica realtà della sua vita è il ricordare il passato, anche se triste e doloroso. Un giorno un temporale passa su Recanati con minaccia di danni e di morte. Poi subito dopo torna a brillare il sole e la vita riprende il suo ritmo normale mentre un senso di gioia riempie il cuore del poeta. Il piacere   35 è figlio del dolore, egli conclude, e scrive *La Quiete dopo la tempesta*. A Napoli, sulle falde desolate del Vesuvio, vede fiorire la ginestra e scioglie un canto alla nobiltà di quel fiore che allieta l'arida terra del Vesuvio, esempio all'uomo di consolare i suoi simili, la cui esistenza è arida come la terra bruciata del monte Vesuvio. Questo motivo anima la *Ginestra*, lirica potentissima e caratterizzata da profondi pensieri sulla vita e sul progresso umano.

Questa è, nell'insieme, la poesia dei *Canti*, nei quali potere descrittivo, vivezza del sentimento e profondità del sentire si fondono in un'armonia che non era mai apparsa nella lirica italiana. Il Leopardi si servì specialmente del verso sciolto e predilesse l'uso dell'endecasillabo e del settenario.

Come è da aspettarsi, la lirica del Leopardi è dolorosa e contrassegnata da pessimismo. Ma non bisogna credere che il pessimismo del Leopardi sia categorico e di un solo colore, uniformemente e monotonamente nero. Al contrario, in tutta la lirica del Leopardi vi è un costante aspirare alla bellezza, alla felicità ed all'amore. Ma fu solo un'aspirazione che non conobbe mai la gioia umana di sentirsi realtà e fatto. Non è da meravigliarsi che l'aspirazione non realizzata cada giù con le ali troncate, ma essa cade solo per rialzarsi di nuovo verso la luce dell'illusione. L'essenza della poesia leopardiana è precisamente in questo infinito oscillare fra la conclusione del suo intelletto che lo costringe a vedere la vita come un male, e la voce del suo cuore che lo spinge irresistibilmente verso la natura e l'amore.

Parte di questo dramma è l'idealismo del Leopardi che porta il poeta a sentire la forza del suo pensiero ed a riporre in esso tutta la sua realtà. La vita è triste perché labile e perché la morte stende su di essa le sue fredde mani. Ma quale gioia e gloria per l'uomo è quella di poter proclamare alla natura bruta che se natura ed uomo sono vittime dello stesso destino, l'uomo può elevarsi al di sopra di esso attraverso la coscienza del proprio dolore, dono non concesso alla natura bruta. La poesia del Leopardi, come tutto il suo pensiero, porta il sigillo di questa fede dolorosa ma forte nella superiorità e nobiltà dell'uomo sulla natura bruta. Questo motivo si trova espresso specialmente nel *Canto notturno di un pastore errante dell'Asia*, una delle poesie più profonde e belle in cui si sia rivelata la bell'anima di Giacomo Leopardi; ma esso si riflette in tutta la sua opera perché tale pensiero fu la sola luce che gli illuminasse la via attraverso il calvario della sua esistenza.

ALESSANDRO MANZONI

1785-1873   **XXXIII**

ALESSANDRO MANZONI rappresenta la parte più nobile dell'età del
Romanticismo. Nel pensiero, nel modo di vivere, nell'arte, egli occupa
il posto che la storia riserva ai "classici" di ogni tempo e di ogni
tendenza.

L'impressione che si riceve dai primi contatti con Alessandro Man-   5
zoni è quella di trovarsi dinanzi ad un idealista assoluto, ad un uomo
lontano dalla nostra umanità. Eppure pochi sono stati più consci di
lui del relativismo della vita umana. Pochi hanno lottato più aspramente di lui per farsi una fede letteraria, religiosa e morale. Egli ha
saputo tenersi legato così al mondo dei concetti come a quello dei   10 ·
fenomeni. La sua costante meta è stata quella di contemperarli ed
armonizzarli.

Nacque a Milano nel 1785 di nobile famiglia. La madre era figliuola
di Cesare Beccaria, il celebre autore di *Dei delitti e delle pene*. Il
padre, Pietro Manzoni, era di molti anni maggiore della madre. Nel   15
1792 si divisero legalmente, e la madre andò a convivere a Parigi
con Carlo Imbonati, uomo da lei sinceramente amato. Alla di lui
morte nel 1805, essa ne ereditò le sostanze e lo pianse con dolore
sì acerbo che il figliuolo la raggiunse a Parigi dove rimasero fino al
1810. In quell'occasione il giovane Manzoni scrisse l'ode *In Morte*   20
di Carlo Imbonati. Volle consolare il dolore materno con il pensiero
della sopravvivenza dell'anima e con il ricordo delle virtù della persona
amata. L'autore fu anche spinto a scrivere l'ode dal desiderio di
difendere l'amore della madre per un uomo nobile e grande.

Il soggiorno a Parigi ebbe profondi effetti sulle idee religiose del   25
Manzoni che si trovò a contatto con il pensiero degli Enciclopedisti
e finì con il condividere il loro razionalismo. La Rivoluzione francese
aveva già avuto su di lui un certo influsso, giacché nel 1801 aveva
scritto *Il trionfo della libertà,* inneggiando ai nemici della tirannide

188

Manzoni, la madre e la moglie.   [Manzoni, his mother and wife.]

e glorificando i diritti della natura. Nel 1808 il Manzoni sposò Enrichetta Blondel, di religione protestante e figlia di un banchiere ginevrino. Alla sua conversione al cattolicesimo, il Manzoni fece una
attenta revisione delle sue idee religiose e ritornò alla religione cattolica. Come spesso avviene nei convertiti e nei riconvertiti, il suo   5
Cattolicesimo, come quello della moglie, non fu una meccanica consuetudine, ma un sincero e profondo convincimento che informò le
loro azioni e si riflesse nella loro serena vita famigliare.

La famiglia assorbì una gran parte dell'esistenza di Alessandro
Manzoni, offrendogli quella pace che il suo temperamento reclamava.   10
Visse generalmente a Milano con frequenti soggiorni nella villa di
Brusuglio, a Lesa ed a Stresa. Nella tranquilla esistenza della villa,
gli piaceva di attendere ai leggeri lavori di campagna e di intrattenersi
in urbana conversazione con gli amici che vi invitava. Erano generalmente persone colte ed illustri e con essi discuteva di letteratura e di   15
filosofia, avvivando la conversazione con la vena inesauribile del suo
umorismo. Egli ebbe lunga e intima corrispondenza col Goethe e col
Fauriel, i quali, non solo gli furono amici, ma anche tradussero delle
sue poesie. Fra i letterati italiani fu amico del Tommaseo, del Grossi,
del D'Azeglio, che sposò la primogenita Giulia, e del Rosmini; lette-   20
rati i primi tre, illustre filosofo l'ultimo. La morte oscurò ben presto

190

la letizia della sua vita di famiglia, colpendolo con la perdita della
prima moglie nel 1833, e della seconda, Teresa Borri Stampa, nel
1861. Solo tre figli gli sopravvissero degli otto che ebbe da Enrichetta
Blondel. Ma trovò sempre nella fede religiosa il conforto che lo aiutava
5   a sopportare le amarezze dell'esistenza.

Dopo il ritorno a Milano nel 1810, il superamento della crisi
religiosa si rifletté negli *Inni sacri* che venne scrivendo dal 1812 al
1822. Sono riflessioni sulle feste principali della Chiesa. Il Manzoni
vi rivela un sentimento religioso dinamico e vivo. Il Cristianesimo vi è
10 presentato quale religione della speranza e dell'amore per l'umanità
intera e per il popolo. Questi inni si ricollegano alla nuova lirica
apparsa alla fine del secolo precedente con Parini ed Alfieri. Il contenuto non è differente da quello espresso nel saggio storico *Osservazioni sulla morale cattolica,* concepito e scritto in parte nel 1819, ma
15 completato nel 1855. È una risposta alla tesi espressa dal Sismondi
nel suo famoso libro *Le repubbliche italiane,* nel quale lo storico
svizzero accusava la chiesa cattolica delle sventure dell'Italia. Il Manzoni protesta prendendo in considerazione l'aspetto morale e non quello
politico del Cattolicesimo. Anche *Il cinque maggio,* scritto nel 1821
20 quando all'autore giunse la notizia della morte di Napoleone, è pervaso
dal concetto religioso della storia. L'autore rimane perplesso dinanzi
alla figura di Napoleone. È conscio della rovina e della distruzione
causate da Napoleone all'Europa, ma riconosce che Iddio profuse in
lui le qualità degli uomini che cambiano il cammino della storia. Dopo
25 una vita tempestosa Napoleone trovò pace e conforto in Dio.

Così il rinnovato Cristianesimo come il concetto teleologico della
storia facevano parte del Romanticismo, il nuovo movimento che entu-
siasmò la gioventù dei primi anni del secolo passato. Manzoni condivise
le idee dei Romantici, ma non prese parte ufficialmente al movimento.
30 Era amante del quieto vivere ed era persuaso della inutilità del discutere. Possedeva inoltre una mentalità troppo universale per racchiudersi in un gruppo ristretto e battagliero. Ma i suoi scritti critici
(*Lettre à M. Chauvet,* 1820, e la *Lettera al marchese Cesare D'Azeglio,*
1823) documentano quale fine comprensione egli avesse delle idee dei
35 Romantici suoi amici e contemporanei. Da queste idee nacquero le sue
opere maggiori: due drammi storici ed il famoso romanzo *I promessi
sposi.* L'idea che presiedé ai drammi (*Il conte di Carmagnola,* 1820,

e *Adelchi*, 1822) fu quella della realtà della storia in essi ricostruita. Lo scrittore moderno, secondo il Manzoni, deve abbandonare le fole pagane e cercare il vero nella storia. Solo così egli può sentire l'entusiasmo necessario alla creazione artistica. Nei drammi, rigettate le unità di tempo e di luogo, l'autore fa rivivere la vita tempestosa del secolo XV attraverso l'accusa di tradimento e la morte del gran capitano di ventura, il conte di Carmagnola, o quella del secolo ottavo attraverso la lotta di Desiderio e di Adelchi contro Carlo Magno per difendere il loro regno e l'onore di Ermengarda ripudiata dall'imperatore per ragioni politiche e per i suoi sogni di conquista. Hanno bellissimi squarci lirici, ma il capolavoro del Manzioni rimane il romanzo storico *I promessi sposi*, pubblicato a Milano nel 1827.

I promessi sposi è una di quelle opere in cui l'autore mette tutto se stesso, il che spiega perché dopo di esso il Manzoni abbandonò la letteratura narrativa e si dedicò alla storia ed all'erudizione. Formalmente parlando, la materia del romanzo è storica, in quanto vi si raccontano fatti avvenuti al principio del secolo XVII, quando la Spagna dominava in Italia e vi perpetuava condizioni crudelmente feudali. In realtà il Manzoni ci ha dato un'opera nobilmente realista.

La trama del romanzo è molto semplice. Renzo e Lucia, due figli del popolo, stavano per sposarsi quando un signorotto del luogo, don Rodrigo, per capriccio più che per altro, impedì al timido don Abbondio, parroco del villaggio, di fare il matrimonio. Consigliati da Fra Cristoforo, nobile figura di sacerdote, i due fuggono e dopo molte peripezie, alla morte di don Rodrigo durante la peste che decimò Milano nel milleseicentoventinove, riescono a celebrare le nozze.

Come le opere dei veri scrittori, il romanzo del Manzoni è la sintesi della vita umana come la comprese e sentì l'autore: miscuglio doloroso e sublime di bene e di male, che trova significato solo nella fede nella Provvidenza reggitrice del destino degli uomini. Questa è l'idea che pervade l'azione narrata senza che mai dia all'opera la freddezza e la pesantezza degli scritti didattici. Infatti Manzoni non intendeva insegnare. Voleva solo esprimere la sua filosofia della vita, filosofia che non perde mai contatto con l'esperienza attuale del vivere.

I personaggi del Manzoni sono artisticamente vivi perché sono complementari gli uni agli altri sicché offrono al lettore una visione completa della vita. Don Abbondio è l'uomo di chiesa timido per egoismo e debolezza morale. L'autore gli mette accanto in chiara antitesi fra Cristoforo ed il Cardinale Borromeo. A don Rodrigo, corrotto e perverso, si accoppia l'Innominato, simbolo del male che si redime. Intorno a queste figure centrali si muovono personaggi secondari nati dal senso di osservazione che era proprio del Manzoni, come lo è di ogni grande narratore: Dickens, Dostojevski, Maupassant, Verga. Sono queste figure secondarie che esprimono il senso di bonario umorismo che arricchisce il libro di verità e di umanità.

Altro pregio indimenticabile dei *Promessi sposi* sono le descrizioni del paesaggio lombardo. Era la prima volta nella storia dell'arte narrativa che un autore schizzava dal vero, servendosi di scene attualmente studiate e sentite. Nelle descrizioni che si ammirano nel romanzo si sente il paesaggio caro al Manzoni. Per questo la descrizione è così vicina al vero, ed è fatta di colori, di ombre, di valli e di monti che sono riconoscibili, specialmente a chi è vissuto in uno dei cantucci più incantevoli del mondo, quello che si distende intorno al lago di Como, ed è cinto a settentrione dalle Alpi.

Manzoni si preoccupò costantemente della necessità del reale nell'arte. Nelle prefazioni ai suoi drammi storici arriva al punto di dare tanta

importanza al vero storico da negare i diritti dell'immaginazione. Più tardi, quando l'attività teoretica prese il sopravvento su quella creatrice, egli continuò ad interessarsi nella natura dell'arte e nei rapporti fra verità ed arte. In *Dell'Invenzione*, scritto nel 1850, seguendo la filosofia di Antonio Rosmini, riafferma la sua posizione di pensatore cattolico,   5
concludendo platonicamente che l'artista, nel processo creativo, inventa, cioè trova, ciò che esiste nel mondo delle idee. In un altro scritto critico dell'anno 1845, *Del romanzo storico*, il Manzoni discusse la differènza fra storia e romanzo, ed assegnò a questo il compito di trattare "azioni contemporanee." Con tale atteggiamento il Manzoni   10
preannunziò la teoria del romanzo realista, ignaro di esserne già stato uno dei creatori.

Alessandro Manzoni ebbe una lunga vita, essendo morto quasi novantenne nel 1873. Nell'anniversario della morte, Giuseppe Verdi scrisse la memorabile messa, pegno di ammirazione e di affetto per   15
l'uomo a cui era unito da sincera amicizia. La città di Milano gli eresse un monumento nel 1883. Esso testimonia che il Manzoni ha preso il suo posto fra i grandi Italiani.

GIUSEPPE
VERDI

È L'AUTORE più giustamente famoso dell'opera italiana. Per molti
Italiani il nome di Verdi è sinonimo dell'opera italiana. Per alcuni
intransigenti esso è sinonimo di musica. L'unica musica che ammirano
e che amano è quella di Giuseppe Verdi. Queste sono certamente
5 esagerazioni, ma non vi è dubbio che Verdi fu un grande genio musicale e che la sua opera ha lasciato un solco profondissimo nella storia
dell'opera. Inoltre egli fu uomo di nobilissimo carattere e la sua
onestà era veramente proverbiale. Si dice che l'editore Ricordi di
Milano, quando Verdi gli presentava una nuova opera, soleva man-
10 dargli uno chèque firmato senza specificare la somma dovuta. Stava
al Verdi di metterci ciò che egli credeva giusto. A tal punto il Ricordi

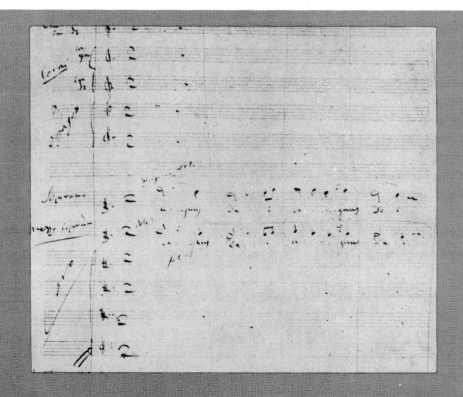

Un secolo intero è passato, ma Verdi vive ancora nella sua musica e nel famoso teatro della Scala. [A whole century has passed, but Verdi lives on in his music and in the famous theater of La Scala.]

era sicuro dell'onestà del maestro. Questo è straordinario, specialmente quando si pensi che gli artisti di genio non si sono quasi mai distinti per moderatezza di vita e parsimonia nello spendere. Si pensi alla vita di un grande contemporaneo del Verdi, Wagner! Giuseppe Verdi fu uomo equilibrato, lavoratore serio ed indefesso, amante della vita familiare ed ottimo cittadino.

Nacque a Busseto nelle vicinanze di Parma. A sedici anni già era direttore dell'orchestra del suo paese natio. Di famiglia poverissima, fu aiutato dal Barezzi, benestante cittadino di Busseto, a ricevere

5

un'educazione musicale. Nel 1836 sposò la figliuola del suo protettore e ne ebbe due figliuoli. Nel 1839 compose la prima opera,
Oberto, che fu data alla Scala di Milano con lusinghiero successo.
Il suo trionfo fu amareggiato dalla morte della moglie e dei due
5   figliuoli, al quale dolore si aggiunse il non felice successo di una nuova
opera. Passarono alcuni anni nei quali il giovane Verdi visse sconsolato e solo, incapace di dedicarsi alla sua musica. Solo nel 1849
si riaffacciò al mondo dell'arte con l'opera *Luisa Miller*, che fu seguita
nel 1851 da *Rigoletto*, nel 1852 dal *Trovatore*, e nel 1853 dalla

A SINISTRA: "Trovatore." IN ALTO: "Aida."   [LEFT: "Trovatore." ABOVE: "Aida."]

Traviata. Il dolore aveva torturato il suo cuore, ma aveva anche approfondito la sua arte. Le parti più belle di queste opere sono quelle in cui il Verdi rifletté il suo dolore e la sua tristezza.

Dopo un intervallo di alcuni anni, Verdi scrisse altre opere che
5 sono considerate fra le più grandi di questo periodo della sua carriera: *Il ballo in maschera* nel 1859, *La forza del destino* nel 1862, *Don Carlos* nel 1867, ed *Aida* nel 1871. Aveva anche scritto *I vespri siciliani* nel 1855 e *Simone Boccanegra* nel 1857. Sebbene queste due ultime opere offrano brani bellissimi e perfetti, esse non sono così
10 popolari come quelle di tipo romantico quali *La forza del destino* o *Rigoletto.*

Aida fu cantata per la prima volta al Cairo in Egitto nell'occasione dell'apertura di un nuovo teatro come anche per celebrare il taglio dell'istmo di Suez che era avvenuto in quegli anni, nel 1869. È una
15 delle opere più famose nella storia dell'opera. I più grandi artisti di ogni nazione si tengono ad onore di potere cantarne una delle parti ed aiutare così a rivelare le grandi bellezze che essa racchiude.

Dalla prima scena dell' "Aida."   [From the first scene of "Aida."]

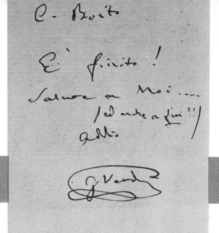

Una data memorabile nella storia della musica del Verdi fu l'anno 1874 quando compose la bellissima *Messa di requiem* per l'anniversario della morte del grande Alessandro Manzoni.

Vecchio d'anni, ma giovane di animo sentì l'importanza della nuova
5 musica, rappresentata nella seconda metà del secolo XIX specialmente da Wagner, e scrisse *Otello* nel 1887 e *Falstaff* nel 1893. Le due opere sono prese da Shakespeare ed il libretto fu preparato dal maestro in collaborazione con Arrigo Boito, il propugnatore della nuova musica in Italia. Non è giusto dire che le due opere siano il risultato dell'in-
10 flusso di Wagner. La musica di Wagner ed il contatto con Boito svegliarono nel genio del Verdi il desiderio di sviluppare nuove forme musicali, lontane dai ritmi convenzionali allora generalmente accettati in Italia. E le nuove forme apparvero nell'esprimere il dolore e la gelosia di Otello come nella comicità che pervade Falstaff. Ma il nuovo
15 che si ammira in quelle opere costituisce uno sviluppo delle forme tecniche della tradizione italiana e di quelle già usate dal Verdi. Esso si riallaccia all'opera del Verdi e non a quella del grande Wagner.

Una delle ragioni che resero famose le opere del Verdi, oltre la bellezza della musica, fu l'interesse che il maestro consacrò ai libretti
20 ed alla rappresentazione. Egli stesso sopraintendeva la riduzione a libretto di opere francesi, spagnuole o tedesche, collaborando attivamente con coloro che la preparavano. Riduceva con piena libertà i libri stranieri perché credeva che l'essenziale fosse la perfezione della sua opera musicale. I libretti sono quasi nuove creazioni dovute al
25 gusto artistico ed all'interesse del maestro. Lavoratore instancabile, il Verdi sorvegliava personalmente la preparazione di ogni nuova opera. Per questo ogni opera, nella composizione come nell'esecuzione, si avvicinava alla perfezione.

Caprari siciliani in costume dell' isola.   [Sicilian goatherds in native costume.]
ALINARI.

GIOVANNI VERGA

1840-1922 **XXXV**

GIOVANNI VERGA occupa il suo posto fra i grandi narratori che
hanno dato significato e bellezza alla letteratura europea della fine
del secolo XIX. Ha molti tratti di affinità con Maupassant, Flaubert,
Dostojevski e Turgenev. Nella tradizione italiana è vicino ad Ales-
5 sandro Manzoni, il cui romanzo *I promessi sposi* egli studiò con
l'attenzione che solo gli scrittori veramente grandi sanno dare alle
opere dei loro predecessori. Dallo studio dei *Promessi sposi* Verga
si foggiò una forma d'arte tutta sua che è più intima e più vicina alla
vita quotidiana di quella del padre del romanzo italiano moderno.
10 Manzoni vede la vita alla luce della sua fede nella Provvidenza;
Verga la sente come fatto individuale, nel quale nessuno può evitare
il destino che pesa sugli uomini tutti. Vivere è ubbidire gli istinti
che ci dominano: desiderio di fare, di arricchirsi, di lottare contro la
miseria, di amare una donna e di lottare per essa; vedersela prendere,
15 ed uccidere chi ce la prende o pugnalare essa stessa quando ogni
speranza di riconciliazione è perduta. Questo è il materiale di cui
si servì Giovanni Verga per creare la sua arte.

In uno scrittore quale il Verga in cui esperienza ed arte sono intimamente fuse, la biografia è indispensabile per poter comprendere lo
20 spirito e le forme della sua arte. Nato in Sicilia, Verga a ventisei anni
passò al continente e visse prima a Firenze e poi a Milano, senza poter
mai dimenticare la sua terra natale. La Sicilia, in funzione di costante
ed assillante rievocazione nella tumultuosa vita della città, è uno dei
principali fattori nell'arte del Verga. Da giovane, si era abbandonato
25 a quella forma d'arte narrativa, miscuglio di realismo e di fantasia,
che era stata messa di moda da Balzac e specialmente dai Dumas.
I primi romanzi (*La peccatrice*, 1866; *Storia di una capinera*, 1871;
Eva, 1873; *Tigre reale*, 1873) furono storie d'amore tragiche ed
appassionate. L'autore vi riflette la sua ribellione contro la società
30 e la rivolta contro la natura, alla quale l'uomo cede pur quando è

conscio delle conseguenze della sua debolezza. Ma in lui si veniva
maturando un senso più virile ed intimo del vivere come dell'arte.
Nel 1874 scrisse *Nedda* che si apre con la descrizione dell'autore che,
vicino al caminetto acceso, pensa alla lontana Sicilia. È da quel ricordo
che nasce *Nedda* come le altre figure che andarono più tardi a popolare   5
i lavori del Verga: *Novelle* (1880); *Vita dei campi* (1880); *I Malavoglia* (1881); *Novelle rusticane* (1883); *Mastro don Gesualdo*
(1888); *Don Candeloro e C.ⁱ* (1894).

A quest'epoca il Verga era giunto ad una ben definita estetica, alla
luce della quale egli si servì di due materiali ben differenti: quello   10
della vita mondana e quello della umile vita siciliana. Il principio
fondamentale della sua estetica era quello di voler riflettere oggettivamente i personaggi nell'opera d'arte facendoli agire e parlare come
essi avrebbero agito e parlato nella vita attuale. Questo principio
mette su due piani ben distinti le opere del Verga. Da una parte si   15
osservano i romanzi e le novelle della vita mondana *(Il marito di
Elena,* 1882; *Per le vie,* 1883; *I ricordi del capitano d'Arce,* 1891),
dall'altra quelle della vita siciliana già ricordate. Le opere della
mondanità, riflettendo personaggi complessi ed anche complicati, sono
scritte in uno stile ricco e vario. Scarna, rocciosa e forte è invece la   20
prosa dei racconti siciliani, nella quale egli seppe dare forte rilievo
alle passioni elementari, cupe e tragiche, che osservava nella rievocazione della sua isola. Fra queste novelle si trovano i capolavori del
Verga: *La lupa, Cavalleria rusticana, Pane nero, Rosso Malpelo, Jeli
il pastore.*   25

Dallo stesso atteggiamento sentimentale accompagnato da uno spirito
di attenta osservazione e di appassionato compatimento nasce il suo
romanzo più forte e complesso, *I Malavoglia.* È il racconto delle
vicende di una famiglia di pescatori che, sotto la guida di padron
'Ntoni, spinta dal desiderio di arricchirsi, investe tutto il piccolo patri-   30
monio in una barca che in una tempesta si affonda. Tutto è perduto,
eccetto il coraggio e la forza di lottare per riacquistare la casa del
nespolo ed il pezzetto d'orto dietro ad essa. Il Verga vi ha messo in
luce tutta la vita dolorosa della piccola borghesia siciliana che egli
vede ricinta di una corona di spine, ma della quale ha saputo cantare   35
la vita fatta di coraggio, di onore e di unità. La famiglia di padron
'Ntoni è come una roccia contro la quale si rompono onde tempestose

Mascagni prese il libretto della "Cavalleria rusticana" dal Verga.   [Mascagni took the libretto for "Cavalleria rusticana" from Verga.]

e violente. Bastianazzu, figlio del vecchio 'Ntoni, perisce nel naufragio e lascia cinque figliuoli. Uno muore alla battaglia di Lissa; un altro, il giovane 'Ntoni, viene corrotto dalla vita del continente quando va a fare il soldato; una figlia, Lia, si perde nel peccato; il
5 povero nonno muore all'ospedale. Ma la famiglia dei Malavoglia permane e con il lavoro e la probità di Alessi riesce a riacquistare la casa del nespolo.

Verga è stato accusato di avere spesso voluto raggiungere una semplicità eccessiva, permettendo che la elementarità dei suoi personaggi
10 limitasse il proprio orizzonte mentale. L'orizzonte mentale dei personaggi è ristretto perché il Verga si interessa della loro umanità e non della vita intellettuale. Per questo non ha bisogno di descrizioni e di disquisizioni; solo la linearità della vicenda nella quale una parola, una frase, un antico proverbio, un movimento della testa e degli occhi
15 rivelano la vita interiore delle umili persone che lo interessano. Questa è profondità e non elementarità. Culturalmente parlando, il Verga fa parte dell'arte provinciale che fiorì nella seconda metà dell'Ottocento in quasi tutta l'Europa e che derivò, in parte, dall'interesse nella letteratura popolare che i fratelli Grimm passarono a Giuseppe
20 Pitrè, Giuseppe Bernoni, Ildefonso Nieri ed altri ancora.

La fama del Verga è venuta crescendo in questi ultimi anni. Durante la sua vita fu un solitario il cui mondo era tutto circoscritto nella sua arte. L'arte lo viene ripagando oggi della devozione che egli le portò.

GIOSUÈ
CARDUCCI

1835-1907   **XXXVI**

GIOSUÈ CARDUCCI è generalmente considerato il più grande poeta
italiano dell'ultimo Ottocento. Nel 1906 ricevette il premio Nobel per
la poesia.

Da giovane si sentì tutto solo fra uomini che si affaticavano dietro
piccoli desideri in un'Italia dove tutto era vecchio, gretto e falso. Per   5
questo la sua poesia, specialmente quella degli anni giovanili, era tutta
crucci e sdegni che oggi ci è difficile comprendere e valutare. La parte
sempre viva della sua poesia è la rievocazione di bei paesaggi, di
gloriosi fatti della storia italiana ed europea, di miti fantasiosi ed
umanissimi dell'era classica.   10

Da ragazzo si sentì soffocare dall'educazione ristretta e formalizzata
che ricevette, prima dal padre, medico di campagna nella Maremma
Toscana, e poi dagli Scolopi. Nei suoi scritti ricorda con un senso di
ribellione che egli crebbe leggendo solo i *Promessi sposi*, la *Morale
cattolica* del Manzoni, *I doveri dell'uomo* di Silvio Pellico. Trovò la   15
sua liberazione nella lettura dei classici quando andò a studiare a

Pisa, e più tardi nelle lingue e letterature moderne che gli aprirono dinanzi un vasto e nuovo panorama. Goethe, Heine, Platen, Shelley e Hugo furono i suoi poeti prediletti. Da essi prese molti brani per belle traduzioni in italiano, e su essi meditò a lungo cercando la nuova poesia
5 che sognava per l'Italia.

Nel 1860 fu chiamato ad insegnare letteratura italiana nell'università di Bologna dove rimase fino al 1904. La paralisi del lato destro, che gli rendeva difficile così lo scrivere che il parlare, lo costrinse ad abbandonare l'insegnamento. Morì tre anni più tardi, accompagnato
10 dall'ammirazione e dall'affetto dei contemporanei.

Carducci amò appassionatamente l'Italia e sognò per essa una vita fatta di lavoro, di gioia e di dignità umana. Dalla cattedra, come dai suoi libri e dai giornali, lanciò violente accuse contro il Romanticismo e la Chiesa cattolica che, nella sua visione della storia, avevano rubato

all'Italia l'ideale della potenza, del lavoro e del pensiero. Fu dapprima
nazionalista e sperò che l'Italia si riconquistasse un posto nella storia
europea seguendo le orme della Roma classica. Ritrovò la storia ideale
che egli sognava nella Roma repubblicana e nell'età dei Comuni. La
glorificazione di queste due epoche echeggia con accenti sempre nuovi   5
nelle sue poesie. Nel 1890 fu fatto senatore. Con il passare degli anni
gli attacchi contro la monarchia perdettero la loro violenza, ed i canti
della Rivoluzione francese si affievolirono. Anzi, scrisse una bellissima
ode, *Alla Regina d'Italia,* nella quale esalta la perfezione muliebre
nella nobile e bella Margherita di Savoia. Ebbero fine anche i suoi   10
attacchi contro il Cattolicesimo. Nel 1897 scrisse l'ode, *La Chiesa di
Polenta,* nella quale effonde un profondo sentimento religioso che
confina con il misticismo. L'esperienza aveva spinto il poeta a ritrattare
le idee dell'*Inno a Satana,* scritto in gioventù quando Satana gli pareva
l'incarnazione del progresso e la Chiesa quella dell'oscurantismo.   15

L'atteggiamento del Carducci verso la Chiesa era tipico di molti
liberali alla fine dell'Ottocento. Erano contro l'azione politica del
Vaticano che aveva ostacolato l'unità dell'Italia per non perdere Roma,
ma non erano irreligiosi. Anzi accusavano la Chiesa di aver tradito
il messaggio di fratellanza universale e di bontà che Cristo aveva   20
lasciato agli uomini. Carducci esaltò ripetutamente San Francesco ed
invocò la beata Diana Giuntini da buon credente e con fervore altamente poetico.

Nella sua figurazione della storia, come nella sua umanissima
filosofia della vita, Carducci ebbe due stelle fisse: Virgilio e Dante;   25
Virgilio simbolo del Classicismo, Dante simbolo dell'età delle città
libere e repubblicane. Nelle due tradizioni cercava e trovava la forza,
la semplicità, l'amore del reale, come pure la poesia tutta pensiero e
bella forma. Per questo attaccò il Romanticismo che chiamava forma
d'arte non italiana a causa della sua vaporosità e dell'amore per il   30
trascendentale cristiano. Il suo Cristianesimo non era trascendentale,
ed in questo era discepolo di Mazzini e di De Sanctis. Ma non bisogna
prendere sul serio l'antiromanticismo del poeta. I suoi attacchi erano
diretti contro gli uomini che riecheggiavano le forme convenzionali
del movimento romantico e non contro i grandi scrittori. Ebbe altis-   35
sima stima per Manzoni e Niccolini. Egli stesso cantò, ma in nuovi
modi originali, la luna cara ai Romantici, e si servì dei loro metri e

forme come nella *Leggenda di Teodorico*, in *Visione* ed in molte altre poesie.

La carriera poetica del Carducci si iniziò con *Juvenilia*, canti della giovinezza dove sono riflessi, in forma leggermente petrarchesca, i suoi amori, i suoi odi letterari e politici, e l'aspirazione alla vita civile per la quale lottava.

Più intenso ed appassionato è il pensiero che anima i *Giambi ed epodi*, poesie scritte fra il 1867 ed il 1879, nella piena virilità. Qui si trova *Il canto dell'amore* nel quale si leggono i bei versi:

> "Salute, o genti umane affaticate!
> Tutto trapassa e nulla può morir.
> Noi troppo odiammo e sofferimmo. Amate.
> Il mondo è bello e santo è l'avvenir."

La poesia è un bellissimo inno alla vita buona e serena, allietata dal lavoro e dall'amore. Si chiude con l'offerta di pace al Papa Pio IX che invita a brindare, sia pure troppo familiarmente, alla vita.

La pienezza della poesia carducciana si rivela in *Rime Nuove* e nelle *Odi Barbare*. Sono uno specchio polito che riflette in forme limpide e levigate motivi già cantati, ma approfonditi ed allontanati dal tumulto della vita quotidiana. Non vi si sente più Carducci uomo politico. Vi è solo Carducci poeta nazionale che canta con più ampio respiro. Qui si legge *Il bove, Santa Maria degli Angeli, Dante, Traversando la Maremma Toscana*. Sono poesie che, anche lette e rilette, non perdono mai la loro forza e freschezza. Il sonetto *Il bove* è scultoreo e pieno del senso della forza e della paziente natura dell'animale che asseconda con lenti e gravi passi l'opera dell'uomo nel "divino del pian silenzio verde." *Traversando la Maremma Toscana* rivela chiaramente la vita intima del poeta da "l'abito fiero e lo sdegnoso canto," nel cui cuore la nostalgia della sua terra non si spense mai. Mentre il treno lo porta velocemente attraverso il paesaggio toscano egli confessa:

> "Oh, quel che amai, quel che sognai, fu invano;
> E sempre corsi, e mai non giunsi il fine;
> E dimani cadrò. Ma di lontano
> Pace dicono al cuor le tue colline
> Con le nebbie sfumanti e il verde piano,
> Ridente ne le pioggie mattutine."

Le fonti del Clitunno, fiume immortalato dal Carducci in una delle sue *Odi Barbare*.
[The fountainheads of the Clitunno, a river immortalized by Carducci in one of his
Odi Barbare.] ALINARI.

Qui vi è tutto il Carducci che confida a chi legge l'intima pena del suo cuore, senza però cedere allo sconforto ed al pessimismo.

Nelle *Odi Barbare* il Carducci rinnovò il ritmo dell'alcaica latina. Esse segnano una pietra miliare nella storia della poesia italiana. Il contenuto non è sostanzialmente cambiato: il ricordo di Roma antica nell'anniversario della sua fondazione, il contrasto fra la grandezza delle rovine delle Terme di Caracalla e la piccolezza e miseria dell'epoca moderna, la fusione della grandezza antica con la nobiltà della vita civile moderna. Come è naturale, non è la forma alcaica che crea la novità e la bellezza delle *Odi Barbare*. Il poeta è divenuto uomo universale nei suoi gusti ed aspirazioni. Nella sua anima Sigfrido si unisce ad Achille, Orlando ad Ettore, Cordelia ad Antigone, Isotta ad Elena di Troia. Anche il senso dalla natura è divenuto più vivo e sereno, ed il poeta profonde magnifici panorami pur nelle poesie di carattere storico.

Carducci è uno dei più spontanei e chiari poeti che conti l'Italia. Ciò crea sorpresa ed ammirazione in chi rifletta che egli fu anche un notevole critico e passò gran parte della sua vita frugando negli archivi e pubblicando testi di letteratura italiana, che non erano conosciuti o circolavano in cattive edizioni. La sua critica non perde mai contatto con le idee ed i sentimenti dell'uomo che egli studia. Ma egli deve la fama alle sue poesie.

Carducci fu un grande maestro alle generazioni dell'ultimo Ottocento. La sua prosa è un modello di classica chiarezza e forza. Si augurava che l'Italia tornasse ad essere la luce del mondo attraverso le arti della pace. Fu nazionalista senza sciovinismo, classicista senza pedanteria e moderno senza dimenticare la tradizione. Non volle unirsi ai Veristi del suo tempo, benché condividesse il loro prammatismo, perché gli sembrava che essi non avessero sufficiente rispetto per la tradizione. Lottò contro i trascendentalisti, ma ebbe parole aspre per chi voleva ridurre l'esistenza umana a puro materialismo. Non perdette mai la semplicità degli uomini di campagna. Gli rimase sempre il cruccio di chi domanda alla vita più di quello che essa gli offre; di chi si sdegna contro gli uomini piccoli ed indegni. Anche vecchio, i capelli folti mantenevano l'aspetto maschio e sano del suo viso nel quale brillavano occhi che non perderono mai il fuoco giovanile.

ANTONIO
FOGAZZARO

1842-1911   **XXXVII**

ANTONIO FOGAZZARO fu un gentiluomo di Vicenza che personificò
in sé ed espresse nei suoi libri gli ideali del conservatore liberale in
arte, in politica ed in religione. Passò la vita nella sua villa nelle
vicinanze della tranquilla Vicenza, ma prese parte attiva alla vita
politica della città, dove occupò vari posti politici. Fu anche senatore   5
del regno d'Italia. Possedeva una vasta cultura ed ebbe mente aperta
ai problemi del tempo. Fu conservatore in quanto ammirava la tradizione manzoniana in arte, desiderava che l'Italia conservasse la forma
monarchica di governo, ed era fervente cattolico. Ma era liberale in
quanto si rendeva conto che il progresso impone deviazioni dalla tradi-   10
zione alle quali bisogna ubbidire se si vuole salvare la tradizione
stessa. Volle perciò essere in tutto uomo del suo tempo. Affidò alla
sua arte il compito di diffondere le sue idee e sognò per l'Italia un'era
di progresso fatta di libertà e di benessere economico per le masse.
Nel campo religioso si unì ai Modernisti ed insistette sulla necessità   15
della conciliazione fra la scienza e la fede, fra la religione e la vita
moderna. Le sue idee religiose e filosofiche, con brevi riferimenti a
quelle letterarie, sono espresse in due collezioni di saggi: *Discorsi*,
1898; *Ascensioni umane*, 1899. Nel *Santo*, 1906, presentò il suo concetto di un Papato aperto alle correnti del pensiero e della vita   20
moderna, con mete non differenti da quelle che il Vaticano accetta e
segue oggi. I reazionari del tempo riuscirono a far condannare il
Modernismo ed a far mettere all'Indice il romanzo del Fogazzaro.
L'autore si sottomise alla condanna, pur soffrendone amaramente.

La vita letteraria del Fogazzaro si può considerare divisa in due   25
periodi: quello giovanile e quello che abbraccia gli anni della
maturità.

Nel periodo giovanile si servì specialmente del verso ed espresse
amori tutti dolcezza e sentimento, romanticamente velati dalla rinunzia

Panorama di Vicenza, la tranquilla città dove nacque il Fogazzaro. [Panoramic view of Vicenza, the quiet city where Fogazzaro was born.]

e spesso oscurati dalla morte. Di questo genere è *Miranda*, lungo racconto in versi, che inaugurò la sua carriera letteraria nel 1874 e che fu seguito da *Valsolda*, raccolta di liriche ispirategli dalla valle che tanta parte ebbe nella sua opera intera. Affine per ispirazione alle
5 poesie è il primo romanzo, *Malombra* (1881), dove l'esotico ed il tragico formano il tema centrale del lavoro. Esso riflette la ricerca ansiosa dell'autore sulla vita dell'anima e sull'immortalità. Figura centrale ne è Marina, romantica fanciulla che si crede la rincarnazione di una donna, Cecilia, che visse nello stesso castello dove essa trascorre

i giorni inquieti con un lontano parente, il conte Cesare Ormengo. La sua fantasia malata vede in questi il marito dell'infelice Cecilia che amava un giovane chiamato Renato. Anche Marina ama Corrado Silla, a lei affine per temperamento e carattere. A misura che il suo male cresce, essa lo attira sempre più nel suo tragico dramma e finalmente lo uccide, come fa morire di terrore il vecchio parente. Vi sono magnifiche pagine dedicate alla Valsolda, e figure secondarie soffuse di umore e di affetto che rendono il libro importante e bello.

Al periodo della maturità appartengono vari romanzi, ai quali la critica contemporanea va riconoscendo un valore sempre crescente. Il periodo della maturità è caratterizzato dalla presentazione appassionata e vivacissima delle idee politiche e religiose dell'autore. In *Daniele Cortis*, 1885, il Fogazzaro fa del protagonista il portavoce del programma politico che sognava per l'Italia. Vi ha una gran parte l'amore fra Daniele e la cugina Elena, donna sposata ad un corrotto barone siciliano. Conscia della passione che l'avvolge, Elena trova la forza di rinunziare all'amore di Daniele, pur rimanendogli fedele nell'intimo del cuore. Questa forma dell'amore, apparsa quando i veristi seguivano un credo ben diverso, e quando Gabriele D'Annunzio concedeva altra libertà ai suoi personaggi, suscitò varie e lunghe polemiche. Chi riconosce la libertà dell'autore a riflettere nella sua opera il proprio pensiero troverà in *Daniele Cortis* una delle opere più interessanti della letteratura del tempo.

Il capolavoro del Fogazzaro apparve nel 1896 ed ebbe il titolo di *Piccolo mondo antico*. Contro lo sfondo delle guerre dell'Indipendenza italiana, l'autore ha prospettato il dramma umanissimo e vivo di due coscienze: Luisa e Franco Maironi. Luisa è il temperamento forte e sicuro, virile ed audace, che comprende solo le realtà umane dell'esistenza. Essa è prospettata accanto al marito Franco, la cui anima condivide la sete per il misticismo che tormentava l'anima del Fogazzaro. Una grande tragedia, la morte della loro bambina, Ombretta Pipì, li riavvicina, dopo un lungo dissidio spirituale. Lo scoppio della guerra per l'indipendenza dell'Italia, alla quale Franco va da volontario, li riunisce nel perfetto amore che non avevano mai conosciuto. Il romanzo è un lavoro di grandi proporzioni. È una meravigliosa sintesi di arte e di vita, di pensiero e di sentimento. Anche qui le figure secondarie, la piccola Ombretta, lo zio Piero, l'aristocratica ed

austriacante nonna Maironi, i vari gentiluomini e donne che le si
muovono intorno, costituiscono una indimenticabile galleria di mac-
chiette destinate all'immortalità.

Il tema del romanzo, primo della tetralogia, viene sviluppato in
5 *Piccolo mondo moderno* (1900), in *Il santo* (1906), ed in *Leila*
(1910). Il personaggio principale di *Piccolo mondo moderno* è Piero,
figliuolo di Luisa e di Franco Maironi. Il Fogazzaro vi studia qui la
gioventù di Piero che si sposa e mentre la moglie è in una casa di
salute si innamora di una francese, Jeanne Dessalle, che lo conquide
10 ed affascina. Come Elena, Piero Maironi, alla morte della moglie
demente, rinuncia al suo amore per la Dessalle, abbandona il mondo
e si dà ad una vita religiosa di contemplazione e di solitudine. Sua
guida è il pio sacerdote Don Giuseppe Flores, nel quale l'autore ha
fatto rivivere la sua riverenza per lo zio materno, che lo indirizzò
15 dapprima alla vita morale ed agli studi. Nel *Santo,* Piero si è ritirato
nel monastero di Subiaco e si umilia a farvi da giardiniere, con il
nome di fra Benedetto, mentre medita sulle riforme della Chiesa e
del Papato. La condanna del romanzo spinse il Fogazzaro a difendersi
nell'ultimo lavoro della tetralogia, *Leila.* La difesa viene fatta attra-
20 verso il racconto delle vicende spirituali e sentimentali di un discepolo
di Piero Maironi, Alberti. Questi si innamora di una fanciulla di nobile
sentire, Leila, che gli ridà la fede dopo una lunga e dolorosa lotta.
Il romanzo è opera viva se si mette in relazione con le amare esperienze dell'autore e se si considera la lotta di Alberti quale riflesso di
25 ciò che soffrì la nobile anima di Antonio Fogazzaro.

Per comprendere ed apprezzare il Fogazzaro è necessario sentire in
lui il garbato gentiluomo della fine dell'Ottocento, avvezzo a vivere
fra gente di società che sapeva fare ed accettare la corte alle signore
senza andare al di là dei limiti della decenza. L'amore non perdeva
30 mai il carattere di giuoco, ma era anche capace di alimentare la vita
sentimentale dello scrittore. L'amore vero e profondo si sente solo
raramente nella vita, e per questo esso canta solo in rari momenti
nell'opera del Fogazzaro. I contemporanei chiamarono reale l'amore
dannunziano. Per coloro che domandano alla vita attuale la giustifica-
35 zione dell'arte è bene domandarsi se non sia giusto estendere la qualifica
di nobile realismo alla profonda visione della vita espressa da Antonio
Fogazzaro.

GUGLIELMO MARCONI

GUGLIELMO MARCONI è stato uno dei più grandi inventori del nostro tempo. Il suo nome si associa con la scoperta della telegrafia senza fili. Nacque a Bologna di padre italiano e di madre irlandese, Annie Jamison. La duplice origine gli diede il vantaggio di parlare perfettamente l'inglese e di conoscere a fondo il mondo anglosassone. 5
Le scoperte del Marconi furono brevettate contemporaneamente in Inghilterra ed in Italia e gli apparecchi di sua invenzione furono installati simultaneamente sulle navi delle due nazioni. Durante la sua laboriosa esistenza servì di anello di congiunzione nelle relazioni culturali fra l'Inghilterra e l'Italia. 10

Fece i suoi studi prima a Livorno e poi nell'università di Bologna, dove ebbe la fortuna di avere a maestro di fisica il grande scienziato Augusto Righi (1850-1920).

È molto difficile farsi un'idea chiara ed equa dei meriti del Marconi rispetto a coloro che lo hanno preceduto nel campo della fisica elettro- 15
magnetica. Molti critici sono stati ingiusti con Guglielmo Marconi. Hanno fatto di lui una specie di opportunista il cui merito è stato solo quello di applicare e di dare sviluppo commerciale alle invenzioni di scienziati, italiani e di altri paesi, che avevano esplorato il campo prima di lui. Con la volubilità della logica umana ogni conclusione è 20
possibile. Si ha buon giuoco ad esagerare la praticità del Marconi ed a presentarlo come un uomo di affari in contrasto a coloro che avevano studiato l'elettromagnetismo solo per amore della scienza. Ma nessuna conclusione potrebbe essere più assurda ed ingiusta di questa.

Marconi fu un grande scienziato che aggiunse scoperte importan- 25
tissime agli studi fatti durante il secolo decimonono intorno alla scienza elettromagnetica e modificò ed estese le conclusioni del suo amato maestro Augusto Righi. È dovuto a lui se i primitivi abbozzi di apparecchi per ricevere e trasmettere comunicazioni elettromagnetiche

Nel 1901 Marconi già trasmetteva fra l'America e l'Inghilterra.   [In 1901, Marconi was already sending messages between America and England.]

furono sviluppati e resi perfetti. Le persone serie e bene informate non hanno mai creduto che le sue scoperte cominciassero con lui. Le scoperte scientifiche di oggi gettano le loro radici nelle esplorazioni e nelle scoperte di ieri, e nessuno era più disposto del grande inventore
5 a riconoscere ciò che egli doveva ai suoi predecessori.

La scoperta della telegrafia senza fili fu intimamente legata agli studi sull'elettricità fatti da Volta, Ampère, Faraday, Maxwell, Hertz e Righi. La storia è stata benigna con molti di questi grandi uomini, ed i loro nomi sono legati al vocabolo con cui ci si riferisce alla loro
10 scoperta. Infatti parliamo di unità di misura dell'elettricità, quali "volta" e "ampère." Ancora più intime relazioni con la scoperta del Marconi ha l'attività di Arrigo Hertz ed il nome che la descrive: "onde hertziane." Hertz provò con esperimenti di laboratorio che l'intuizione di Giacomo Clerk-Maxwell riguardo alle invisibili vibrazioni elettriche
15 che costantemente passano per l'etere era un fatto provabile e provato.

Augusto Righi perfezionò gli esperimenti dell'Hertz ed appianò la via al suo grande alunno, il Marconi.

Il primo apparecchio per le trasmissioni senza fili fu presentato dal Marconi nel 1896. Era tutt'altro che perfetto ed egli vi lavorò tenacemente sperimentando e modificando finché nel 1899 poté fare le prime trasmissioni fra la Francia e l'Inghilterra attraverso il canale della Manica. Con quanto ardore il Marconi continuasse a lavorare al suo apparecchio si può giudicare dal fatto che due anni più tardi, nel 1901, fu in grado di trasmettere fra l'Inghilterra e l'America. Nel 1903 il giornale *London Times* già riceveva le sue notizie ed i comunicati dagli Stati Uniti attraverso il sistema Marconi.

Nel 1909 la fama dell'inventore della telegrafia senza fili era universale, e fu confermata dal fatto che egli ricevette il Premio Nobel per la fisica. È triste pensare al silenzio che circonda il nome del Righi, ma tale è il destino degli scienziati puri. Essi lavorano per gli uomini di genio dei quali sono i precursori. Nessuno deplorava tale silenzio più del nobile animo di Guglielmo Marconi. Marconi era tanto grande che non aveva bisogno di rubare la grandezza del suo maestro. Quelli che hanno avuto l'onore di conoscerlo personalmente ricordano la sua alta e distinta persona, la sua pensosità e la tendenza al silenzio che però non era mai disgiunta dalla cortesia verso tutti. Al colmo della celebrità, era molto modesto riguardo alle sue invenzioni e confessava con semplicità francescana che egli non comprendeva affatto la forza misteriosa che era riuscito a rivelare ed a utilizzare per l'umanità.

Amò appassionatamente l'Italia e durante la prima guerra mondiale fu a capo del servizio radiotelegrafico della marina da guerra italiana. A guerra finita andò alla conferenza della pace a Versailles in qualità

di delegato italiano. Tornò addoloratissimo in patria per il modo nel
quale gli Alleati trattarono il suo paese. Tanto amaro fu il disinganno
che decise di passare il resto della vita sul mare, lontano, come egli
confessò nel 1919, "da tutte le false convenzioni e dalle misere lotte
5 che rattristano la vita degli uomini della terraferma." In quello stesso
anno comprò un bellissimo yacht dal governo inglese, preda di guerra
strappata all'Austria, e lo trasformò nella sua residenza e nel suo
laboratorio. Lo chiamò Elettra, nome che diede alla figliuola, gentile
fiore che consolò gli ultimi anni della sua vita passati errando sui mari
10 insieme alla sua serena e bellissima consorte, Donna Maria Cristina.

Nel 1931, nel suo yacht, visitò le più importanti città dell'Europa e
dell'America, e fu onorato dalle maggiori università dei due conti-
nenti. Negli Stati Uniti ricevette anche la medaglia J. Scott per il
contributo che diede alle scienze fisiche e per la sua invenzione.

15 Marconi fu anche presidente della Reale Accademia d'Italia e capo
dell'Istituto Nazionale delle Ricerche sotto il governo fascista.

La grandezza di Guglielmo Marconi si può giustamente misurare
pensando che la sua scoperta rivaleggia con i sogni più fantastici che
si possano immaginare. Il telegrafo era già creazione straordinaria.
20 Il telegrafo senza fili è un'invenzione veramente fantastica. Eppure
oggi è un fatto normale, e la vita moderna, con il suo ritmo febbrile,
non sarebbe concepibile senza il mezzo di comunicazione datole da
Marconi. Ma una più nobile e più umana misura della grandezza
dell'uomo si ha pensando al numero di persone che egli ha salvato in
25 caso di naufragio e durante la guerra. L'animo buono di Marconi deve
essersi sentito specialmente orgoglioso e lieto al pensare che egli ha
diminuito i pericoli che con i moderni mezzi di trasporto e di comunicazione sono inevitabilmente aumentati.

GIACOMO PUCCINI

PUCCINI è il più illustre ed amato rappresentante della musica melodica. Ha offerto agli uomini che vivono la febbrile e tumultuosa vita moderna piccoli cantucci dove possono raccogliersi e riposarsi ascoltando ciò che egli ha saputo leggere nel cuore delle sue creature del mondo dell'arte. Vi sono pagine e pagine della sua musica che 5
sembrano ispirate, e che certo ispirano in chi le ascolta il culto della bellezza e della vita fatta d'amore, di passione e di tenerezza.

Puccini nacque a Lucca in una famiglia che vantava lunghe tradizioni musicali. Studiò prima nella città natale e poi a Milano con Ponchielli e Bazzini per il mecenatismo della regina Margherita. 10
Aveva la musica nel sangue e visse per la musica e nella musica. Essendo uomo espansivo ed esuberante, la sua casa era molto frequentata dai suoi amici. La loro compagnia costituiva un bisogno per il suo spirito. Durante l'estate andava alla sua villa e lì riceveva ogni sera le persone intime senza ombra di cerimonie e di formalità. Era con- 15
suetudine che dopo cena gli intimi di casa andassero a far visita. Si giocava a carte con la signora Puccini mentre il maestro suonava il piano, riandando motivi che gli erano passati per la mente e che aspettavano di essere fissati sulla carta. Mentre fumava una sigaretta, spesso prendendo parte alla conversazione, scorreva con le dita sulla 20
tastiera per poi interrompersi e correre a scrivere alcune battute o qualche pagina delle sue opere.

Questo era il metodo favorito di comporre di Giacomo Puccini, ed era un metodo che si confaceva al suo temperamento sereno ed affettuoso. La bellezza della sua musica è dovuta al genio musicale, ma 25
la tenerezza che si rivela in essa è il riflesso del temperamento appassionato del maestro. Se l'abbandono di Madame Butterfly è stato espresso in arie e motivi che non mancano mai di produrre dolcezza e dolore nel cuore di chi ascolta quell'opera, questo è dovuto al fatto

che il maestro, nel cantare il dolore della fanciulla giapponese abbandonata da Pinkerton, cantò il proprio dolore. Si racconta infatti che *Madame Butterfly* fu scritta in un momento molto penoso della vita del grande compositore. Pare che si fosse invaghito di una giovane e
5 bella cameriera. Era uno di quei capricci sentimentali che si trasformano in profonde passioni e che, spezzati, sono capaci di lacerare e di ferire al vivo. Fu quello che avvenne a Giacomo Puccini. Un giorno la tresca fu scoperta, e la ragazza fu licenziata. Gli amici del grande compositore raccontano che egli si chiuse in un mutismo insolito per
10 lui, e non fece che lavorare pazzamente all'opera trovando in essa uno sfogo al suo dolore. Non vi è chi non senta la ferita aperta e sanguinante nell'ascoltare quell'opera che nella tragedia della povera Butterfly esprime la desolazione ed il disperato dolore del creatore di quella musica.
15 La carriera di Giacomo Puccini si aprì con *Manon Lescaut* che fu data nel 1893 a Torino in onore della regina Margherita, protettrice dell'autore ed interessatissima nella sua musica. Fu ricevuta con molto entusiasmo ed il pubblico italiano riconobbe subito in Puccini la nuova luce che avrebbe preso il posto di quella del Verdi omai vicina a
20 spegnersi. Anche *La Bohème* (1896) fu presentata a Torino e conquistò il pubblico non solo con le melodie che l'hanno resa immortale, ma anche con la commovente storia dell'amore di Mimì e di Rodolfo. Chi non conosce le belle arie di quell'opera e chi non ne ricorda i bellissimi motivi che più si sentono e più commuovono ed affascinano?
25 Non meno commovente e ricca di belle armonie è *Tosca*. Poche volte l'angoscia dinanzi alle ingiustizie umane e della sorte è stata rivelata con la potenza che le dà l'eroina dell'aria "Vissi d'arte." Egualmente sublime è il grido disperato di Cavaradossi quando si vede escluso dall'amore e dalla vita dalla violenza e dalla vigliaccheria di Scarpia.
30 *Madame Butterfly* non fu ben ricevuta quando fu presentata alla Scala di Milano nel 1904. Si era ai giorni della guerra russo-giapponese e non si faceva che parlare del "pericolo giallo." I soliti

facinorosi che ficcano la politica in tutto, perché la politica è tutto
per il loro basso animo, furono responsabili della caduta dell'opera.
Il tempo ha vendicato Puccini, e *Madame Butterfly* rappresenta per
molti l'ideale della musica tutta sentimento e melodia.

5 Nelle opere posteriori, *La rondine* e *Gianni Schicchi*, il Puccini
tentò di allontanarsi dalla pura melodia e trovò nuove forme e motivi,
pur essi notevoli. Ma egli rimane il geniale poeta che sa toccare le
corde del dolore e dell'amore come pochi hanno saputo fare nella
storia dell'arte.

10 Puccini, come Verdi, si interessò molto nella parte drammatica delle
sue opere e scelse i suoi librettisti fra i più grandi letterati del suo
tempo, ai quali era unito da sincera e calda amicizia: Giuseppe Gia-
cosa, Luigi Illica, Marco Praga, Giuseppe Adami. Due opere furono
prese dal francese *(Lescaut, Bohème)* e due dall'inglese *(Madame*
15 *Butterfly, La Fanciulla del West)*. *Gianni Schicchi* fu presa dall'Anonimo Fiorentino ed adattata da Giovacchino Forzano. Si svolge intorno
al buffone fiorentino che Dante immaginò di incontrare nel suo Inferno
fra i falsari di persone. *Turandot*, l'opera che la morte non gli permise
di condurre a fine, fu presa dalla bellissima fiaba di Carlo Gozzi. La
20 crudeltà e l'amore si intrecciano in una musica che nella varietà
dell'ambiente orientale ha conservato la squisita sensibilità che è
caratteristica del grande compositore.

Puccini ammirava molto gli Stati Uniti. Nel 1907 li visitò e diresse
la sua opera *Manon Lescaut* nel Metropolitan di New York. Alcune
25 delle sue opere, come *La Fanciulla del West, Gianni Schicchi, Il
Tabarro, Suora Angelica,* furono rappresentate per la prima volta in
questo teatro.

Spesso si è detto che Puccini è indubbiamente un gran compositore,
ma che manca di profondità. È un giudizio che riflette solo il cambia-
30 mento del gusto fra gli ambienti musicali d'Italia e quelli di altri
paesi, dove spesso la musica è divenuta frutto di ricerche stilistiche,
perdendo il carattere di spontaneità che si ammira in Verdi ed in
Puccini. La tecnica viene confusa con l'ispirazione, facendola fine a
se stessa. Giacomo Puccini, padrone della tecnica, poteva abbandonarsi
35 liberamente all'ispirazione musicale. Come i grandi artisti di tutti i
tempi, egli aveva tanti tesori di sentimento, di passione e di sogno da
rivelare, ma aveva studiato a fondo i problemi della forma.

BENEDETTO CROCE

BENEDETTO CROCE è nato a Pescasseroli negli Abruzzi, ma ha passato la maggior parte della sua vita a Napoli. La sua casa signorile a Via Trinità Maggiore è stata il luogo di ritrovo degli intellettuali di ogni paese. Essa è stata una specie di specula da dove egli ha osservato il mondo ed ha studiato il passato per costruire il suo sistema filosofico. Vi ha radunato una ricchissima biblioteca, e lì ha scritto i suoi numerosissimi libri. Eppure egli non è stato un solitario. Ha sempre posseduto il gusto del vivere urbano e fin dalla gioventù si è tenuto in intimo contatto con i movimenti sociali e politici del suo tempo, dal comunismo al fascismo. Li ha ripudiati ambedue per la stessa ragione: erano movimenti antistorici in quanto, attraverso la loro fede nella violenza e nella negazione della libertà, impedivano il lento e normale evolversi della vita politica. Croce è stato ed è il più illustre rappresentante del liberalismo che unificò l'Italia e le diede dignità e progresso.

Durante la prima guerra mondiale, come nel 1939, Croce ammonì l'Italia a rimanere neutrale, ma invano. La sua voce echeggiò nel deserto della vita politica italiana con i risultati che tutti lamentiamo. Dopo la fine della seconda guerra mondiale egli non fu una forza viva nella vita politica del suo paese, perché l'Italia non riprese le tradizioni liberali che costituivano la religione di Benedetto Croce. Ad ottantatré anni lavorava ancora e di tanto in tanto pubblicava i frutti del suo assiduo lavoro nei *Quaderni della Critica* giacché la *Critica*, la rivista da lui fondata nel 1903, non si pubblicava più. Fino alla sua morte la sua figura dalle proporzioni umanamente michelangiolesche torreggiò sui suoi contemporanei.

Il Croce ebbe la sua formazione intellettuale negli anni anteriori al 1900. Ebbe la fortuna di essere guidato dallo zio Silvio Spaventa, giornalista, uomo di stato e persona di vasta e seria cultura. Due

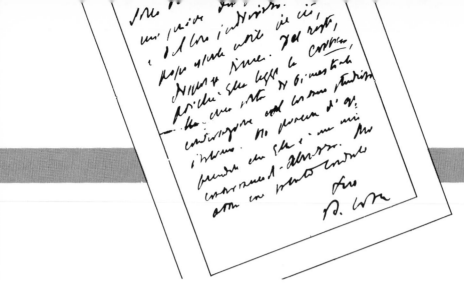

uomini ebbero un profondo influsso su di lui: Antonio Labriola, professore di filosofia morale a Roma, e Francesco De Sanctis, eminente critico letterario e riverito maestro, che additò alla generazione del Croce la necessità della rigenerazione morale dell'Italia dopo la lotta per la raggiunta unificazione. Croce ha attentamente curato la pubblicazione delle loro opere. Ha anche rivelato la grandezza e l'importanza di due pensatori ai quali egli deve molto: Giambattista Vico e Giorgio Hegel. Immemore delle voci che facevano di lui un imitatore di questi grandi, Croce si mise al lavoro e rispose da grande, mettendo in vista la profondità ed originalità del loro pensiero ed invitando gli studiosi a vedere quanto egli aveva aggiunto alla loro filosofia.

Il periodo della formazione intellettuale del Croce si può considerare chiuso con la pubblicazione di *Materialismo storico ed economia marxista* (1900), libro pensato sotto l'influsso dell'insegnamento di Antonio Labriola, nel quale Croce rigetta il criterio di storia sociale e dei valori economici su cui Marx predicava la fine del capitalismo e la vittoria del proletariato.

Al periodo formativo seguì quello "teoretico" nel quale si maturò il pensiero del Croce e che, con la solita approssimazione di tutte le date, abbraccia gli anni dal 1900 al 1910, anno in cui Croce fu nominato senatore del regno dal primo ministro Sydney Sonnino. In quegli anni apparvero le opere che racchiudono i capisaldi della sua filosofia: l'*Estetica* (1902), la *Logica come scienza del concetto puro* (1905), la *Filosofia della pratica* (1908).

La pubblicazione di queste opere non significò che il Croce si irretisse nelle posizioni raggiunte circa mezzo secolo prima. Al contrario, egli venne costantemente rivedendo le sue conclusioni in opere posteriori, testimonianza di assiduità di lavoro e di probità intellettuale. L'*Estetica*, a mo' d'esempio, fu seguita dall'*Intuizione pura e il carattere lirico dell'arte* (1908), dal *Breviario di estetica* (1913), e dall'articolo su questa materia per l'*Enciclopedia britannica* (1929). La *Filosofia della pratica* fu seguita da *Frammenti di etica* (1922). Il libro più prezioso che documenta l'autocritica a cui il Croce ha sempre sottoposte le sue dottrine è il *Contributo alla critica di se stesso* che apparve nel 1926, ma raccoglieva pensieri che si erano succeduti anteriormente, per molti anni. In tutti questi lavori Croce ha chiarificato sempre più al suo spirito ed al lettore i problemi fondamentali della sua filosofia rivelando sempre più chiaramente il profilo del suo pensiero.

Dal 1910 in poi Croce si dedicò con una serietà e tenacia ammirevoli a vagliare i princìpi della sua filosofia alla luce della storia. Pochi uomini hanno frugato negli archivi o esaminato le varie espressioni della vita artistica, sociale e politica della civiltà occidentale passata e presente con l'assiduità e penetrazione che distinguono i suoi lavori.

Croce si è dedicato specialmente allo studio della letteratura italiana di cui, in vari volumi, ha tracciato una vasta e viva storia. Ma le letterature straniere lo hanno egualmente attratto, ed ha scritto con eguale chiarezza e sensitività su scrittori francesi, spagnuoli, inglesi, tedeschi, russi e scandinavi. Si è specialmente interessato nelle maggiori figure della letteratura moderna: Dante, Ariosto, Shakespeare, Corneille, Goethe, Leopardi e Manzoni.

Croce ha denominato il suo sistema "Filosofia dello spirito." Esso racchiude le sue conclusioni dinanzi al contrasto fra l'Essere assoluto e le forme mobili e spesso contraddittorie che la vita assume nella natura e nella storia. I filosofi tradizionalisti avevano separato l'universale e l'attuale creando fra essi un'antitesi profonda ed irreconciliabile. Croce, seguendo la tradizione di Vico, Kant, Hegel e De Sanctis, ha inteso ad armonizzare l'assoluto ed il relativo, l'astratto ed il concreto, il collettivo ed il personale. Ogni individuo—insegna il Maestro—deve crearsi una propria sintesi fra questi elementi contrari della natura e della storia. Questo significa essere filosofi, e la filosofia diviene così codice etico e penetra fin nel campo della religione. Il còmpito della filosofia è eterno come la vita con la quale deve in ultimo identificarsi.

I momenti principali della filosofia del Croce si riferiscono alla
logica che analizza i concetti che egli, seguendo Hegel, chiama "l'universale
concreto"; all'*etica* che armonizza l'attività pratica individuale
ed il bene collettivo; ed all'*estetica* che è espressione della visione
fantastica e soggettiva della realtà.   5

Il Croce limita i confini del reale a tutto ciò che nella natura o nella
storia è passato attraverso il filtro purificatore del pensiero. Egli
distingue fra natura e storia come *atto*, e natura e storia come *idea*,
idea dell'uomo che la contempla e ricrea nel suo pensiero. La natura,
con i risucchi barbarici che la caratterizzano, e la storia, nella massa   10
caotica degli avvenimenti che avvengono e poi giacciono nella morte
della loro nullità, sono al di fuori del cerchio luminoso della sua
filosofia. Sono il materiale del filosofo, ma non sono ancora filosofia.
Diventano realtà, e perciò filosofia, solo attraverso il significato che
ricevono dal pensiero dell'uomo. Solo così filosofia e natura, filosofia   15
e storia sono termini identici. In questo modo Croce ha rigettato la
trascendenza dei platonici senza cadere nel materialismo dei positivisti.

Benedetto Croce è uno dei pensatori più equilibrati che ci presenti
la storia della filosofia e della critica. Da uomo moderno ha glorificato
il lavoro, ma sempre come mezzo ad un fine che è la serenità e la   20
tranquillità del vivere. L'azione per lui non rimane bassamente
utilitaria, ma si nobilita attraverso la coscienza del bene collettivo e
del proprio dovere. Da buon liberale ha accolto nella sua visione di
azione l'attività del filosofo e dell'artista come quella del più umile
lavoratore. Le pagine che ha scritte sul lavoro umano sono un inno   25
alla vita che egli esalta respingendo ogni pessimismo che possa essere
generato dalla brevità e dalla mutabilità di ogni cosa che è umana.
Lo stesso senso di equilibrio si osserva nella sua critica nella quale si
è tenuto dantescamente lontano così dalla pornografia piazzaiuola come
da quella paludata di rettorica. Non differentemente, in politica si è   30
attenuto alla via di mezzo del liberalismo, conscio dei pericoli del-
l'estrema destra e di quelli dell'estrema sinistra.

Croce è stato un pensatore sincero ed onesto. Uomo sano, aristocratico, ricco, vivente in intimo contatto con le correnti del pensiero
moderno, egli doveva necessariamente allontanarsi dalla trascendenza   35
ed orientarsi verso il terreno, ma ha sempre vissuto secondo il programma di idealismo che ha messo a base del suo sistema. Quale

feconda esistenza è stata la sua quando si pensi al rinnovamento che ha apportato negli abiti mentali della nostra generazione, alla collezione degli scrittori d'Italia ed a quella dei testi di filosofia che egli ideò e diresse per la casa Laterza di Bari.

5 Negli ultimi anni la sua attività ed il suo pensiero si sono indirizzati sempre più verso la ricerca storica. Anzi egli preferisce che il termine "Filosofia dello spirito" sia cambiato in "Storicismo assoluto." In una lettera del 12 settembre 1949, scritta da Pellone (Biella), residenza estiva del maestro, egli ci scriveva: "Si può dire che negli ultimi 10 quaranta anni della mia vita il pensiero che mi ha dominato è quello della storia. Nel 1915 scrissi in tedesco la *Teoria e storia della storiografia*, e da allora insieme con una serie di opere di storia politica e morale *(Storia del regno di Napoli, Storia dell'Italia dal 1871 al 1915, Storia di Europa nel secolo XIX, Storia dell'età* 15 *barocca*, ecc.) ho sempre più sviluppato la teoria della storia, specie nei volumi *La storia come pensiero e come azione* e *Il carattere della filosofia moderna*. Per effetto di questa seconda fase della mia attività, quella che prima chiamavo genericamente *Filosofia dello spirito*, ha preso il titolo più determinato di *Storicismo assoluto*."

20 Ebbe a collaboratore Giovanni Gentile, anch'egli grande filosofo ed originale pensatore. Li divise la lotta politica al sorgere del Fascismo. Gentile pagò con la sua nobile vita il fallo commesso. Meglio è pensare solamente alla lunga e fruttuosa amicizia che legò i due grandi pensatori.

25 Croce fu ed è grande maestro di vita per coloro che amano farsi un'esistenza "tranquilla, tollerabile e fiduciosa." Anche per questa ragione cozzò con il Cattolicesimo i cui valori trascendentali sono fatti per chi non trova su questa terra benessere e felicità. Se così Croce che il Cattolicesimo si fossero resi conto che ognuno di essi professava 30 un sistema di vita che faceva del bene a due distinti gruppi, il mondo avrebbe guadagnato dalla loro armonia ed essi non ci avrebbero perduto. Non sarebbe apparsa la nota polemica, che non era parte integrale della serena grandezza del grande maestro della nostra generazione.

35 Croce entrò nel regno dei morti il 20 novembre del 1952. Eppure la sua maestosa figura non ci è mai sembrata così viva come dopo la sua morte.

GRAZIA DELEDDA

1871-1936   *Grazia Deledda*   **XLI**

GRAZIA DELEDDA è una delle grandi donne che hanno aggiunto profonde e bellissime pagine al romanzo del nostro tempo. Era una gentile signora, non bella, non elegante, non amante della vita di società, un po' chiusa in sé, modestissima, ma dall'anima ardente ed appassionata e dalla fantasia mobile e vivissima.   5

Nacque a Nuoro in Sardegna, ma si trasferì a Roma nel 1900 quando sposò il signor Palmiro Madesani che era impiegato al ministero della guerra. Spiritualmente continuò a vivere in Sardegna, giacché la sua anima ed il suo cuore erano rimasti nella sua isola. Nei romanzi che venne scrivendo rievocò i giorni passati nell'isola,   10 giorni che essa riviveva nelle vicende dei suoi personaggi. La sua esistenza fu assorbita dalla sua arte e dall'amore dei suoi due figliuoli, Sardus e Francesco. Sardus amava la letteratura, Francesco divenne dottore in chimica. Grazia Deledda morì di cancro al petto nel 1936. Aveva ricevuto il premio Nobel per la letteratura nel 1927. Sardus   15 morì di tisi nel 1937, un anno dopo l'adorata mamma. Francesco dimora tuttora a Roma.

Grazia Deledda, fin dai primi lavori, scelse una forma d'arte che a quel tempo era in voga in Italia: il romanzo regionalista. Fu incoraggiata a scrivere dal suo conterraneo Enrico Costa, autore di un racconto   20 a sfondo sardo, dal titolo *Il muto di Gallura*. Le servì di guida e di ispirazione Giovanni Verga che si era servito della vita siciliana come materiale grezzo elaborato nei suoi romanzi. La Deledda conobbe e studiò anche il romanzo francese e quello russo. Come in tutti i grandi scrittori, contatti letterari, descrizione del paesaggio, presentazione di   25 servi e pastori sardi, studio dei costumi sardi, tutto questo costituisce l'elemento esteriore, anche se importantissimo ed essenziale, nell'opera della scrittrice sarda.

Per studiare l'arte di Grazia Deledda è necessario ritrovare e chiarire

Nuoro, dove nacque e passò l'infanzia Grazia Deledda. [Nuoro, where Grazia Deledda was born and spent her childhood.]

il pensiero che essa volle esprimere nei suoi lavori. L'elemento vitale e creativo in essa risiede nella domanda appassionata che la scrittrice si fa intorno al vivere umano: quale è il significato della nostra vita; perché siamo attirati dalle forze dell'istinto; e perché queste forze 5 sono in contrasto con le leggi della società, con gli obblighi della famiglia, con la voce della nostra coscienza? In tutta la sua grande opera si agitano queste lotte e questi contrasti, avvivati dalla fantasia e dal suo gran cuore. Essa rimane perplessa ed affascinata, addolorata ed esaltata dalle vicende dei suoi personaggi nelle quali si confondono 10 le sue esperienze di donna con quelle di lei scrittrice. Negli esseri dotati di immaginazione, il concetto della vita è sempre nuovo, giacché non si fossilizza astrattamente nel pessimismo o nell'ottimismo. Esso si rinnova costantemente, ed ogni libro costituisce una nuova esperienza nella quale lo scrittore riesamina le sue conclusioni illuminandole 15 sempre più chiaramente.

La Deledda iniziò la sua carriera letteraria con brevi racconti sardi. Il primo scritto di importanza fu *Anime Oneste* (1894), che ebbe l'onore di una prefazione da Ruggero Bonghi, uno dei critici più

231

importanti e dotti del tempo. A dire il vero, il romanzo non era una grande opera, sebbene si distinguesse per semplicità e chiarezza. Era un bozzetto nel quale la giovane scrittrice schizzava la vita di una famiglia sarda della borghesia, i Velena, mettendo in risalto il carattere idillico dell'amore di due coppie di fidanzati: Sebastiano ed Anna, Pietro ed Angela. Buono è il loro amore, semplice la vita che li circonda, semplice la loro conversazione. Un breve cerchio nero cinge questa vita quasi arcadica: il pensiero del continente, dove tutto è corruzione e maleficio.

Con l'andata a Roma apparve nei suoi romanzi un'arte totalmente nuova, che rimase sostanzialmente la stessa fino alla morte. I romanzi scritti nel periodo romano ci mostrano una donna che ha meditato a lungo sul male e sul bene. I personaggi di *Il vecchio della montagna* (1900), *Elias Portolu* (1903), *Cenere* (1904) sono tormentati dalla passione e si abbandonano ad azioni nelle quali non trovano né senso né misura. Basilio, Elias Portolu, Anania non conoscono più la tranquillità e la bontà dei personaggi di *Anime Oneste*. Il male ha rivelato il suo viso pauroso e brutale alla scrittrice: la vita è fatta di tragedia e di sofferenza. L'istinto ci porta verso la felicità. Se resistiamo siamo infelici. Se cediamo siamo puniti. Da questa conclusione nascono i banditi ed i ribelli che si muovono nei romanzi di questi anni. La Deledda non giustifica né condanna il male. Lo accetta come dato di fatto e come parte integrale del destino umano. Essa vedé i suoi personaggi tormentati dalla passione, terrorizzati dinanzi al dilemma della felicità o della rinunzia, della fredda bontà o del tragico male, perseguitati dalla maledizione della società e dalla legge, e soffre con essi infondendo vita e realtà nella finzione dell'arte.

Anche nei romanzi posteriori: *Marianna Sirca* (1915), *Annalena Bilsini* (1927), *La chiesa della solitudine* (1936), il motivo centrale

rimane lo stesso: è bene abbandonarsi all'istinto o è doveroso sacrificarsi attraverso la rinuncia? Negli scritti giovanili, la Deledda aveva invitato i suoi personaggi a seguire la voce del cuore. Nei romanzi posteriori, frutto di un pensiero più maturo, essa presenta personaggi
5 che trovano in sé la forza di sacrificarsi. Tale sono Cristiano nel *Segreto dell'uomo solitario* (1921), Annalena Bilsini nel romanzo omonimo, e Maria Concezione nella *Chiesa della solitudine*, romanzo eminentemente autobiografico giacché Maria Concezione soffre di cancro al petto come l'autrice.
10   Più che nel contenuto, l'arte della Deledda ha subìto profondi cambiamenti nella forma che si è costantemente raffinata e purificata. Con piena coscienza dei suoi fini e mezzi, la scrittrice sarda ha liberato i suoi lavori da sentimentalità, da arcaismi linguistici, ed ha fatta assorgere la sua arte ad una linearità e semplicità veramente classiche.
15 Questo è vero specialmente nella *Madre* (1920), da molti considerato il capolavoro della Deledda e per il quale ricevette il premio Nobel. I personaggi sono stati ridotti a tre, l'azione si svolge in brevissimo tempo, e la prosa della Deledda è incisiva come uno scalpello che lavori nel marmo. Il tema della rinunzia di Paulo, giovane parroco
20 in un paese di montagna, all'amore di Agnese, è sentito e sofferto attraverso l'angoscia straziante della madre che si domanda se essa abbia il diritto di obbligare Paulo a rinunziare ad un amore che potrebbe essere tutta la sua felicità. Il cuore della madre non regge alla dura lotta, e si spezza quando teme che Agnese voglia rivelare ai
25 fedeli raccolti ad ascoltare la messa ciò che è passato fra lei e Paulo. Il romanzo si chiude con l'incontro degli occhi dei due amanti al di sopra del cadavere della madre. Pochi hanno frugato nel cuore dell'uomo con maggiore finezza e penetrazione di Grazia Deledda.

LUIGI
PIRANDELLO

1867-1936   XLII

FRA GLI UOMINI di lettere a noi vicini Luigi Pirandello ha sentito
i problemi della vita moderna con maggior immediatezza e profondità
di ogni altro scrittore contemporaneo. Egli ha scandagliato audacemente il cuore umano, creando un'arte tutta sostanziosa di pensiero e
5   spesso nuova nelle forme attraverso le quali le ha dato espressione.
Benchè appartenesse alla generazione dell'Ottocento, essendo nato nel
1867, Pirandello è stato il più illustre esponente della letteratura del
Novecento. La generazione moderna si è specchiata e si è riconosciuta
in lui, anche se il grande drammaturgo si è spesso sentito lontano
10   da essa.

    Pirandello si è sempre sentito solo. Una delle fotografie che pre-
diligeva era quella che lo rappresentava nel suo studio, seduto dinanzi
alla macchina da scrivere, con l'indice della mano destra pronto a
battere su di un tasto. Scrisse a macchina tutte le sue opere e con
15   un dito solo. Si pensi a quanta tenacia gli bisognò per lasciarci
trecentocinquanta novelle, otto romanzi, trentanove drammi, numerosi
articoli polemici e critici ed un bellissimo libro sulla letteratura
umoristica, l'*Umorismo* (1908). E si pensi che produsse tutte queste
opere mentre insegnava letteratura italiana nell'Istituto Superiore
20   Femminile di Magistero a Roma e poi, dal 1925, mentre andava in
giro per l'Europa e per il continente americano rappresentando i suoi
drammi con la compagnia che aveva formata. Dal 1920 fino alla sua
morte nel 1936, fu la figura che dominò il teatro europeo più esclusivamente di ogni altro drammaturgo. Fu un uomo solitario che dalla
25   prigione del suo silenzio ridisse al mondo intero le vicende dolorose
della sua vita, prestandole ai personaggi immaginari delle sue opere.
Ma in ciò che scrisse, egli espresse il senso tragico della storia e della
vita quale lo aveva sentito la generazione della prima guerra mondiale.

    Quelli che hanno avuto il privilegio di conoscerlo personalmente lo
30   ricordano come un bell'uomo di media statura, educato nella maniera

del signore continentale, ben vestito, gentile senza affettazione, molto proclive al silenzio dopo i primi convenevoli. Riserbava il parlare ai suoi personaggi, ma i suoi occhi penetranti e mobili sembrava che frugassero nell'anima delle persone con le quali si intratteneva.

Pirandello si compiaceva di dire che era nato in una contrada   5
vicino Girgenti, in Sicilia, che si chiamava Caos, e che nacque durante un'epidemia di colera. Infatti la sua arte è dominata dal concetto che la vita è caos e dolore. Ha svelato le vicende più intime della sua vita a Federico Vittore Nardelli, il suo biografo, che le ha trascritte in un bel libro, *L'uomo segreto*. O che Pirandello ci parli dell'adolescenza   10
in Sicilia, degli studi a Roma ed a Bonn in Germania da studente universitario, o che ci racconti le vicende della sua vita familiare con una povera moglie pazza e tre figlioli, mentre guadagnava appena da sbarcare il lunario, egli appare sempre silenzioso e chiuso nei suoi pensieri. Ma le avversità non fecero che temprare il suo carattere che   15
era tenace fino alla testardaggine. Aveva deciso di conquistarsi un posto tutto suo nella vita letteraria italiana e nulla poté sviarlo dal suo proposito: né i doveri di insegnante, né le condizioni di famiglia, né l'indifferenza ed il silenzio del pubblico piccolo e grosso quando accoglieva i suoi romanzi e le sue novelle confondendoli con la lettera-   20
tura mediocre di ogni tempo e di ogni luogo. Il riconoscimento e poi la fama gli vennero grazie a due scrittori stranieri: Benjamin Crémieux, francese, e James Joyce, l'autore di *Ulysses*, i quali nel 1915 rivelarono agli Italiani ed al mondo la novità e la grandezza della sua opera. Nel 1934 gli fu assegnato il premio Nobel per la letteratura.   25

Nei primi scritti Pirandello si riattaccò ai Veristi siciliani, Verga e Capuana, che erano suoi intimi amici. Anch'egli modellò i suoi perso-naggi sugli uomini e sulle donne siciliane che lo circondavano, ma si tenne lontano dalla oggettività del grande Verga.

Le prime raccolte di novelle colpiscono per il contrasto che l'autore   30
rivela perfino nei titoli: *Amori senz'amore* (1894), *Beffe della morte e della vita* (1902), *Bianche e nere* (1904), *Erma bifronte* (1906). Le singole novelle sono sviluppate attraverso l'elemento del contrasto e dell'inatteso dal quale nasce quel riso speciale venato di tristezza e di lagrime che per Pirandello è caratteristico dell'umore. In *Prima notte*   35
un vedovo e la nuova sposa dopo lo sposalizio passano la prima notte nel cimitero, lui sulla tomba della prima moglie, lei su quella del

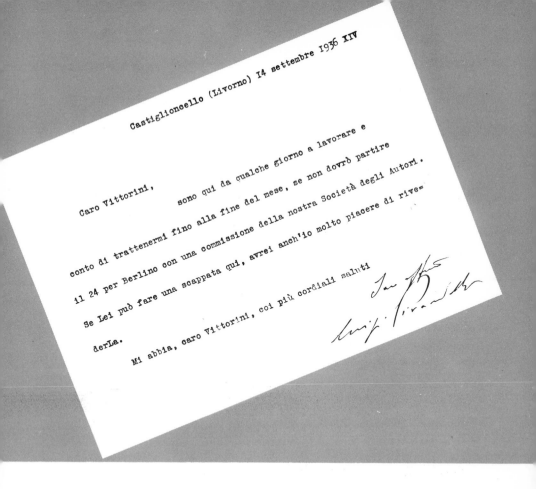

Castiglioncello (Livorno) 14 settembre 1936 **XIV**

Caro Vittorini,

sono qui da qualche giorno a lavorare e conto di trattenermi fino alla fine del mese, se non dovrò partire il 24 per Berlino con una commissione della nostra Società degli Autori. Se Lei può fare una scappata qui, avrei anch'io molto piacere di rivederLa.

Mi abbia, caro Vittorini, coi più cordiali saluti

Luigi Pirandello

fidanzato morto. In un'altra novella, *Il marito di mia moglie,* vediamo l'autore che ridendo ci addita un moribondo che è assistito amorosamente dalla moglie e da un uomo che prenderà il suo posto appena egli morirà.

5   La stessa vena di umorismo circola nei suoi romanzi. Nell'*Esclusa* (1901), Pirandello ci presenta un povero marito che si sposa sotto l'incubo, che in lui è certezza terribile ed ossessionante, che nella sua famiglia tutti i mariti sono destinati ad essere traditi dalla moglie. Egli ha sposato una giovane maestra che nutre per lui assoluta devo-
10 zione. La scoperta di alcune vecchie lettere spinge il violento Rocco Pentagora a tali eccessi che la povera donna non trova altra via di mezzo per poter vivere che quella di andarsi a gettare, senza amore e senza gioia, fra la braccia del suo vecchio ammiratore. Pirandello racconta, ride e soffre.

L'esemplificazione artistica meglio riuscita di questo tipo d'arte narrativa è *Il fu Mattia Pascal* (1904). Pirandello ci presenta nel protagonista un uomo che tenta di evadere dalla sua intollerabile esistenza cambiandosi il nome. Aveva letto nel giornale la notizia che il suo cadavere era stato ritrovato in uno stato di avanzata putrefazione 5 nella gora di un mulino. Ecco la liberazione dalla prigionia della casa, dalla biblioteca dove lavora, dalla morta città di provincia dove vegeta. Ma no! Mattia Pascal riesce solo a negare a se stesso ogni identità e finisce con l'andare a deporre una corona di fiori sulla propria tomba nel cimitero del paese. 10

L'arte di questo tempo, anteriore alla prima guerra mondiale, corrispondeva all'intuizione d'arte che l'autore aveva definita e discussa sotto il nome di umorismo. Era un'arte intima, espressa in una prosa angolosa e pietrosa simile al carattere scontroso del giovane Pirandello; ma arte che soffriva nel contrasto fra l'ispirazione filosofica e la forma 15 verista di cui si ammantava. I lettori seguivano le vicende di personaggi che gesticolavano e si torcevano sotto l'incubo di strane idee ed assurdi desideri, ma non vedevano la parte positiva che nella mente dell'autore dava loro essere e ragione. Per questo Pirandello non fu conosciuto né compreso. Ancor oggi la lettura dei suoi romanzi *Il turno* 20 (1902), *I vecchi e i giovani* (1913), *Uno, nessuno, e centomila* (1926), malgrado pagine bellissime, è difficile e disuguale.

Pirandello è uno scrittore filosofico. Lo ha dichiarato lui stesso nella prefazione ai *Sei personaggi in cerca d'autore*, nella quale ha diviso gli scrittori in storici o descrittivi e filosofici o meditativi. Lo scrittore 25 filosofico concepisce la vita in forma dualistica e rimane chiuso nel cerchio di quel dualismo, a differenza del filosofo puro che tenta di risolverlo e di superarlo nel suo sistema. Pirandello vede tutto l'universo diviso fra il principio vitale che dà l'essere a tutto ciò che esiste: roccie, piante, animali, uomini, e queste entità che sono soggette a 30 continue mutazioni ed alla finale disintegrazione attraverso la morte. Come è possibile per l'uomo di essere felice quando egli porta in sé queste due contrastanti nature? Egli soffre perché è tormentato dalla memoria della sua origine divina e dalle limitazioni del suo stato mortale. Ecco perché l'uomo va come un vagabondo nel deserto della 35 vita, ignaro a sé ed agli altri. I personaggi grotteschi delle novelle e dei romanzi nascevano da questi presupposti filosofici, ma erano figure

troppo piccole per potere esprimere a pieno l'idea che l'autore voleva
incarnare in essi.

La fase pienamente e luminosamente filosofica coincise con l'attività
teatrale, quando la motivazione filosofica si rispecchiò in personaggi
5 complessi che potevano logicamente parlare il linguaggio filosofico
dell'autore. Tali sono i personaggi delle grandi tragedie del Pirandello: *Enrico IV, Qualcuno,* il padre in *Sei personaggi,* Baldovino nel
Piacere dell'onestà, l'Ignota in *Come tu mi vuoi.*

La differenza che separa questi personaggi da quelli delle novelle
10 è enorme. Nelle novelle Pirandello è l'antagonista dei personaggi,
sicché vi è una scissione fra questi e l'autore. Nei grandi personaggi
delle tragedie questa separazione non esiste più: autore e personaggi
sono un'entità sola. Pirandello non ride più delle loro disgrazie
perché si è fuso con essi, il che rende possibile l'unità dolorosa e la
15 maestà dello stile tragico.

La verità di quest'asserzione appare chiarissima a chi consideri i
vari stili che si sovrappongono nel teatro del grande scrittore. Molti
dei drammi *(Liolà, L'uomo, la bestia e la virtù, Cecè* e molti altri
ancora) erano novelle alle quali Pirandello diede veste drammatica.
20 Anche *La signora Morli una e due, Come prima meglio di prima,
Vestire gli ignudi, Il berretto a sonagli* serbano traccie visibilissime
del periodo umorista e spesso la filosofia urta con l'elementarità dei
personaggi. Basti citare il caso di Ciampa, un umile contabile siciliano
che nel *Berretto a sonagli* esce a dire: "Lo spirito divino entra in noi
25 e si fa pupo," e poi si perde nel concetto per lui troppo astruso del
"costruirsi." L'autore voleva dirci che l'uomo è forma fissa, costruzione della favilla divina e cosmica che vive in lui, ma tale concetto,
espresso attraverso Ciampa, veniva rimpicciolito ed offeso. Siamo su
un differente e più alto piano quando Baldovino nel *Piacere dell'onestà*
30 ripete con altra forza ed altra logica la stessa idea del "costruirsi" e
si fa il portavoce del Pirandello che attacca le convenzioni e le
ipocrisie sociali sotto le quali si cela tanta miseria. Ed ancora più
alto è il piano raggiunto dall'autore con la creazione dei suoi veri
personaggi tragici su nominati. Qui l'idea del "costruirsi" arriva al
35 sublime della perfezione e vive in personaggi che non morranno mai.
Anche Enrico IV è "costruzione," uomo che abbandona il suo stato
umano e diviene l'idea di un pazzo, quella di essere l'Imperatore che

lottò contro il Papa nel secolo XI. Ma dopo circa dodici anni la
costruzione si rompe, l'uomo apre gli occhi e sente l'orrore di essere
se stesso. La vita ha continuato con il suo ritmo fatale, ed egli ne è
rimasto fuori. Proprio come ne era rimasto fuori Mattia Pascal, ma
con altro stile e con altra forza. Anche l'Ignota è "costruzione," in   5
quanto essa vuole ricreare in sé l'anima di Cia, donna perfetta e bella,
come essa vive nel suo diario e nel ritratto fattole da uno strano pittore
amico di famiglia il giorno delle nozze. Ma no. L'anima di Cia non
può vivere su questa terra perché gli uomini si interessano più nel suo
corpo che nella sua anima. Ed allora l'Ignota torna ad essere donna   10
perduta che vive di irrazionalità e di tragedia.

La parte più profonda e viva dell'opera di Luigi Pirandello viene
trovata dal lettore attento nelle osservazioni sulla società, sull'uomo e
sulle sue reazioni al vivere. Il che è naturale in uno scrittore filosofico
che non si interessa a decorare temi banali o grandiosi, tutto inteso   15
allo splendore della forma. Pirandello si interessa poco nella forma
perché è di quegli scrittori per i quali il contenuto è tutto e la forma è
naturale espressione di esso. Le pagine dedicate al modo di vivere
delle persone che egli ammira rimangono fra le più belle che siano
mai echeggiate nella prosa italiana.   20

Queste ed altre ancora sono le creazioni nobilissime che il pensiero
e la fantasia di Luigi Pirandello hanno affidato alla sua arte. Sperava di
dire ancora tante cose quando lo colse la morte il dicembre del 1936.
Aveva chiesto di essere seppellito senza onori e senza pompa, solo come
era vissuto, in una semplice bara di legno. Il suo desiderio fu esaudito.   25
Con lui scomparve la sola figura letteraria di primo ordine che l'Italia
aveva data alla nostra generazione.

La critica non ha messo in rilievo l'intimo ammonimento che emana
dall'arte del Maestro. Sappiamo così poco di noi stessi, dell'universo
e dei nostri simili, la vita è così fugace e tormentosa che solo l'umiltà   30
ci può salvare e consolare. Pirandello fu scrittore umanissimo ed ebbe
un gran cuore accanto ad un intelletto acuto ed originale.

Il mondo di Luigi Pirandello è un mondo di personaggi strani, dagli
occhi sbarrati, dai nervi tesi e contratti, i quali si agitano pazzesca-
mente fra gente che sa ancora reprimersi e camminare dignitosamente,   35
compassata e fredda; un mondo vastissimo ed oltremodo vario alla
cui porta vigilano il Pensiero e l'Umiltà.

ESERCIZI

I. GUIDO D'AREZZO

I. In quale secolo visse Guido d'Arezzo? 2. Perché è famoso? A quale attività dedicò la sua vita? 3. Chi scrisse trattati musicali prima di questo grande musico? 4. Come si chiamava la musica prima che Guido d'Arezzo introducesse il suo nuovo sistema? 5. Perché si chiamava "canto gregoriano?" 6. Chi era Papa Gregorio? In quale anno nacque ed in quale anno morì Papa Gregorio? Perché fu chiamato "Magno," che in latino significa "grande?" 7. Che cosa aggiunse Guido alla musica monocorde? 8. Perché trasformò la scala musicale? Quanti righi vi aggiunse? 9. Quando si aggiunse il quinto rigo? 10. Come si intitolano i trattati musicali scritti da Guido d'Arezzo? 11. In quale secolo l'Europa si risvegliò dal torpore intellettuale in cui era caduta dopo la fine dell'Impero Romano? 12. Che cosa si osserva nei traffici? 13. Che cosa si osserva nell'agricoltura? 14. Che cosa si osserva nella storia delle arti? Quali sono le arti più importanti? 15. Come si chiama questo periodo della storia europea?

II. SAN FRANCESCO DI ASSISI

1. In quale secolo visse San Francesco? 2. Che cosa faceva il padre? Era ricco? Era benestante? 3. Perché fu chiamato Francesco? 4. Erano importanti gli Italiani nel campo economico nel secolo XIII e nel XIV? 5. Con quali paesi trafficavano? In che cosa trafficava il padre di San Francesco? 6. Perché abbandonò il Santo la vita gaia e spensierata della gioventù? 7. Quali sentimenti presero il posto della frivolità della vita giovanile? 8. Odiava la vita o piuttosto la amava nel suo misticismo? 9. Come si intitola la prima, veramente grande, poesia con la quale si apre la storia della letteratura italiana, poesia che fu scritta da San Francesco? 10. Quali aggettivi applicò all'acqua, alle stelle, al fuoco ed al sole? 11. A che cosa pensava, dal poeta che era il Santo, quando vedeva l'acqua, o il sole, o il cielo? 12.

Esprime l'amore della vita e della natura chi chiama le stelle e la luna sorelle, e fratelli il vento ed il fuoco?   13. Quali benefici apportò San Francesco alla società del suo tempo?   Quando fondò il suo ordine? 14. Racconti il viaggio di San Francesco in Terra Santa quando andò a visitare il Sultano. 15. Racconti la morte del Santo.

III. FEDERICO II

1. Quale fu il sogno politico di Federico II rispetto al Mediterraneo, all'Italia ed al continente africano? 2. È cessato nei tempi moderni tale desiderio nei paesi nordici? 3. Fu solamente grande nel campo politico l'Imperatore, come tutti lo chiamavano nel secolo XIII? 4. In quali altri campi si distinse? 5. Quali furono i nemici di Federico, che gli impedirono di realizzare il suo sogno di imperialismo? 6. Dove era la sede dell'Impero in quegli anni? 7. Che cosa desideravano i Papi a quel tempo? Chi guidava i Comuni nella lotta contro Federico? 8. Che cosa dicevano i nemici politici dell'Imperatore rispetto alla sua religione? Dove mise Dante l'Imperatore nel suo fantastico *Inferno*? 9. Che cosa sono le *Questioni siciliane?* A chi erano indirizzate queste domande? Di che cosa trattavano? Chi rispose ad esse? 10. Che cosa è *Il novellino?* Di che cosa è indice il fatto che Dante nomina Federico nella *Commedia*, ed *Il novellino* si serve di lui come protagonista di molte novelle? 11. In che anno fu sconfitto Federico dai Comuni e da Papa Gregorio? In che anno morì? 12. Dica chi furono i poeti più conosciuti della corte di Federico II. Era la poesia la loro principale occupazione? Quale era il loro ufficio nella corte? Fu originale la loro poesia? 13. Perché è celebre Federico nella storia dell'anatomia? 14. A quali università mandò Federico una copia della traduzione della *Poetica* di Aristotile?   15. Perché erano celebri queste tre grandi università?

IV. NICOLA PISANO

1. *Continui le seguenti frasi:* Nicola Pisano nacque nel . . . Morì nel . . . Visse nel secolo . . . Il secolo XIII si chiama anche . . . (il Duecento, il Trecento, il Quattrocento).   2. *Continui le seguenti frasi:*

Le forme della scultura di Pisano sono . . . (gotico, classico, barocco).
L'arte di Pisano è . . . (moderno, personale, forte, semplice). Crea con
piena. . . . Deve la sua fama a. . . . 3. *Continui le seguenti frasi*:
Nicola Pisano non fu musico come. . . . Non fu mistico come. . . . Fu
un grande. . . . Nel gusto fu . . . (classico, romantico). 4. *Continui le
seguenti frasi*: L'opera di Nicola Pisano più famosa è. . . . Ma scolpì
anche. . . . 5. Chi forma la triade che è gloria del secolo XIII? Quali
sono i tre più grandi artisti del Duecento? Copiarono lo stile classico
questi grandi artisti? 6. Amava la natura San Francesco? Come
mostrò questo amore nella poesia intitolata l'*Inno delle creature?*
7. Amava la natura Nicola Pisano? Come mostrò questo suo amore
nella sua scultura? 8. In quali città si trovano i pulpiti scolpiti da
Nicola Pisano? Quale è più perfetto, quello della cattedrale di Pisa o
quello della cattedrale di Siena? 9. Perché è una grande opera il
pulpito a Siena? 10. Chi fu l'architetto che disegnò la cattedrale di
Siena? 11. Quali scene di carattere religioso furono scolpite da
Pisano nel pulpito di Siena? 12. Quanti anni lavorò a questa opera
colossale? 13. Quale differenza passa fra il pulpito di Pisa, opera
della gioventù, ed il pulpito di Siena, lavoro della maturità artistica
di Nicola Pisano? 14. Chi furono gli alunni ed i collaboratori più
famosi di Nicola Pisano? 15. Che cosa rivela la perfezione del viso
delle figure di Pisano? Che cosa rivela la presenza di animali, uccelli,
foglie e fiori?

V. GUIDO CAVALCANTI

1. *Continui le seguenti frasi:* Guido Cavalcanti non fu scultore
come . . . Non fu mistico come . . . Non fu una figura politica come . . .
2. *Continui le seguenti frasi:* Guido fu l'amico intimo di . . . Dante,
uno dei Priori di Firenze, firmò . . . Questo decreto condannava
Guido . . . 3. *Continui le seguenti frasi:* Guido morì . . . Aveva
contratto . . . A Sarzana era possibile contrarre . . . 4. I due partiti
politici del tempo erano i Guelfi, democratici, ed i Ghibellini, aristo-
cratici. Guido era di famiglia . . . Anche Dante era di famiglia . . .
Ma si erano uniti . . . Furono spinti verso i Ghibellini da . . . Giano
della Bella era . . . 5. Nel 1295 vi fu una reazione . . . (democratico,

popolare, aristocratico). Molti giovani poeti fondarono . . . 6. Chi erano i Guelfi? Chi erano i Ghibellini? Era nato guelfo Guido Cavalcanti? Chi era Giano della Bella? Chi fondò la scuola del Dolce Stil Nuovo? 7. Chi aveva introdotto in Italia la poesia dell'amore cortese che era fiorita nella Provenza? Chi aveva accettato il concetto filosofico e religioso dell'amore cortese, le corti o il popolo? 8. Che cosa insegnava l'amore cortese sull'amore; che è un bene o che è un male? Quale è la funzione della donna nell'amore cortese? 9. Erano popolari i poeti del Dolce Stil Nuovo? 10. Perché fu esiliato da Firenze il ghibellino Guido Cavalcanti? Chi firmò il decreto dell'esilio? Era guelfo o ghibellino Dante quando firmò il decreto dell'esilio? 11. È considerata bella da noi la canzone di Guido Cavalcanti *Donna mi prega, perch'io voglio dire?* Come la consideravano i contemporanei? Perché? 12. Chi erano i più grandi poeti del Dolce Stil Nuovo? 13. Quale è la più bella, ma la meno famosa delle poesie del Cavalcanti? 14. Erano considerate importanti le poesie di carattere personale dai contemporanei del Cavalcanti? 15. Chi era Mandetta? Come rivela il Cavalcanti l'elemento psicologico quando scrive sulla Mandetta?

VI. DANTE ALIGHIERI

1. In quale anno nacque Dante? In quale anno morì? Quanti anni aveva alla sua morte? 2. Quali sono i poeti generalmente considerati universali? 3. Quale opera fu scritta nel periodo giovanile di Dante? Quale opera appartiene al periodo mistico? Quali opere furono scritte durante il periodo scientifico della vita di Dante? 4. Quanti anni aveva Dante quando scrisse il primo sonetto? In onore di chi fu scritto quel sonetto? 5. Chi era Beatrice Portinari? Contraccambiò Beatrice l'amore di Dante? In che anno morì Beatrice? In quale anno si crede che Dante abbia scritto la *Vita Nuova?* 6. Quale è la forma di questo libro giovanile del poeta? 7. Che cosa insegnava sull'amore il codice dell'amore cortese? In quale parte della Francia si era formulato questo codice? Chi lo aveva portato nelle corti italiane? 8. Ebbe Dante una gioventù gaia e spensierata o fu egli pensieroso e solitario? Come ci si rivela nella *Vita Nuova?* 9. Quale è la funzione della prosa

della *Vita Nuova* rispetto alle poesie? 10. Chi inventò il sonetto? Da dove presero la canzone i poeti del Dolce Stil Nuovo? Chi scrisse canzoni famose al tempo di Dante? Sono famose per noi oggi le canzoni che disputano sull'amore in maniera filosofica? 11. Quali erano le idee politiche di Dante? Era guelfo o ghibellino? Perché Dante, nato guelfo, era passato ai Ghibellini? Ammirava Dante Arrigo VII di Germania? 12. Perché il *De Vulgari Eloquentia* è un trattato importante? 13. Perché si può chiamare autobiografica la *Divina Commedia?* Che cosa vi racconta il poeta? 14. Quale sistema dell'universo segue Dante nella figurazione dell'Inferno, del Purgatorio e del Paradiso? 15. Chi sono le tre guide che accompagnano Dante nel suo viaggio? Chi conduce Dante attraverso le sfere del Paradiso? Da dove prese Dante il concetto fondamentale del viaggio che porta l'uomo a Dio?

VII. GIOTTO

1. *Continui le seguenti frasi:* Il vero nome di Giotto era ... (Giotto è l'abbreviazione di Ambrogiotto). Il nome completo di Dante è ... 2. Il nome del padre di Giotto era Bondone. Il nome di un antenato di Dante era ... Quello di Guido Cavalcanti era ... (Così si formavano i nomi di famiglia. Guido Cavalcanti significa Guido figlio di Cavalcante). 3. Giotto era nato di famiglia ... Federico era nato di famiglia ... Dante era nato di famiglia ... Cavalcanti era nato di famiglia ... 4. A dieci anni Giotto conduceva le pecore a ... Non era ricco. Era ... Ma era pittore nato e disegnava ... 5. Un giorno passò Cimabue e vide ... Portò il ragazzo alla ... L'alunno è oggi più famoso del ... 6. Giotto e Dante furono ... Giotto dipinse ... I Preraffaeliti o Primitivi sono i pittori che vissero prima di ... I Giotteschi furono ... Le forme della pittura di Giotto sono ... 7. Il pittore francese Cézanne ... Rossetti e Swinburne ... 8. La pittura prima di Giotto si chiamava ... La musica prima di Guido d'Arezzo si chiamava ... Come Nicola Pisano, Giotto amava la natura. Sono i primi ... 9. Le scene naturali avvivano ... La predica di San Francesco agli uccelli si trova ... Altro affresco famoso è quello della Chiesa Inferiore di ... Rappresenta ... Questo

tipo di pittura si chiama . . . (classico, simbolico, gotico, barocco).
10. Dove si trovano i primi affreschi di Giotto? In quali altre chiese
o città lavorò? 11. Che cosa affrescò nel Bargello? 12. Quale santo
ispirò specialmente la fantasia di Giotto? 13. Quali sono i temi svolti
da Giotto nella sua pittura? Quale tema si vede negli affreschi che
rappresentano San Francesco? E la Vergine? E Gesù Cristo? E Giuda?
14. Chi regnò a Napoli nella prima metà del Trecento? Di che nazionalità era? 15. Dove passò Giotto gli ultimi anni della sua vita?
A quali lavori attese? Fu solamente pittore Giotto?

VIII. MARCO POLO

1. Chi furono i più grandi viaggiatori del secolo XIII? 2. Nei
secoli anteriori si viaggiava specialmente quando si andava in pelle-
grinaggio. Perché viaggiò Marco Polo? 3. Anche nel Trecento si
viaggiava per ragioni religiose. Ma che cosa distingueva i nuovi viaggiatori dai pellegrini? 4. Perché andò all'oriente Marco Polo? Quale
stato visitò? Dove regnava Kublai Khan? 5. Quali erano le città
marinaie italiane più famose? Quali di esse furono le più potenti
rivali? 6. Perché Genova e Venezia erano rivali? Non ci fa sperare
il loro esempio che un giorno il mondo arrivi alla pace universale?
7. Quale era la funzione dell'Italia rispetto all'oriente ed all'occidente?
8. Chi iniziò Marco ai traffici ed ai viaggi? Quanti anni aveva quando
andò alla Cina con il padre e lo zio? 9. Fra chi fu combattuta la
battaglia navale della Curzola? Quale città vinse in quella terribile
battaglia? 10. Che cosa fecero i Genovesi dei prigionieri? Su quale
galea si trovava Marco Polo quando fu fatto prigioniero? 11. Che
cosa ci dimostra il fatto che la sua famiglia aveva la propria galea?
Era la sua famiglia povera ed oscura? 12. Quali erano le due lingue
straniere più studiate nel Trecento? Da quali persone era usato il
latino, da quali il francese? 13. In quale lingua scrivevano le persone
di scienza? Di quale lingua si servivano le persone di corte? 14. In
quale lingua fu scritto e da chi il *Milione?* 15. Perché gli fu dato
questo titolo? Perché è uno dei grandi libri della letteratura italiana?

IX. GIOVANNI BOCCACCIO

1. Ebbe una vita felice e spensierata Giovanni Boccaccio, che si suole chiamare Giovanni della Tranquillità? Dove nacque? Fu figlio legittimo? In memoria di chi il padre gli diede il nome di Giovanni? 2. Fu ben trattato nella corte di Napoli? Chi era il re la cui generosità rendeva possibile l'esistenza di quella corte? 3. Chi era Maria d'Aquino? Con quale nome Boccaccio ne fa l'eroina del suo romanzo *La Fiammetta?* È importante questo romanzo? Perché? 4. Fu presente il Boccaccio alla peste che decimò Firenze nel 1348? Quale effetto ebbe la peste sulla vita economica di Firenze, a giudicare dal crollo della banca dei Bardi e dei Peruzzi? Che effetto ebbe questo crollo sulla vita del Boccaccio? 5. Dove descrive il Boccaccio la peste del 1348? 6. Chi sono i protagonisti del *Decameron?* Sono persone del popolo o dell'aristocrazia? È popolare lo stile del Boccaccio? 7. Perché si chiama *Decameron* (o dieci giornate) il libro del Boccaccio? 8. Quali temi vi sono trattati? 9. È giusto fare di Boccaccio un naturalista puro? 10. Fu Boccaccio un uomo di grande cultura? Fu felice la vita del Boccaccio come letterato? Che cosa facevano i letterati? 11. Quali corti visitò il Boccaccio e con quali celebri uomini del suo tempo ebbe relazione? 12. Fu grande l'ammirazione che il Boccaccio ebbe per Dante? Con quali opere la mostrò? 13. Quali opere giovanili scrisse il Boccaccio per la corte di Re Roberto? Quale è il carattere di questi poemi? 14. Era chiara a quel tempo la linea di divisione fra dottrina e fantasia? Difese Boccaccio le opere di immaginazione? Perché dovette farlo con estrema moderazione? 15. In quali opere ci mostra il Boccaccio l'apparire della mentalità che è tipica degli uomini di oggi? È il libro *Delle donne illustri* un documento di questa mentalità? Non è nuovo anche lo spirito del *Decameron?* Perché?

X. FRANCESCO PETRARCA

1. *Continui le seguenti frasi:* L'amore dei grandi poeti non fu fortunato. Dante amò . . . Boccaccio amò . . . Petrarca amò . . . Il loro amore non fu . . . (contraccambiare). La loro poesia racconta . . .

2. Quali culture si incontrano nello studiare la letteratura del secolo XIII e del XIV? 3. Con quale cultura ha relazione Nicola Pisano? Con quale la *Vita Nuova* di Dante ed il *Canzoniere* di Petrarca? Con quale le opere di erudizione del Boccaccio? 4. I Bianchi erano i Ghibellini di Firenze. I Neri erano i Guelfi della stessa città. Era Nera la famiglia di Dante e di Cavalcanti? Era con i Neri o i Bianchi Dante? 5. In quale anno furono scacciati da Firenze i Bianchi? Quali illustri esuli andarono in esilio? 6. Quale differenza esiste nel gusto e nel carattere fra la generazione di Dante e quella del Petrarca? 7. Fu erudito Dante? Erano eruditi il Petrarca ed il Boccaccio? 8. Da quali opere sperarono fama Petrarca e Boccaccio; da quelle latine o da quelle in volgare? Ebbe Dante questa illusione? 9. Quando e perché andò in Italia Chaucer? Ammirò egli le opere di Dante, del Boccaccio e del Petrarca? 10. Descriva la vita del Petrarca, figliuolo di esule, in varie città. Quale corte attirò il Petrarca ad Avignone? 11. In quale lingua furono scritte la maggior parte delle opere del Petrarca? Che cosa sono le *Epistole?* Che cosa è l'*Epistola ai posteri?* Che cosa è il *De Viris Illustribus* ed il *Rerum Memorandarum?* 12. Fu classico o ascetico il contenuto delle opere giovanili scritte in latino? Fu classico o ascetico il contenuto delle opere latine scritte nella maturità e negli ultimi anni? 13. Con quali illustri famiglie ebbe intime relazioni il Petrarca? 14. Quale è l'opera a cui il Petrarca deve la sua fama? Quando la scrisse ed in quale anno le diede la forma finale? Quale tradizione continuò il Petrarca nel *Canzoniere?* 15. In onore di chi fu scritto il *Canzoniere?* Come vi è ritratta Laura? Amò il Petrarca la vita propria e del suo tempo o tentò sempre di isolarsi da essa alla guisa dei pessimisti e degli asceti di ogni tempo?

XI. MASACCIO

1. *Continui le seguenti frasi:* Con Masaccio entriamo nel secolo . . . Il secolo XV si chiama anche il . . . 2. Il più grande pittore prima di Masaccio fu . . . La pittura prima di Giotto si chiamava . . . Il maestro di Giotto fu . . . La fama di Giotto oscurò quella di . . . 3. In Giotto l'anatomia della figura umana è . . . A confronto di Giotto il disegno

di Masaccio è più . . . Il panneggiamento di Masaccio è più . . .
I colori sono più . . .; le tonalità sono più . . . 4. Brunelleschi e
Donatello, contemporanei di Masaccio, furono . . . 5. Dove si trovano
i primi affreschi di Masaccio? In quale chiesa si trova l'affresco che
rappresenta la cacciata di Adamo e di Eva dal Paradiso Terrestre?
6. Quale è il tema centrale di questo affresco già sbiadito ma sempre
straordinario? 7. Perché Masaccio andava sempre trasandato e sembrava lontano dal mondo e dagli uomini? 8. A quale arte o gilda si
era iscritto Masaccio nella gioventù? A che cosa corrispondono le arti
o gilde nei tempi moderni? 9. Per quale chiesa dipinse Masaccio
il quadro, uno dei pannelli del quale fa parte della collezione A. F.
Sutton di Londra? 10. Come si chiama il quadro che si ammira nella
Galleria Nazionale di Napoli? 11. Quale è la figura centrale di questa
grande opera? 12. Chi era Maria Maddalena? Perché l'artista l'ha
dipinta con le spalle voltate verso chi guarda? Non fa maggiore
effetto la rappresentazione di emozioni intraviste e lasciate all'immaginazione di chi osserva? 13. Quale è il maggiore contributo che
Masaccio ha dato alla pittura del suo tempo? 14. Perché le sue figure
sono tecnicamente più complesse di quelle dei pittori che lo precedettero? 15. Perché il Cristo di Masaccio è più ricco di umanità del
Cristo dei Bizantini? Era l'anima di Masaccio più ricca e complessa
di quella dei pittori che lo precedettero?

XII. FRA ANGELICO

1. *Continui le seguenti frasi:* Il vero nome di Fra Angelico prima
di entrare nella vita religiosa era . . . Quando entrò nell'ordine domenicano prese il nome di . . . 2. Ebbe di natura un temperamento . . .
Nacque di famiglia . . . Quando faceva molto caldo a Roma, andava
a . . . Cosimo de' Medici lo incaricò di . . . 3. Le sue figure, specialmente i suoi angioli, hanno un carattere . . . 4. Dipinse non solo sul
legno, ma anche in . . . 5. La *Madonna dei Linaiuoli* è secondo la
maniera di . . . Anche il *Bambino* è secondo . . . 6. Gli angeli
hanno . . . Nell'affresco di *Pietro Martire*, questi invita al . . . 7. Perché i contemporanei diedero a fra Giovanni il nome di Angelico?
8. Si fece frate perché obbligato dalla povertà o per vera inclinazione

verso il misticismo e la vita monastica?   9. Che cosa dice la leggenda
del suo modo di dipingere?   Quale è il carattere dei suoi angeli?
10. A quale età morì fra Angelico?   11. In quali città si trovano i
quadri e gli affreschi del buon frate?   12. Chi lo invitò a lavorare
nel convento di San Marco?   Perché *Pietro Martire* è rappresentato
con il dito sulle labbra?   Descriva la lunetta sulla porta della Forestiera.   13. Chi lo chiamò a dipingere a Roma?   Dove andava a
lavorare quando il caldo a Roma diveniva eccessivo?   Che cosa è la
cappella Niccolina?   14. Descriva la *Madonna dei Linaiuoli* e dica in
che anno fu dipinta e chi gliela fece dipingere.   15. Dove si trova
l'opera più complessa e perfetta di questo grande pittore?

XIII. FRA LIPPO LIPPI

1. Descriva il temperamento di fra Lippo Lippi.   Descriva anche il
suo animo e la sua natura.   2. Quale era il vero nome di Giotto?
Quale era il vero nome di Masaccio?   E quello di fra Angelico?   Di
quale nome è diminutivo Lippo?   3. Non tutti coloro che amano le
risse e gli imbrogli amano anche i bambini, le piante, gli uccelli. Ma
che cosa ha imparato su Lippo Lippi?   4. Aveva naturale inclinazione
a farsi frate Lippo Lippi?   Aveva inclinazione o vocazione Fra
Angelico?   5. Come si rivela il temperamento differente nelle opere
dei due grandi pittori?   6. A quali affreschi si ispirò Lippo Lippi
rispetto alla tecnica?   Dove si trova l'affresco di Masaccio nel quale
è raffigurato l'angelo che scaccia Adamo ed Eva dal Paradiso Terrestre?   7. In quale anno prese i voti Lippo Lippi?   Quanti anni
aveva?   Quanti anni rimase nell'ordine carmelitano?   8. Quali grandi
maestri seguì Lippo Lippi nella tecnica?   9. Quali temi preferì di
esprimere nei suoi quadri?   10. Descriva le donne e Madonne che il
Lippi amava dipingere.   11. Quale aspetto della Vergine espresse più
d'ogni altro?   12. Dove si trova l'affresco della morte di San Giovanni Battista con la danza della bella Salomè?   13. In quale cattedrale si trova la storia di Santo Stefano?   14. Chi era Filippino
Lippi?   Da chi l'ebbe il padre?   Quale Papa sciolse Lippo Lippi dai
suoi voti?   Chi fu Fra Diamante?   Quale parte ebbe nella vita del suo
maestro Lippo Lippi?   15. Dove fu sepolto il grande pittore?   Chi gli
fece costruire il mausoleo di marmo dove tuttora riposa?

XIV. LUCA DELLA ROBBIA

1. *Continui le seguenti frasi:* Anche Luca della Robbia visse nel secolo . . . 2. I più grandi maestri del Quattrocento furono . . . 3. Abbiamo incontrato i seguenti viaggiatori . . . Abbiamo studiato la vita di un gran santo: . . . Questi fondò l'ordine . . . Abbiamo ammirato un famoso scultore: . . . Abbiamo letto la biografia di quattro uomini di lettere: . . . 4. Dalla forma circolare i lavori in terracotta o i quadri si chiamano . . . Intorno alle figure dei tondi di Della Robbia corrono . . . Il colore che predomina nei tondi di Luca è . . . Lo sfondo è . . . 5. Lo studio dei pittori e scultori del Trecento e Quattrocento si chiamava . . . 6. Descriva la vita modesta del grande Donatello e di Brunelleschi e racconti l'aneddoto delle uova. 7. Quali sono le opere più importanti di Donatello? Quali sono le caratteristiche dell'arte di questo sommo scultore? Che cosa dobbiamo al genio di Brunelleschi? 8. In quali materiali incominciò a lavorare Luca della Robbia? 9. Dove si trova la cantoria in marmo che è in simmetria con quella di Donatello? 10. In che consistette la novità che Luca apportò nell'uso dei materiali per la scultura? Perché è giusto chiamarlo artista veramente democratico? 11. In quale anno incominciò a lavorare in argilla o terracotta? Quali furono i primi lavori che produsse? 12. Perché inventò l'invetriatura resistentissima che copre le sue figure? 13. Quali lavori in terracotta creò per il Duomo di Firenze? 14. In che modo l'arte rimase per quasi un secolo nella famiglia dei Della Robbia? Furono grandi artisti quelli che seguirono le orme di Luca? 15. Chi ha raccontato la vita ed ha per primo studiato l'arte dei grandi pittori italiani del Trecento e del Quattrocento?

XV. ANDREA MANTEGNA

1. Chi erano i Bellini? Come si chiamava il vecchio Bellini, la cui figliuola sposò Andrea Mantegna? Come si chiamavano i suoi grandi figliuoli? 2. Con chi studiò il Mantegna, e che differenti effetti ebbe il classicismo sopra il maestro e l'alunno? 3. Quale grande scultore si ispirò al classicismo senza che questi contatti offendessero la sua originalità? 4. Non fu Dante originalissimo benchè si servisse di

molti elementi classici nella *Commedia?*   5. Che differenza passa fra
i veri artisti e coloro che copiano?   6. Quali effetti ebbe il classicismo
su Mantegna?   Quali effetti ebbe sul suo fortissimo *Cristo morto?*
Quali effetti ebbe nel bellissimo affresco della morte di San Giacomo
a Padova?   7. In quali musei stranieri si ammirano le opere di
Mantegna?   8. Quali soggetti preferì dipingere il Mantegna?   9. Quale
meta si prefisse il Mantegna nella sua arte?   Era differente questa meta
da quella di Masaccio e dei grandi maestri che lo precedettero?
10. Per quale famiglia principesca lavorò specialmente il Mantegna?
11. Che cosa dipinse a Mantova?   Quali membri della famiglia Gonzaga rappresentò nel famoso Castello di Corte?   12. Che cosa rivela
in questi affreschi l'istinto di osservazione del Mantegna?   13. Descriva
il soffitto della Camera degli Sposi, prendendo in considerazione la
forma dell'affresco del Mantegna come pure le donne e gli amorini
che vi ha raffigurati.   14. Perché Mantegna si può chiamare un grande
ritrattista?   15. Quali aspetti della vita umana amò glorificare il
Mantegna nei suoi quadri, mitologici o religiosi che fossero?

XVI. LUCA SIGNORELLI

1. Dica quali temi preferiva Luca Signorelli. Riusciva bene nei temi
intimi e familiari? Riuscì bene nella *Sacra Famiglia* della Galleria
degli Uffizi?   2. Dove apprese l'amore del nudo?   Quale città e
quale corte gli insegnarono l'uso dei soggetti mitologici nella pittura?
3. Descriva la Firenze della fine del Quattrocento e dica se non è
dovuto al difetto di generalizzare chiamarla mondana e voluttuosa.
4. Dica se Le pare giusto chiamare mondana e voluttuosa la vita della
borghesia fiorentina che era fortemente democratica.   5. Dica se è
giusto applicare tale denominazione a Girolamo Savonarola che combatté fino alla morte la mondanità e la corruzione voluta dai Medici.
6. A quale ambiente si possono applicare questi due aggettivi?   7. Descriva il temperamento di Luca Signorelli e dica se le sue idee lo
avvicinano a Fra Girolamo o a Lorenzo de' Medici.   8. Perché l'arte
di Signorelli è profondamente morale?   Che cosa ha osservato Signorelli nella vita umana?   9. Quale è l'opera nella quale egli ha rivelato
la pienezza del suo genio e della sua arte?   10. In quali anni lavorò
agli affreschi che rappresentano la figurazione della fine del mondo?

11. Con quali maestri studiò a Firenze? Quale effetto ebbe il Verrocchio, che fu specialmente scultore, su di lui? Dica come le figure degli affreschi di Orvieto mostrano la presenza dell'insegnamento del Verrocchio. 12. Chi gli insegnò lo studio della prospettiva? 13. Da chi prese l'ispirazione dell'oltretomba? 14. A quale pittore, anch'egli alunno del Verrocchio, fa pensare l'arte del Signorelli in questo affresco? Non si può considerare il Signorelli un precursore di Michelangelo? 15. Che cosa ci dice Vasari sulla biografia di questo grande genio apocalittico?

XVII. CRISTOFORO COLOMBO

1. *Continui le seguenti frasi:* I viaggi che si fecero alla fine del secolo XV furono . . . Le esplorazioni di quel tempo furono . . . I viaggiatori del tempo furono mossi da due ragioni . . . I Turchi nel 1453 . . . Questo rendeva impossibile ai mercanti . . . Nei secoli anteriori l'oro era affluito in Italia. Adesso l'oro . . . 2. La lana inglese era . . . Firenze esportava all'Inghilterra . . . Il tenore di vita dei signori italiani era . . . L'economia italiana nei secoli anteriori era . . . Adesso l'Italia tornava verso . . . Alla fine del secolo XV si ricercarono due rotte diversissime per arrivare all'oriente: . . . 3. Gli esploratori italiani di quel tempo furono: . . . Giovanni Caboto esplorò . . . Giovanni da Verrazzano esplorò . . . Amerigo Vespucci esplorò . . . 4. Quale era la meta di Colombo e quale era il suo piano per raggiungerla? 5. Chi fu lo scienziato che intuì la possibilità della nuova rotta? Dove nacque Colombo e quale fu la sua fanciullezza? 6. Su quale libro e su quali mappe meditò il Colombo la sua difficile impresa? 7. Era pericoloso navigare il Mediterraneo al tempo di Colombo? Quali pericoli si correvano a giudicare dal fatto che Colombo dovette rifugiarsi nel Portogallo? 8. Per chi si offrì Colombo ad esplorare la rotta per le Indie? Dove andò dal Portogallo con il figlioletto Diego? 9. Chi presentò Colombo a Ferdinando ed Isabella? Fu ben accolta l'idea del progettato viaggio? Che cosa conclusero i membri della commissione reale? 10. Da dove partì Colombo? Quante navi gli furono date dai Re Cattolici? Quali? Quanti uomini di equipaggio aveva? 11. Quale bandiera fu issata da Colombo sulla nuova terra scoperta? Dove credeva di essere arrivato? 12. Quante

volte attraversò l'Oceano Atlantico e come fu trattato dal governo
spagnuolo? Fu Colombo un romantico sognatore?

XVIII. NICCOLÒ MACHIAVELLI

1. Parli della situazione politica in Italia alla fine del Quattrocento.
Dica quali erano i due partiti principali.   2. Dica quali erano i doveri
del segretario della repubblica a Firenze, e mostri che cosa fece e ciò
che scrisse Machiavelli quale segretario della repubblica.   3. Discuta
le idee di Machiavelli sulle truppe mercenarie, sulla milizia nazionale,
sulla libertà, sulla vita politica e sulla storia.   4. *Continui le seguenti
frasi:* Il determinismo storico di Machiavelli è basato su . . . Machiavelli esamina la vita politica indipendentemente da considerazioni . . .
Secondo Machiavelli il fattore principale nella storia è . . . Crede
anche che il caso o la fortuna . . .   5. Quale differenza vi era fra il
governo dei Medici e quello della vecchia repubblica?   6. Quale parte
ebbe Carlo VIII di Francia nella proclamazione della repubblica nel
1494? Chi fu a capo della repubblica fino al 1498? Chi divenne
segretario di essa in quell'anno?   7. Quale fu l'effetto sull'Italia del-
l'alleanza della Spagna e della Germania contro la Francia? Quale
partito rappresentava la Francia e quale la Spagna e la Germania?
Che cosa avveniva nelle città italiane quando vinceva la Francia? Che
cosa avveniva con la vittoria della Spagna e della Germania?   8. Con-
siglia Machiavelli al suo principe di essere crudele o piuttosto di
contare sul favore del popolo?   9. Amava Machiavelli la vecchia
repubblica fiorentina che servì con devozione e sacrificio?   10. In
quali libri dedica pagine appassionate alla repubblica?   11. Credeva
Machiavelli che le repubbliche indipendenti potessero continuare ad
esistere nel secolo XVI?   12. Si può dire che Machiavelli fu il profeta dell'unità italiana? Perché?   13. Quali sono le opere di carattere letterario scritte da Machiavelli? Dove e quando le scrisse?

XIX. LEONARDO DA VINCI

1. *Continui le seguenti frasi:* Leonardo visse a cavaliere . . . Fu
l'incarnazione più perfetta di . . . Nel secolo XV e nel XVI apparve

un numero incredibile di . . . Leonardo fisicamente fu . . . Fu allo
stesso tempo . . . Studiò con . . . Emigrò in Francia nel . . . Morì
in Francia nel . . .   2. Il suo libro *Pensieri* è il . . .   3. Il termine "natura" aveva per Leonardo . . .   4. Leonardo ammirava gli
Antichi come li ammiravano . . .   5. Ripeta ed impari a memoria i
detti memorabili di Leonardo sullo spirito dell'uomo e sulla ragione.
Spieghi perché si può dire che Leonardo è il precursore di Descartes
e degli idealisti moderni.   6. Mostri la differenza fra la venerazione
degli Antichi di Leonardo e quella tutta formalità e convenzione dei
falsi umanisti.   7. Ripeta ed impari a memoria i detti di Leonardo
sull'autorità degli Antichi e sulla potenza creatrice dell'intelletto
umano.   8. Mostri, con l'esempio dei grandi uomini da noi studiati, i
due gruppi degli umanisti: i veri ed i falsi. Dica a quale gruppo
appartenevano Nicola Pisano, Dante, Mantegna, Leonardo.   9. Quando
visse Leonardo? In quali corti italiane e straniere fu accolto?   10. Chi
fu il suo primo famoso maestro?   11. Quali grandi artisti vissero al
tempo di Leonardo? Chi erano i più grandi mecenati a quel tempo?
Quali mecenati ebbe Leonardo?   12. Quale differenza vi era fra il
significato che Leonardo dava alla parola "natura" e quello che le
davano i filosofi tradizionalisti?   13. Che significava "contemplare la
natura" per Leonardo? Era un'attività attiva o passiva?   14. Quali
sono le opere più famose di Leonardo pittore? Quale è il carattere
del paesaggio e della figura umana nei suoi quadri?

XX. TEOFILO FOLENGO

1. *Continui le seguenti frasi:* Teofilo Folengo fu frate come lo furono . . . Non si distinse nella musica come . . . Non eccelse nella
pittura come . . . Non fu un gran mistico come . . .   2. Folengo fu
. . . (poeta, musico, pittore). Creò una nuova lingua, miscuglio originale di latino e d'italiano, che si chiama . . . Scrisse . . .   3. Folengo
era vero umanista ed era sinceramente religioso. Per questo disprezzava . . . Uomo e figlio della natura, riconosceva i legittimi diritti . . .
4. Quali grandi uomini abbiamo incontrati che appartennero ad un
ordine religioso?   5. A quale ordine appartenne Teofilo Folengo
(francescano, domenicano, benedettino, carmelitano)?   6. Presso quale

famiglia si rifugiò dopo di aver abbandonato il convento? Come si
guadagnò la vita? Dove finì i suoi giorni?   7. In quale opera descrive
la guerra fra le mosche e le formiche? Che cosa descrive nel *Baldus?*
8. Che cosa rappresenta Baldo?   9. Chi sono i suoi compagni? Dove
ha fine il loro viaggio?   10. Sotto quale nome è conosciuto Folengo
nella tradizione anglosassone?   11. Che cosa è l'*Orlandino?* Di quali
poemi si burla il Folengo?   12. Chi erano Orlando e Rinaldo già
cantati da Luigi Pulci, poeta di gusto popolare benché vivente nella
corte dei Medici?   13. Chi sono gli scrittori con i quali condivide
l'irrequietezza ed il risentimento contro il carattere artificiale della
società del secolo XVI?   14. A quale autore francese, egualmente
strambo ed originale, e come lui antisociale, fa pensare il Folengo?

XXI. LUDOVICO ARIOSTO

1. *Finisca le seguenti frasi:* L'opera più importante di Ludovico
Ariosto è . . . Ludovico Ariosto è . . . Ancor oggi il popolo . . .
2. L'Ariosto scrisse anche tre commedie . . . Le scrisse per . . . In
relazione a Plauto sono . . .   3. Le satire dell'Ariosto ironizzano . . .
4. Nell'*Orlando Furioso* l'Ariosto cantò . . .   5. Il contenuto vero e
profondo del poema è duplice . . .   6. Dica quali fra i grandi uomini
che abbiamo incontrati disprezzavano i falsi letterati.   7. Dica dove si
trova usata per la prima volta la parola "umanista" in cattivo senso.
8. Spieghi per quale ragione l'Ariosto, poeta di corte, scrisse l'*Orlando
Furioso.*   9. Dica che cosa ci insegna l'Ariosto sulla vita in generale
ed in che consiste la vera saggezza.   10. Ha una gran parte l'ironia
nell'*Orlando Furioso?* Come è ironizzato dal poeta il tema dell'a-
more?   11. Quali poeti precedettero l'Ariosto nel trattare le lotte fra
Saraceni e Cristiani?   12. Quali sono i principali personaggi del-
l'*Orlando?* Quali ne sono le principali eroine? Come ama Fiordiligi
il suo Brandimarte e come ama Angelica il povero Orlando?   13. In
quale senso si può dire che l'*Orlando* è un romanzo moderno? Perché
Angelica si può chiamare un'eroina moderna?   14. Quali erano i
capostipiti leggendari della famiglia d'Este? Come li presenta l'Ariosto?   15. Quali relazioni ebbe l'Ariosto con la famiglia d'Este?

XXII. BENVENUTO CELLINI

1. Con quali metalli lavoravano gli artisti del Rinascimento? 2. Era possibile che le persone del popolo comprassero oggetti di oro e di argento? 3. Chi fu l'artista che si servì dell'argilla invece che dell'oro e degli altri metalli preziosi? 4. Quale differenza passava fra il cesellatore e lo scultore? 5. In quale anno nacque ed in quale anno morì il Cellini? In quale secolo visse? 6. Quale opera del Cellini cesellatore ed orafo ci è rimasta? Dove si trova? 7. Ebbe un temperamento tranquillo il Cellini? Fa pensare al temperamento di Angelico o a quello di Lippo Lippi? 8. Quale differenza si osserva fra Cellini uomo e Cellini artista? 9. Quale è il suo capolavoro nella scultura? In quale piazza di Firenze si trova? Che cosa rappresenta? 10. In quale famoso assedio si trovò il Cellini nell'anno 1527? Chi fu responsabile di quell'assedio e del saccheggio che lo seguì? Quale parte vi prese il Cellini? 11. Quali furono le relazioni fra Clemente VII ed il Cellini? Quale ufficio ebbe a Roma il Cellini durante il pontificato di Clemente VII? 12. Racconti l'episodio della fuga da Castel Sant'Angelo; dica chi lo fece liberare e dove cercò rifugio il Cellini. 13. Chi si trovava nella corte di Francesco I di Francia al tempo che vi andò il Cellini? 14. È la *Vita* un libro di storia o un'opera d'immaginazione? Che cosa vi racconta l'autore? Fino a quale anno racconta gli avvenimenti della sua esistenza avventurosa? 15. Quali pregi di lingua e di stile ha la *Vita* del Cellini? Quale valore ha come documento delle condizioni del secolo XVI e come ritratto di insigni uomini del tempo?

XXIII. MICHELANGELO BUONARROTI

1. Spieghi perché Michelangelo è considerato un genio universale. 2. Spieghi la differenza nella relazione fra uomo ed artista che si osserva in Cellini ed in Michelangelo. 3. Parli della situazione politica in Italia rispetto al partito democratico, rappresentato dalla Francia, ed a quello imperialista, rappresentato dalla Spagna. Dica con quale partito era Michelangelo. 4. Spieghi quale fosse per Michelangelo la funzione dello scultore dinanzi al blocco di marmo.

5. Ripeta ed impari a memoria il detto di Michelangelo sulla pittura.
6. Ripeta ed impari a memoria i versi di Giovanni Strozzi sulla *Notte*
di Michelangelo. Ripeta ed impari a memoria la risposta di Michelangelo.   7. Quali sono le costruzioni che dobbiamo a Michelangelo
architetto?   8. Perché è celebre il Palazzo Farnese? Chi collaborò
con lui? Dove si trova la bellissima sagrestia di San Lorenzo?
9. Come soleva firmarsi Michelangelo? Perché? Quale è il carattere
della *Pietà?* del *Mosè?* del *Davide?*   10. Dove si trova il *Mosè?*
È degna della grande statua la chiesa di San Pietro in Vincoli? Chi
rappresenta il *Mosè?* Che cosa fece Michelangelo secondo la leggenda
quando finì la statua?   11. Quale è l'opera più grandiosa di Michelangelo pittore? Quando dipinse la volta della Cappella Sistina e
quando la parete dove è l'altare maggiore?   12. Chi gli fece concedere la commissione degli affreschi della volta? Con quale speranza?
Chi era Papa a quel tempo?   13. Quali circostanze sono degne di
memoria riguardo all'impalcatura e riguardo al cibo ed al riposo di
Michelangelo durante gli anni nei quali dipinse il soffitto della Sistina
ed il *Giudizio Universale?*   14. Che cosa raccontò Michelangelo negli
affreschi della Sistina? Perché dipinse intorno all'azione principale le
figure dei Profeti e delle Sibille?   15. Quali sono le proporzioni del
Giudizio Universale? Quanti anni aveva Michelangelo quando lo
dipinse? Per quanti anni vi lavorò? Che cosa avvenne a Messer
Biagio da Cesena per aver criticato Michelangelo a causa delle figure
nude che vi aveva dipinte?

XXIV. TIZIANO VECELLIO

1. *Completi le seguenti frasi:* Tiziano morì ad una tarda età. Aveva
. . . anni. Il disegno di Tiziano è . . . I colori sono . . . Gli sfondi . . .
2. Al tempo di TizianoVenezia era . . . Fra i suoi figliuoli, egli predilesse . . . Lavinia fu la modella per . . .   3. Passò la sua vita nella
fastosa e mondana . . . Morì di peste nell'anno . . . Fu seppellito . . .
4. L'amico più intimo di Tiziano fu . . . Lavorarono insieme a . . .
Altri amici di Tiziano furono . . .   5. Parli delle caratteristiche della
Scuola Veneziana. Parli degli sfondi dei quadri di Tiziano, del suo
disegno, e dei suoi colori.   6. Dica chi sono i rappresentanti più

grandi di questa scuola. Menzioni i letterati ed artisti dei quali Tiziano fu amico. 7. Descriva il ritratto del doge Andrea Gritti. Dica per quali prìncipi e re lavorò Tiziano e di quale Papa dipinse un celebre ritratto. 8. In quale parte dell'Italia nacque Tiziano? Con quali pittori studiò nella gioventù? 9. Quali sono le opere più celebri di Tiziano? Dove si trovano? 10. Perché sono celebri le donne di Tiziano? 11. Quale pensiero nobilita la pittura di Tiziano? 12. Chi furono i contemporanei di Tiziano? Quale è il carattere della pittura dei Bellini? E quello di Tiziano e di Giorgione? 13. Dove riposa oggi Tiziano? Quanti anni aveva Tiziano quando morì? Cessò di dipingere quando era ancora giovane? Produsse un gran numero di quadri Tiziano?

XXV. TORQUATO TASSO

1. Parli delle corti del Rinascimento, come è possibile conoscerle studiando la pittura e la letteratura del tempo. 2. Menzioni i più grandi pittori e poeti che ebbero relazione con la corte dei Medici a Firenze e dei Visconti a Milano. Dica di quali artisti furono mecenati i Papi del secolo XV e del XVI. 3. Parli di quella parte della cultura italiana che era convenzionale. Dica in quali ambienti era convenzionale la cultura. 4. *Continui le seguenti frasi:* Un'aureola di Romanticismo fu data al Tasso a causa di . . . I cortigiani solevano offrire alle dame della corte . . . Nella corte degli Este il Tasso conobbe . . . Molti maestri di rettorica nel secolo XVI erano . . . La teoria dell'imitazione impedì . . . Mancava la libertà. I poeti dovevano rispettare . . . 5. I veri personaggi della *Gerusalemme* non sono né Goffredo né i guerrieri. Lo sono . . . 6. Chi aiutò a rendere più plausibile il Romanticismo che circonda la figura del povero Tasso? 7. Quale fu il temperamento del Tasso? Quali furono le circostanze più importanti della sua fanciullezza come del resto della sua esistenza? 8. Perché il Tasso non trovò felicità né tranquillità nella vita di corte? Chi furono le fanciulle da lui cantate nelle sue liriche? 9. Quali sono le opere principali del Tasso oltre le liriche? Quando furono scritte? Sono convenzionali nella forma esteriore? Lo sono nella parte intima dove il poeta rivela se stesso? 10. Quale è la parte convenzionale nel-

l'*Aminta?*   11. Quale à la parte convenzionale nella *Gerusalemme?*
12. Perché furono scritte le due opere?   13. Si interessa il Tasso nella
guerra o nel giuoco delle passioni?   Perché è viva la *Gerusalemme?*

XXVI. GALILEO GALILEI

1. *Continui le seguenti frasi:* Galilei è grande non solo per il suo
genio, ma anche . . . Il padre era versato . . . Voleva che il figlio
studiasse . . . I maestri erano schiavi dell'Aristotilesimo. Galilei
credeva che . . . A Padova si godeva maggiore . . . A Padova passò
gli anni più . . . 2. Galilei rinnovò l'insegnamento di molte scienze: . . .
3. Consideri le condizioni dell'insegnamento universitario nel secolo
XVII alla luce di ciò che ci dice Galilei sull'autorità di Aristotile
nello studio della medicina.   4. Spieghi la teoria di Galilei sul moto
mettendola in contrasto con le idee del suo tempo.   5. Dica con quali
scienziati del suo tempo ebbe relazione Galilei.   6. Dica quale differenza vi è fra il sistema geocentrico di Tolomeo e quello eliocentrico di Copernico.   7. Perché Galilei occupa un posto così importante
nella storia della cultura occidentale?   8. Come si guadagnò il pane
nella gioventù? Che cosa scrisse su Dante, Ariosto e Tasso?   9. In che
consisteva il metodo che Galilei formulò per sé e per noi?   10. Che
cosa aveva scoperto Galilei a Pisa nel campo della fisica? Che cosa
inventò durante i diciotto anni che passò nello Studio di Padova?
11. Quale sistema del mondo era accettato e seguito prima di quello
copernicano? Chi attaccò Galilei quando egli difese il sistema eliocentrico di Copernico?   12. In quale anno fu condannato dal Sant'Ufficio il
Galilei e quali furono gli ultimi suoi anni?

XXVII. GIAMBATTISTA VICO

1. Spieghi perché Vico è generalmente considerato il padre dell'i-
dealismo moderno.   2. Spieghi il postulato del Vico sull'identità del
conoscere con il fare. Verso quale campo dobbiamo indirizzare la
nostra mente?   3. Discuta le tre fasi della storia umana, come la
considera Vico nella *Scienza Nuova.*   4. Spieghi il concetto di storia
di Vico e mostri la differenza che lo separa da Machiavelli.   5. Rifletta

sulla frase "filosofia della storia" alla quale Vico diede un grande contributo. 6. *Continui le seguenti frasi:* Secondo Vico la fantasia diminuisce progressivamente mentre . . . Nell'età degli "uomini," che segue quella degli "eroi," questi furono . . . I Greci scoprirono Giove. I popoli moderni hanno riscoperto . . . Per Vico la fantasia è superiore alla . . . Per Vico la poesia nasce dalla . . . 7. Vico ha del progresso un concetto . . . Crede che ogni età sia . . . 8. Dove nacque il Vico? Quali studi fece? Perché non esercitò l'avvocatura? Quali sono le opere principali di Giambattista Vico? In quale anno fu pubblicata la prima edizione della *Scienza Nuova?* Quante edizioni ne esistono? 9. Quali sono le fasi nelle quali Vico vede divisa la storia della civiltà? 10. Quali furono le conquiste dell'uomo durante l'età degli dei? 11. È possibile secondo Vico di dire che un'età è superiore all'altra? Non è questo un confrontare due cose differenti? Quale valore hanno i miti per i popoli primitivi? Sono storia falsata? 12. Quale movimento letterario preparò il Vico con le sue idee (Classico, Neoclassico, Barocco, Romantico)?

XXVIII. CARLO GOLDONI

1. Discuta le *Memorie* di Carlo Goldoni. 2. Presenti il carattere del Goldoni. 3. Dica quali erano le condizioni del teatro italiano nella prima metà del Settecento. 4. Faccia vedere come il Goldoni si sentì attratto all'arte drammatica fin dall'infanzia. 5. Parli della lotta fra Goldoni e Chiari, fra Goldoni e Gozzi. Chi era più vicino alla teoria del Vico? 6. *Continui le seguenti frasi:* A Venezia vi erano molti teatri. Il primo teatro dove si scritturò il Goldoni fu . . . 7. Varie specie di lavori drammatici si scrissero a Venezia nel Settecento. Pietro Chiari scrisse . . .; Carlo Goldoni scrisse . . .; Carlo Gozzi scrisse . . . 8. Prima del Goldoni il pubblico amava . . . 9. L'anno 1751 fu memorabile nella storia del dramma italiano. Goldoni scrisse . . . 10. Le fiabe furono scritte da . . . *Turandot* è stata messa in musica da . . . *L'Amore delle tre melarancie* è stata messa in musica da . . . 11. Goldoni è più di un fotografo della vita veneziana. In lui si osserva . . . 12. Quando scrisse le *Memorie* il Goldoni? Chi era Donna Nicoletta che occupa una così grande parte

nelle *Memorie?* Dove la conobbe?   13. Come si intitola la celebre
commedia di Machiavelli? Di che tratta *La vedova scaltra?* Di che
tratta *La dama prudente?* Sono drammi psicologici o sono semplice
fotografia della vita veneziana?   14. Quale è il nucleo centrale del-
l'arte di Goldoni? Chi è Mirandolina? In quale commedia appare?
15. In quali commedie introduce Goldoni situazioni nelle quali appare
il tema del "cicisbeismo" e della villeggiatura?

XXIX. VITTORIO ALFIERI

1. Aveva Lei mai sentito parlare di Vittorio Alfieri?   2. Come è
presentato nelle storie letterarie? Come autore di commedie? di
drammi pastorali? di tragedie?   3. Quale posto occupa rispetto al
dramma classico del Settecento?   4. Chi scrisse l'*Aminta?* Chi scrisse
la *Mandragola?* Chi è l'autore della *Locandiera?*   5. Quali sono le
principali tragedie dell'Alfieri?   6. Quali opere di carattere autobiografico abbiamo incontrate finora? Quale è una celebre autobiografia del secolo XVI? Chi scrisse le *Memorie* nel Settecento?
7. Quali sono i problemi che Alfieri presenta nella *Vita*, problemi che
circolano anche nei suoi drammi (democrazia, rivoluzione, tirannide,
tradizione, novità)?   8. Quale fu l'esperienza dell'Alfieri con la rivoluzione francese? Era andato in Francia ben disposto verso la libertà?
Quale era stata la sua condotta verso la monarchia piemontese? 9. Che
differenza vi era fra il Classicismo di Alfieri e quello dei retori? A
chi fa pensare questo precursore del Romanticismo?   10. Quali sono
gli scritti politici dell'Alfieri? Quale prova abbiamo della sincerità
delle sue opinioni politiche? Si interessò nella lotta per l'indipendenza degli Stati Uniti? Quale governo democratico del suo tempo
ammirò?   11. Presenti l'atteggiamento dell'Alfieri verso i suoi contemporanei. Che cosa pensò di Pietro Metastasio? Che cosa scrisse su
Federico II di Prussia? Che cosa sentì rispetto alla Russia, dove
regnava Caterina II?   12. Per quali autori del suo tempo nutrì
amicizia ed ammirazione?   13. Descriva il suo modo di vivere con
particolare attenzione all'amore dei cavalli.   14. Parli dell'amore
dell'Alfieri per la contessa d'Albany. Come si chiamava questa donna?

Chi era? Che cosa fece alla morte dell'Alfieri? 15. Quali caratteristiche si osservano nell'Alfieri che fanno di lui un precursore del Romanticismo?

XXX. ANTONIO CANOVA

1. Parli del movimento culturale neoclassico del Settecento e dell'Ottocento, e nomini gli scrittori ed artisti che vi presero parte. 2. Che cosa credevano sul bello gli uomini di cultura dei secoli XII e XIII? Ammettevano che potesse esistere un tipo di bellezza differente dal classico? 3. Dica quale è la teoria moderna sulle relazioni fra l'epoca e l'arte. Ammettevano gli uomini di cultura del passato che ogni epoca si crea una nuova forma d'arte? 4. In quale secolo fu proclamato il carattere originale dell'arte? 5. Di quale movimento questa credenza fu la parte centrale ed essenziale? 6. Condivisero Goethe, Keats, Shelley, David, Leopardi e Foscolo questa idea del Romanticismo? 7. Dica chi era Gioacchino Winckelmann e quale parte ebbe nel ritorno alle pure origini del Classicismo. 8. *Continui le seguenti frasi:* Antonio Canova fu un . . . (classico, pseudoclassico, popolare, aristocratico, neoclassico, romantico). Anche Alfieri fu . . . Goethe, Keats e Shelley furono . . . In Italia i grandi neoclassici furono . . . 9. Spieghi perché durante l'Impero napoleonico ritornarono di moda le forme classiche. 10. Erano conservatori o liberali i Classicisti ed anche i Neoclassici? Erano conservatori o liberali i Romantici? 11. Dove si trova la tomba a Papa Rezzonico? Era di famiglia umile e povera Clemente XIII? Chi è l'autore delle tombe dei Medici? 12. È ricca di sentimento la scultura del Canova? Quale pensiero predomina nella tomba di Clemente XIII ed in quella degli Stuart? 13. Descriva la posizione del Papa nella tomba a Papa Rezzonico, e quella dell'angelo nella tomba degli Stuart. 14. Quali sono i più bei busti scolpiti dal Canova? Dove si trovano il busto della vestale e quello della dea Ebe? 15. Dove nacque il Canova? Dove fece i suoi studi? Perché andò a Londra? Chi aveva portato a Londra i bellissimi frammenti del Partenone?

XXXI. UGO FOSCOLO

1. Racconti la vita giovanile del Foscolo parlando della nascita, del ritorno a Venezia, della campagna napoleonica, del suo soggiorno in Francia ed in Inghilterra. 2. Racconti la storia di Floriana. Parli dell'animo e del temperamento del Foscolo. 3. Dica su quali temi è intessuta la poesia del Foscolo. 4. Dica se la cultura del Foscolo, che ammira sinceramente il Classicismo, si limitava al conoscimento delle opere classiche. 5. Dica in quale occasione scrisse *I sepolcri*, e quale è il tema fondamentale di questo grande carme. Dica quale è il tema svolto nelle *Grazie*. 6. Foscolo prese parte attiva nelle guerre napoleoniche. Combatté a . . . 7. Foscolo visse anche in . . . Guadagnò molto danaro con . . . Foscolo morì in condizioni . . . È sepolto a . . . 8. Le opere principali del Foscolo sono: . . . 9. *Le ultime lettere di Jacopo Ortis* sono un . . . È un libro . . . *I sepolcri* riflettono . . . *Le Grazie* svolgono il tema . . . 10. Di quale nazionalità era la madre del Foscolo e dove nacque Ugo Foscolo? Perché la madre tornò a Venezia? 11. Quale parte prese Foscolo nelle guerre napoleoniche, e quale fu la sua condotto verso Napoleone che aveva creduto il salvatore dell'Italia? 12. Perché Foscolo è stato chiamato il primo critico della letteratura italiana? 13. Quale differenza esiste fra le prime poesie e le opere dell'uomo maturo, quali *I sepolcri* e *Le Grazie?* 14. Quando furono riportate in Italia le sue ceneri dall'Inghilterra, e dove riposa oggi il grande poeta? 15. Quali opere tradusse in italiano dal greco e dall'inglese?

XXXII. GIACOMO LEOPARDI

1. Parli delle condizioni di molte famiglie nobili ai princìpi dell'Ottocento. 2. Parli della famiglia del Leopardi, mettendo in rilievo il carattere del padre e della madre. 3. Parli dell'adolescenza del Leopardi, riferendosi ai suoi studi. 4. Dica quali specifiche circostanze spinsero il poeta a scrivere le più belle poesie dei *Canti: Il passero solitario, L'infinito, La ginestra.* 5. Dica se il pessimismo del poeta si riflette in forme monotone nei suoi *Canti.* Che cosa crea la varietà in queste mirabili poesie? 6. *Continui le seguenti frasi:* A vent'anni

Leopardi era . . . La madre del Leopardi governava la casa . . .
I genitori erano conservatori. Leopardi abbandonò i princìpi . . .
7. La sua cultura giovanile fu . . . (classica, moderna, inglese, francese). Conobbe . . . Fra le prime opere scrisse . . . 8. La malattia
che gli rese la vita una lenta agonia e l'uccise a trentanove anni fu . . .
9. La conclusione umanitaria del pensiero del Leopardi si trova nella
Ginestra: . . . 10. Chi furono gli amici del Leopardi, i quali lo
consolarono nella sua solitudine e nel suo dolore? 11. Quale opera
rappresenta la sua poesia? Quali opere contengono il suo pensiero?
12. Che cosa è lo *Zibaldone?* 13. Quale è la conclusione a cui il
dolore e l'esperienza del vivere spinsero il grande poeta? 14. Chi è
veramente felice, secondo il Leopardi? Perché l'uomo non può essere
felice? 15. In che cosa mette il poeta la superiorità dell'uomo sulla
natura bruta? In quale forma metrica sono scritti i *Canti?*

XXXIII. ALESSANDRO MANZONI

1. Applichi il termine "classico" al Manzoni. È classico Manzoni
come Sofocle ed i grandi scrittori della letteratura greca e latina?
2. Discuta l'effetto che gli Enciclopedisti francesi ebbero sul pensiero
religioso di Manzoni. 3. Discuta il contenuto e l'atteggiamento degli
Inni sacri, scritti dopo il suo ritorno al Cattolicesimo. 4. Spieghi
perché Manzoni non appartenne ufficialmente al movimento romantico.
5. Racconti il breve intreccio dei *Promessi sposi.* 6. *Continui le
seguenti frasi:* Manzoni è conscio del carattere relativo . . . Non è
un idealista . . . 7. Manzoni lottò aspramente per farsi . . . Fu aiutato
dalla giovane moglie . . . I due goderono una vita familiare molto . . .
8. Il pensiero delle *Osservazioni sulla morale cattolica* circola anche . . .
Manzoni ebbe un concetto . . . della storia. 9. Manzoni scrisse sul
Romanticismo due lettere: . . . 10. Le sue opere maggiori sono: . . .
11. Con quali uomini di lettere ebbe intime relazioni il Manzoni?
Quale relazione ebbe con Cesare Beccaria, con Cesare D'Azeglio, con
Antonio Rosmini, con Giuseppe Verdi? 12. Che cosa ha imparato
sul dramma che dovette osservare nella sua famiglia nella sua giovane
età? 13. Quale è l'idea che anima *Il Trionfo della libertà,* gli *Inni
sacri,* ed *Il cinque maggio?* 14. Si può chiamare romantica la materia

di cui si servì il Manzoni così nei drammi che nei *Promessi sposi?*
15. Quale è l'idea sulla vita e sulla storia che circola in questo famoso
romanzo?

XXXIV. GIUSEPPE VERDI

1. Parli della musica italiana quale la rappresenta Giuseppe Verdi.
2. Dica in quale teatro si danno generalmente i primi lavori musicali
in Italia. 3. Dica quali sono le opere più famose del Verdi e se il
loro carattere si può chiamare romantico. 4. Dica in quale occasione
il Verdi scrisse la *Messa di requiem.* 5. Dica se Verdi subì l'influsso
di Riccardo Wagner nelle ultime opere che scrisse. 6. *Completi le
seguenti frasi:* Il fondatore della musica polifonica moderna fu . . .
Guido d'Arezzo visse nel secolo . . . 7. Giuseppe Verdi fu un grande
musico. Fu anche un uomo di . . . Nacque a . . . nell'anno . . . Morì
nel . . . 8. Ebbe una vita . . . (breve, lunga). La vita del Verdi non
fu felice. Perdé . . . 9. Le prime opere del Verdi furono di carattere romantico: sfondi storici, passioni violente, tragiche morti. Esse
furono: . . . 10. *I Vespri siciliani* e *Simone Boccanegra* non sono . . .
Aida fu cantata al Cairo in Egitto per celebrare . . . 11. Le ultime
opere del Verdi furono . . . 12. Che cosa ha imparato sul carattere
del Verdi e sulla sua integrità? Come lo pagava l'editore Ricordi per
ogni nuova opera che scriveva? 13. Da quali letterature straniere
prese Verdi i libretti per le sue opere? 14. Credeva che la musica
fosse sufficiente al buon esito dell'opera, o curava attentamente egli
stesso la trama del libretto, i costumi e la perfetta esecuzione del-
l'opera? 15. Chi lo aiutò a preparare il libretto dell'*Otello* e del
Falstaff? Da chi presero il libretto di queste due opere famose e
nuovissime?

XXXV. GIOVANNI VERGA

1. I grandi narratori del secolo XIX sono . . . 2. In Italia il creatore del romanzo moderno fu . . . 3. L'arte del Verga è ancora più
intima di quella di . . . Essa è più vicina . . . 4. L'arte del Manzoni
è più . . . 5. Verga nacque in . . . Visse a . . . La Sicilia ha una

gran parte nel suo romanzo: quella di . . . 6. Dica quali furono i grandi romanzieri del secolo XIX in Europa. 7. Descriva l'arte del Verga, rispetto a quella del Manzoni. 8. Dica quali scrittori francesi gli servirono di modello nei romanzi giovanili. 9. Discuta l'importanza della novella *Nedda* nella storia letteraria italiana. 10. Parli degli ideali che il Verga esalta nel suo gran romanzo, *I Malavoglia*. 11. Quale romanzo, scritto all'inizio dell'Ottocento, studiò attentamente il Verga? 12. Quale differenza vi è fra il concetto dell'esistenza umana di Manzoni e quello del Verga? Quale è più religioso? 13. Quale novella segnò il passaggio dal romanzo passionale a quello intimo e psicologico? 14. Quali sono le raccolte di novelle sulla vita degli umili Siciliani? 15. Quale è il romanzo più importante scritto dal Verga? Quali sono le caratteristiche di questo gran libro?

XXXVI. GIOSUÈ CARDUCCI

1. Quali scrittori e poeti del secolo XIX (o dell'Ottocento) abbiamo studiati finora? 2. Quali scrittori e poeti del secolo XIV (o del Trecento) abbiamo studiati finora? 3. Quali scrittori e poeti del secolo XVI (o del Cinquecento) abbiamo considerati finora? 4. Quali scrittori e poeti del secolo XVIII (o del Settecento) abbiamo presi in considerazione finora? 5. Chi furono i due più grandi romanzieri del secolo XIX (o dell'Ottocento) in Italia? 6. A quale poeta danno i critici la gloria di essere il più grande poeta dell'Ottocento? Chi considerano il più grande scrittore di quell'epoca? 7. Parli dell'educazione che ricevette il Carducci. Nomini i libri che gli diedero a leggere quando era ragazzo. 8. Quale effetto ebbe su di lui la lettura dei Classici? 9. Ricordi quello che abbiamo detto sul Neoclassicismo del secolo XVIII e dei princìpi del secolo seguente. 10. Dica chi era Winckelmann, e nomini i poeti europei neoclassici del primo Ottocento. 11. È bene prendere letteralmente ciò che il Carducci giovane scrisse sull'Italia del suo tempo? 12. Dica quali poeti stranieri egli conobbe, studiò e tradusse. 13. Quali epoche attrassero specialmente il Carducci, e perché? 14. Faccia il confronto fra l'*Inno a Satana* e *La chiesa di Polenta*. 15. Quale è la parte viva nella poesia del Carducci? Chi furono i suoi due poeti prediletti? Quale era per il Carducci la meta dell'esistenza umana?

XXXVII. ANTONIO FOGAZZARO

1. *Continui le seguenti frasi:* Anche Fogazzaro, come Verga, fu . . .
Nacque a . . . nell'anno . . . Morì nell'anno . . . 2. In politica, in
arte ed in religione aveva idee . . . Voleva che l'Italia politicamente . . .
Voleva che l'Italia culturalmente . . . Nel campo religioso si unì
ai . . . 3. Il suo romanzo modernista è il . . . , che fu scritto nel-
l'anno . . . 4. Le figure secondarie, come nel romanzo del Manzoni,
hanno . . . 5. Il tema della fede appare nei seguenti romanzi del
Fogazzaro: . . . 6. Dica quali opere scrisse il Fogazzaro nel periodo
giovanile, e quale carattere le distingue. 7. Parli brevemente su
Malombra e dica chi è Marina. 8. Faccia il contrasto fra Marina e
Luisa, l'eroina di *Piccolo mondo antico.* 9. Metta in rilievo il patriot-
tismo del Fogazzaro nella vita ed in questo romanzo. 10. Metta in
rilievo il tema della rinuncia nei romanzi di Fogazzaro. Dica quali
scrittori del suo tempo si servivano del tema morale in modo ben
diverso. 11. Quali romanzieri del secolo XIX abbiamo nominati?
12. A quale partito politico appartenne il Fogazzaro? 13. Che cosa
desiderava nel campo religioso? 14. Quali libri riflettono il suo
pensiero religioso? Quali il suo pensiero politico? 15. Quale è il
nucleo centrale di *Piccolo mondo antico?* Quali idee politiche e religiose espose nel *Santo?*

XXXVIII. GUGLIELMO MARCONI

1. Parli del contributo che Marconi ha dato alla scienza elettromagnetica del nostro tempo. 2. Dica se è giusto fare di Marconi un
opportunista nel campo dell'elettromagnetismo. 3. Indichi quali scoperte egli fece in questo campo. 4. Dica quando avvennero le prime
trasmissioni senza fili. 5. Dica chi ricevette il premio Nobel per la
letteratura nel 1906, ed in quale anno lo ricevette il Marconi per la
fisica. 6. *Completi le seguenti frasi:* La madre di Marconi era . . .
Si chiamava . . . Marconi parlava perfettamente . . . Servì di anello
di congiunzione fra . . . 7. Il suo maestro fu . . . I suoi predecessori,
in Italia ed all'estero, furono: . . . 8. Clerk-Maxwell, Hertz e Righi
scoprirono le vibrazioni . . . 9. L'invenzione della telegrafia senza
fili è un'opera umanitaria perché . . . 10. Dal 1919 alla sua morte

visse sul mare nel suo yacht Elettra, solo con . . . 11. Quali onori ricevette il Marconi durante la sua vita? 12. Quali furono le relazioni fra Augusto Righi ed il Marconi? 13. Quali studi e scoperte di scienziati stranieri ed italiani preparano il terreno alla scoperta del Marconi? 14. Perché gli apparecchi della telegrafia senza fili furono installati contemporaneamente in Inghilterra ed in Italia? 15. Perché l'invenzione della telegrafia è così necessaria nella vita moderna?

XXXIX. GIACOMO PUCCINI

1. *Continui le seguenti frasi:* Giacomo Puccini fu preceduto nell'opera da . . . La musica italiana è musica . . . Quella di Puccini è fatta di . . . La regina Margherita di Savoia fu . . . Puccini le dedicò . . . Fu data a . . . nell'anno . . . Tutte le opere di Puccini raccontano storie . . . 2. Descriva la vita di Puccini nella sua villa fra i suoi amici, e dica come componeva le sue opere. 3. Racconti come nacque l'opera *Madame Butterfly*. 4. Mostri la differenza che passa fra la musica di Verdi e di Puccini ed una gran parte di quella che si chiama "musica moderna." 5. Dica quali sono i personaggi principali dell'opera *Tosca*, e quali sono le arie più belle. 6. Quale è la caratteristica di molta della musica moderna? Non esisteva, sotto altre forme, musica che è solo ricerca stilistica anche al tempo di Palestrina, di Bach e di Chopin? 7. Quali sono le opere più belle di Puccini? 8. Quali caratteristiche si osservano nei libretti che egli musicò? 9. Quali relazioni ebbe Puccini con gli Stati Uniti? 10. Da quale libro è stata presa l'opera *Turandot?* 11. Perché nel 1904 *Madame Butterfly* non fu ben ricevuta a Milano dove fu cantata per la prima volta?

XL. BENEDETTO CROCE

1. Spieghi perché il Croce ha ripudiato così il comunismo che il fascismo. 2. Dica chi guidò il Croce nei primi studi. 3. Discuta la parte che Croce ha avuta nella vita politica italiana. 4. Discuta l'atteggiamento realista del Croce verso la vita umana. Che cosa è reale per lui? Separa Croce l'ideale e l'attuale come facevano i filosofi del

passato?   5. Dica quali relazioni ebbe il Croce con Giovanni Gentile.
6. *Continui le seguenti frasi:* Benedetto Croce, ad ottantatré anni, ancora pubblicava . . . Fondò la *Critica* nel . . .   7. Croce ha curato le
opere di . . . Ha studiato in modo speciale due filosofi: . . .   8. Le
opere principali del Croce sono: . . .   9. Croce si è interessato non
solo nella letteratura italiana ma anche . . .   10. Dove nacque il
Croce? Dove dimorò? Quanti anni aveva nel 1952?   11. Chi era
Antonio Labriola e chi era Francesco De Sanctis?   12. Quale è l'opera
più importante di Croce in relazione all'arte?   13. Quali opere storiche ha scritte?   14. Su quali scrittori stranieri ha scritto saggi
critici importantissimi?   15. Come distingue il Croce fra la storia
considerata come "atto" e la storia considerata come "idea" di chi
studia i fatti avvenuti?

XLI. GRAZIA DELEDDA

1. Descriva la persona e le qualità personali di Grazia Deledda.
2. Spieghi come il termine "rievocazione della Sardegna" si applica ai
romanzi della Deledda.   3. Descriva la famiglia di questa grande
scrittrice.   4. Dica quale è la domanda che più frequentemente
Deledda si fa, e che echeggia nei suoi romanzi.   5. Spieghi il contrasto fra istinto e legge come li sente la scrittrice sarda.   6. *Completi
le seguenti frasi:* Grazia Deledda nacque a Nuoro nel . . . Nell'anno
1900 andò a vivere a . . . Si era sposata con il Signor . . . Morì nell'anno
. . . di cancro al petto.   7. Ricevette il premio Nobel per la letteratura nell'anno . . . per il suo romanzo intitolato . . .   8. L'intreccio
della *Madre* è il seguente: . . .   9. Se la vera arte fruga nel cuore
dell'uomo, Deledda . . .   10. Le donne forti nei romanzi della Deledda
sono: . . .   11. A chi fa pensare Grazia Deledda nel contenuto dei
suoi romanzi? Ad Alessandro Manzoni? ad Antonio Fogazzaro? a
Giovanni Verga? Perché?   12. Quale forma di letteratura narrativa
scelse fin dai primi romanzi? Perché era in voga il romanzo regionalista a quel tempo?   13. Che differenza passa fra i primi racconti
ed i romanzi scritti dopo l'andata a Roma?   14. In quali romanzi
predomina la vittoria dell'istinto ed in quali la rinunzia?   15. Si
può dire che l'arte della Deledda sia cambiata, o si è essa solo raffinata
e purificata? In che senso è ciò vero? Che cosa è scomparso?

XLII. LUIGI PIRANDELLO

1. *Continui le seguenti frasi:* Pirandello, come scrittore moderno, ha scàndagliato . . . Ha scritto moltissimo: . . . Ricevette il premio Nobel nel . . .   2. L'elemento del "contrasto" è visibile nelle prime opere, che sono: . . . I drammi più belli sono: . . .   3. *Mattia Pascal* è un romanzo filosofico. Il personaggio principale vuole . . . Perché l'autore l'accompagna alla sua tomba?   4. I personaggi di Pirandello sono esseri . . .   5. Parli della vita di Pirandello, della sua adolescenza, dei suoi studi, degli anni dell'insegnamento, del tempo in cui divenne famoso.   6. Descriva la fotografia di sé che egli prediligeva.   7. Nomini gli Italiani che hanno ricevuto il premio Nobel nel nostro secolo.   8. Dica perché Pirandello è uno scrittore filosofico.   9. Spieghi l'idea del "costruirsi" nei drammi di Pirandello.   10. Come ha scritto Pirandello tutte le sue opere? Si serviva di una penna ordinaria?   11. Quali circostanze della sua vita contribuirono a formare la sua mentalità pessimista?   12. Che cosa osserva l'autore sul contrasto fondamentale nell'uomo fra il principio vitale, che è divino, e le forme tangibili che esso assume su questo pianeta?   13. Pirandello ride nei primi lavori perché egli si sente diviso dai personaggi che ci presenta. Perché non ride più nei grandi drammi?   14. In quale senso Pirandello è il più grande drammaturgo del Novecento italiano? Quale differenza è esemplificata in lui fra la letteratura dell'Ottocento e quella del Novecento?

ILLUSTRAZIONI

Page i. Bronze door, Sacristy of St. Mark's, Venice. **iv.** Venice, 1957. *Italian State Tourist Office.* **v.** Venice, 1492. ("Supplementum Chronicarum," Venezia, 1492.) **vi-vii.** Botticelli. **viii.** *Same.*

1. Botticelli. **2.** Guido teaches Bishop Theodaldum how to play the monochord. *(Cod. Vindob. Bibliothèque Nationale.)* **3.** Arezzo, monument to Guido (often called Guido Monaco) by Salvino Salvina. **4.** *Romae, Bibl. Valicell.* **5.** The "Guidonian Hand," developed by the master as a device for teaching music. *(Manuscript, Erfurt, Bibl. Amplon.)*

6. Assisi, Umbria. "San Francesco benedice gli uccelli." Giotto. **8.** *Italian State Tourist Office.* **9.** *Same.* **10.** Perugia, 13th century portrait of St. Francis in the robes of his order. **11.** Woodcut from the *Fioretti.* (Paul Kristeller, *Early Florentine Woodcuts,* 1897.) **12.** Frontispiece, *De arte venandi cum avibus.* (Carl A. Willemsen, *Kaiser Friedrich II . . .* , Krefeld, 1947.) **13.** Frederick's castle at Oria, near Brindisi, from which point he set forth as a crusader. *Italian State Tourist Office.* **14.** *Italian State Tourist Office.* **15.** *Refot from Rapho-Guillumette.* **16.** From Frederick's *De arte venandi cum avibus.*

22. *Italian State Tourist Office.* **23.** From Paul Kristeller's *Early Florentine Woodcuts,* 1897. **25.** Transcription: "Di Guido Cavalcanti da Firenze || Io son la donna || che volgo la rota || sono colei, che tolgo, e do stato; || Ed è sempre biasmato || A torto el modo mio da voi mortali. || Colui, che tien la sua mano alla gota."

26. Florence, Galleria Uffizi. **27.** *Same,* Museo Nazionale. **28.** From the first edition. *Courtesy, Spencer Collection, New York Public Library.* **29.** Beatriz and Dante. Botticelli. **30.** Diagram of Dante's World. **30-31.** Botticelli.

33. *Italian State Tourist Office.* **34.** Florence, Galleria Uffizi. **35.** *Same,* Accademia di Belle Arti. **36.** Assisi, "Le Nozze di San Francesco con la Povertà." Giotto. **37.** Padua, Scenes from the Life of Christ. Giotto. *Bettmann Archive.* **39.** Florence, the cathedral and Giotto's campanile. *Italian State Tourist Office.* **40.** Venice, St. Mark's Square. *Italian State Tourist Office.* **42.** First page, 1484 (Gouda) Latin translation of the "Milione." *New York Public Library.* **43.** Venice in the times of Marco Polo. (Bergornensi's *Fasciculus Temporum, Venezia,* 1486.) *Courtesy, Spencer Collection, New York Public Library.* **44.** Florence, S. Apollonia. "Giovanni Boccaccio," by Andrea del Castagno. *Anderson.* **46.** Title page of "De Casibus," the work that made Boccaccio famous in the sixteenth century. *New York Public Library.*

51. From a contemporary manuscript of the *Trionfi.* **52.** Florence, Santa Maria Novella. Portrait believed to be that of Laura. **53.** *Louis Henri from Rapho-*

Guillumette.   **54.** Arezzo, campanile and monument to Petrarch. *Italian State Tourist Office.*   **57.** Naples, Galleria Nazionale. Masaccio's "La Crocifissione." **58.** Florence, Museo Nazionale.   **59.** Florence, Chiesa del Carmine. Detail of Masaccio's fresco.   **60.** Florence, Museo di San Marco. Detail of Fra Angelico's "Il Giudizio Finale."   **61.** *Same.* Detail from the tabernacle.

62. Cortona, Museo Diocesano. Fra Angelico's "L'Annunziazione."   **63.** Prato, cathedral. Fra Lippo Lippi's "La danza di Salomè."   **64.** Florence, Galleria Pitti. Fra Lippo Lippi's "La Vergine e il Bambino Gesù."   **66.** Florence, Santa Maria del Fiore. Choir loft by Luca della Robbia.   **71.** Milan, Pinacoteca. Mantegna's "Cristo morto."   **72.** Padova, Chiesa degli Eremitani.   **73.** Mantova, Palazzo Ducale. Ceiling fresco by Mantegna.   **74.** Venice, Accademia di Belle Arti. **76.** Orvieto, cathedral. Signorelli's "I Condannati alle pene infernali."   **77.** *Same.* "La chiamata degli Eletti al Cielo."   **78.** Detail of the painting on page 76. **80.** Berlin, Kaiser Friedrich Museum. Altar wing by Luca Signorelli. (St. Catherine of Siena, the Magdalen, and St. Jerome.) *Raymond and Raymond.*   **81.** *Same.* (St. Augustine, St. Anthony of Padua, St. Catherine of Alexandria.) *Raymond and Raymond.*

82. From the first testament of Columbus. *Genova, Archivio di Stato.*   **83.** *Italian State Tourist Office.*   **84.** *Reconstruction.*   **85.** Detail of the map of the world by Niccolò Caveri. *Paris, Bibliothèque Nationale.*   **87.** *Bettmann Archive.*   **89.** Florence, Piazza Signoria and the Palazzo Vecchio, where as "segretario" Machiavelli had his headquarters.

91. Florence, Palazzo Vecchio. Santo di Tito's portrait of Machiavelli.   **93.** *New York Public Library.*   **95.** One of Leonardo's preliminary sketches for the Sforza monument.   **96.** Leonardo's drawing of an excavator designed by himself. *Bettmann Archive.*   **97.** Milan, Convento di S.M. delle Grazie. Leonardo's "Il Cenacolo."

99. Paris, Louvre. "La Gioconda."   **102.** Teaching in the old days. (From Domenico Fava, *I libri italiani a stampa* . . . , Milano, Ulrico Hoepli, 1936.) **104.** *New York Public Library.*   **105.** From Luigi Pulci's *Morgante maggiore.* 1500.   **106.** From N. Degli Agostini, *Li successi bellici seguiti nella Italia*, Venezia, 1521. Besiegers made use of a wall-shattering ram called a "gatto," while the besieged frequently, as here, countered with a live female cat ("gatta") to indicate their ridicule. This custom continued even after the "gatto" was replaced by artillery. (Luigi Messedaglia, *Varietà e curiosità folenghiane.*)   **108.** Portrait by Titian, presumed to be that of Ariosto.   **111.** The palace of the Este family (as it is today) in Ferrara, where Ariosto passed many years of his life. Set in an engraving (1496) of Ariosto's time.   **112.** Engraving after the fresco by Tiepolo. Villa Valmarana, Venice.   **115.** Florence, Loggia dei Lanzi. Cellini's bronze "Perseo."

116. Florence, Museo Nazionale. Cellini's bronze relief of Andromeda and the sea monster.   **117.** Florence, Museo Nazionale. Cellini's bust of Cosimo I de' Medici.   **118-119.** Rome, Sistine Chapel. Michelangelo's "Creation of Adam." **122.** Rome, Chiesa di S. Pietro in Vincoli. Michelangelo's statute of Moses.

124. Florence, Museo di Belle Arti. Detail of the head of David. **127.** Florence, Galleria Uffizi. "La Flora." **132.** Paris, Louvre. **133.** Florence, Galleria Pitti. **134.** "Tasso," by De Bacci-Venuti. *Bettmann Archive.* **136-137.** Copperplates, woodcuts and type from *La Gerusalemme liberata*, Genova, 1617. *Courtesy, Spencer Collection, New York Public Library.*

141. *New York Public Library.* **142.** Pisa, cathedral and campanile. *Italian State Tourist Office.* **143.** Florence, Museo di Fisica e Storia Naturale. Picture by Luigi Sabatelli. Galileo watches the oscillations of the lamp in the Cathedral of Pisa. **144.** *New York Public Library.* **145.** *Same.* **146.** Two pages from the *Dialogo dei Massimi Sistemi*, Fiorenza, 1623. *New York Public Library.* **147.** Florence, Museo di Fisica e Storia Naturale. Galileo's telescopes. (Autograph: age 72.) **148.** Copy of the lost portrait of Vico by F. Solimena. **149.** Naples. *Italian State Tourist Office.*

150. Vico forwarded this sonnet, penned by himself, to the Arcadian Academy in 1710. Transcription:

> Donna bella e gentil, pregio ed onore
> Chiaro, immortal dell'amoroso regno,
> Qual può giammai umana arte ed ingegno
> Degne ordir lodi al vostro alto valore?
>
> Poichè, se quel, ch' aprite a noi di fuore,
> Contemplo, sembran paragone indegno
> Perle, ostro, ed oro; anzi a vil pregio io tegno
> (Sia con sua pace) il sole, e 'l suo splendore.
>
> Ma i cortesi pensieri, e i bei desiri,
> Gli onesti, santi, angelici costumi,
> Le parole di senno e gratia ornate;
>
> Qual mai d'alto parlar ben largo fiume
> Lodar potria? O degna, che l'etate
> Io consumi per voi tutta in sospiri.

(From Donati, *Nuovi studi . . .*, Firenze, 1926.)

154. Engraving by L. Boscolo. *Bettmann Archive.* **158.** "Pantalone" was a stock character in the Commedia dell' Arte. Note his costume. From his name and dress come our English word "pants." **162.** Florence, Galleria Uffizi. Portrait of Alfieri by Francisco Saverio Fabre. **164.** *New York Public Library.* **166.** Alfieri's own notes on a page of the first edition of his "Tragedie." Siena, 1783. **168.** Rome. Basilica vaticana. Detail of the monument to the Stuarts. **169.** Florence, Santa Croce. **171.** *Italian State Tourist Office.* **173.** Rome, Basilica vaticana. **174.** The Parthenon, symbol of Greece, where Foscolo was born.

175. Portrait by Perlotto, with autograph by Foscolo. **178.** Autographed manuscript. *Ateneo, Brescia.* **179.** Printed version of same. Brescia, 1808. **180.** Florence, Galleria Uffizi. **184.** The walls and bastions of Recanati. **185.** Recanati. Monument to Leopardi. *Italian State Tourist Office.* **189.** Milan, Brera. Portrait by Hayes. **192.** From the bust by Gaetano Monti. **194.** Cover, first edition, *Requiem Mass,* for piano and voice. (From Carlo Gatti, *Verdi im Bilde.* Milano, Garzanti, 1941.)   **195.** Portion of the score of the *Requiem Mass. (Same source.)*   **196.** *(Top)* From a drawing by G. Trucchi. *(Bottom)* "La Scala" in 1859. *(Same source.)*   **197.** *(Top)* Cover, first edition of *Rigoletto* for voice and piano. *(Same source.) (Bottom)* Milan, Piazza La Scala. *Gendreau.*   **198-199.** Studio, *The New York Times.*

200. From Carlo Gatti, *Op. cit.*   **201.** Verdi writes to Boito (his librettist) that the "Othello" is finished. *(Same source.)*   **205.** Studio, *The New York Times.* **206.** Photograph, 1881.   **207.** Transcription:

> Quanto azzurro d'amori e di ricordi
>   Gin, infido liquor, veggo ondeggiare
>   nel breve cerchio onde il mio gusto mordi.
>
> O dolci selve di ginepri, rare,
>   A cui fischian nel grigio ottobre i tordi
>   Lungo il patrio selvaggio urlante mare!

210. Spoleto, Umbria.   **213.** *Italian State Tourist Office.*   **217.** *Bettmann Archive.*   **218.** *Receiving the first wireless message. Bettmann Archive.*   **219.** Aboard the Elettra. *Bettmann Archive.*   **221.** From Carlo Adami, *Puccini,* 1935. **222.** *(Top)* Scene from "Madame Butterfly." Studio, *The New York Times. (Bottom)* From the score of "La Bohème," Act III. Adami, *Op. cit.*   **224.** Portrait by A. Rietti, supplied by Signor Bari-Laterza.   **226.** From a note to the author of this book.   **231.** *Italian State Tourist Office.*   **232.** Sardinia, Sassari. Olive trees. *Italian State Tourist Office.*   **233.** Nuoro. Girls in regional costumes.   **234.** From a photograph from Stefano Pirandello.   **237.** From a letter to the author of this book.

VOCABOLARIO

Since the Italian language displays considerable variation in vowel quality and stress, vowel quality and syllabic stress are marked in the vocabulary as follows:

1. If the stress falls on the last syllable, the normal grave accent shows it, e.g. **mediocrità, andò, gioventù.**

In late years, the custom has been adopted in Italy of marking by an acute accent close **e**'s when final in a syllable. Hence, we have followed this new method in words formerly bearing the grave accent, e.g. **dacché, perché, vendé.**

If the stress falls on the penultimate syllable, no marking appears, e.g. **abitare, felice,** except in the case of open **e** or open **o,** which are marked by a hook, e.g. **fratęllo, buǫno.**

If the stress falls on the antepenultimate, this is shown by a dot under the **a, i, u,** close **e** or close **o,** e.g. **ạmbito, basịlica, chiụdere, crẹdere, rispọndere,** and a hook under the open **e** or open **o,** e.g. **aęreo, esǫtico.** Thus both stress and vowel quality are shown by a single device.

There is a difference of opinion among the authorities on pronunciation concerning words ending in **iere** and **iero,** e.g. **candeliere, lusinghiero.** We have followed the close sound of **e** because it is more generally heard among educated people.

It is understood that all unmarked **e**'s and **o**'s are close, e.g. **generoso, appena, mondano, momento.**

2. Split diphthongs are marked with a dot under the stressed vowel, if the stressed vowel is **a, i, u,** close **e** or close **o**, e.g. **diạlogo, natịo, liụto, duẹtto,** and a hook if the stressed vowel is open **e** or open **o**, e.g. **aurẹola, piọggia.**

3. Foreigners learning Italian find two consonants perplexing: **s** and **z**. The question is: whether to give them the hard sound (equivalent to *c* in English *pace* and *ts* in *curtsy*) or the soft sound (equivalent to *s* in *phrase* and *ds* in *adsorb*, respectively). As to the intervocalic **s**, there is no fast rule, even for Italians, since the north of Italy and Florence tend to make it soft, while Rome and the southern part of the country prefer the hard sound of inter-vocalic **s**. We have followed the Roman use, since it seems to be predominating more and more. Italian seems to tend toward making all intervocalic **s**'s hard, following the example of the Spanish language. All soft **s**'s and **z**'s bear a dot, whether **z** is single or double, e.g. **ṣbiadito, ẓotichezza, analiẓẓare.** However, since the **s** in words ending in **ismo,** e.g. **eroismo, utilitarismo, universalismo,** has a decidedly weaker sibilant sound than **s** in the group of words beginning with **sb, sd, sg, sm** and **sv,** we have not marked the soft **s** in such words, relying on the competent teacher to show this distinction in pronunciation.

The *Prontuario di pronuncia e di ortografia* by Giulio Bertoni and Francesco A. Ugolino (1939) and the *Vocabolario della lingua italiana* by Nicola Zingarelli (1950) have served as references.

As to abbreviations, the following will help the reader in the use of the vocabulary:

a	adjective	*imper*	imperative	*pp*	past participle
adv	adverb	*ind*	indicative	*pres*	present
cond	conditional	*n*	noun	*pret*	preterit
fut	future	*p*	participle	*sing*	singular
imp	imperfect	*pl*	plural	*subj*	subjunctive

A

a at, to

Ạbano, Piẹtro d' (c. 1250-c. 1316), Italian physician and philosopher, chief founder of Paduan school of medical learning.

abate *m* abbot

abbandonare to abandon

abbandono *m* abandonment; neglect; **di —** in abandonment

abbassare to lower

abbastanza enough

abbellire to embellish

abbia *1st, 2nd, 3rd pres subj* **avere**

abbiamo *1st pl pres ind* **avere**

ạbbiano *3rd pl pres subj* **avere**

abbọzzo *m* sketch; sketchy design

abbracciare to embrace; to enter (a religious order)

Abẹle Abel, victim of his brother Cain

abisso *m* abyss

abitare to live

ạbito *m* habit

abitụdine *f* habit, custom

abiurare to recant

abrogare to abrogate

abuso *m* abuse

accadẹmia *f* academy

accadere to happen

accanito bitter

accanto near

accecare to blind

accẹndere to light; to kindle

accennare to beckon; to hint

accẹnto *m* accent

accentrare to centralize

acceso *pp* **accẹndere**

accettare to accept

Acciaiuọli, Nicola courtier of King Robert

accidẹnte *m* accident

accịngersi (a) to set out to

accinse *3rd sing pret* **accịngersi**

acclamare to acclaim

accogliẹnza *f* welcome

accọgliere to welcome

accollarsi to take upon oneself, to assume the responsibility

accọlto *pp* **accọgliere**

accompagnamento *m* accompaniment

accompagnare to accompany

acconciare to drape on; to embellish

acconsentire to consent, to agree

accontentarsi (di) to be satisfied (with)

accoppiare to couple

accorato grieved; cut to the quick

accordare to accord; to grant

accọrgersi to perceive

accọrrere to flock; to hasten to

accorse *pp* **accọrrere**

accrebbe *3rd sing pret* **accrẹscere**

accrẹscere to increase

acuire to make more acute, to sharpen

accusa *f* accusation

accusare to accuse

acẹrbo bitter

Achille Achilles, a Greek hero who fought at Troy. One of the main characters of Homer's *Iliad*.

Achillini, Alessandro famous physician and philosopher of Bologna in the XVIth century.

acqua *f* water

acquistare to acquire

acutezza *f* acuteness, penetration

acuto acute, sharp

adattare to adapt

additare to point out

addolcire to soften

addolorare to grieve, to sadden, to bring grief to

adducẹndo *pres p* **addurre**

addurre to present arguments

aderẹnza *f* adherence

aderire to adhere; to cling to
adolescęnza *f* adolescence
adoperare to work; to create
adorare to adore, to worship
aduggiare to weigh heavily on; to press down
aęreo airy, ethereal, evanescent
affare *m* business; **uǫmo di affari** businessman
affascinare to fascinate, to charm
affaticare to tire
affaticarsi to toil
affatto at all; entirely
affermare to affirm
afferrare to seize
affettazione *f* affectation
affętto *m* affection
affettuoso affectionate
affidamento *m* counting on; trust
affidare to entrust
affievolirsi to weaken; to soften
affine congenial
affinità *f* affinity
affluire to flow into
affondare to sink
affrescare to fresco
affresco *m* fresco
afoso sultry
africano African
Agamęnnone Agamemnon, mythical king of Sparta who, with his brother Menelaus, laid siege to Troy.
Agatocle Agatocles, a Greek tyrant in Sicily
aggiudicare to adjudge; to assign a work
aggiungere to add
aggiunse *3rd sing pret* **aggiungere**
aggiunto *pp* **aggiungere**
aggruppamento *m* grouping, assembling
agire to act
agitare to agitate; to stir
agnellino *m* little lamb

Agostino (Sant') Saint Augustine (354-430) philosopher and one of the Doctors of the Church.
agosto *m* August
agricolo agricultural
agricoltura *f* agriculture
ahimè! alas!
Aiace Ajax, a Greek warrior who fought under Troy
aio *m* pedagogue
aiutare to help
aiuto *m* help
ala *f* wing; *pl* **le ali**
Alamagna *f* Germany
Alamanni, Luigi (1495-1556), Florentine poet protected by Francis I. Was the author of a poem *La coltivazione dei campi.*
alba *f* dawn
albero *m* tree
Albigesi *m pl* Albigenses, a religious sect in beginning of the XIIIth century in France
alcaica *f* alcaic, meter attributed to the ancient Greek poet Alcaeus (600 B.C.). Imitated by Horace and, in years close to ours, by Giosuè Carducci (1835-1907).
alcuno some; any
aleggiare to fly; to flutter
alfabęto *m* alphabet
alimentare to nourish
alitare to breathe
allacciare to correlate; to tie up
allargare to widen, to enlarge
allearsi to make an alliance
alleato *m* ally
allegare to allege
allęgro cheerful, joyous
allietare to cheer, to gladden
allontanare to keep at a distance
allontanarsi to draw away
allora then
allusione *f* allusion

almeno at least
Alpi *f pl* Alps
altamente highly
altare *m* altar
altezza *f* height
alto high; tall; **in —** on high
altolocato influential
altresì also
altrettanto as much
altro other; **tutt' —** entirely different;
   altri tre anni three more years
altrove elsewhere
alunno *m* pupil
amante *m* and *f* lover
amanuense *m* amanuensis
amaramente bitterly
amare to love
amareggiare to embitter
amarezza *f* bitterness
amaro bitter
ambasceria *f* ambassadorial mission
ambasciatore *m* ambassador
ambedue both
ambiente *m* environment
ambire to aspire to
ambito *m* radius, scope
ambizione *f* ambition
ambizioso ambitious
ambo both
americano American
amicizia *f* friendship
amico *m* friend
ammantare to cloak; to cover
ammazzare to kill
ammettere to admit
ammiraglio *m* admiral
ammirare to admire
ammiratore *m* admirer
ammirazione *f* admiration
ammirevole admirable
ammonimento *m* warning; advice
ammonire to admonish
ammutinamento *m* mutiny
ammutinare to mutiny

amor = **amore**
amore *m* love
amorfo amorphous
amorino *m* little love, cherub
amorosamente affectionately
amoroso loving; amorous
ampère *m* ampere
Ampère, André Marie (1775-1836)
   French physicist and mathematician.
ampio wide
ampliare to amplify
anagogico anagogical
analfabeta illiterate
analisi *f* analysis
analizzare to analyze
anatomia *f* anatomy
anatomicamente anatomically
ancella *f* handmaid
anche also
ancor = **ancora**
ancora still
andare to go; **— da** to go to the
   house or the court of; **— al di là**
   to go beyond; **va ricordato** de-
   serves to be mentioned
andarsene to go away; **se ne vanno**
   3rd pl pres ind
andata *f* going
anello *m* ring
angelo *m* angel
angiolo *m* angel
anglosassone Anglo-Saxon
angoloso angular
angoscia *f* anguish
anima *f* soul
animale *m* animal
animare to animate
animo *m* temperament; courage
annientare to annihilate
anniversario *m* anniversary
anno *m* year
annunziazione *f* annunciation
anonimo anonymous
ansioso eager

antagonista *m* and *f* antagonist; *a* antagonistic

antenato *m* ancestor

anteriore anterior; previous, earlier

anteriormente previously

antichità *f* antiquity; age

anticipare to anticipate

anticipazione *f* anticipation

antico ancient, old

Anticristo anti-Christ

Antigone daughter of Oedipus and Jocasta in Greek mythology

antiromanticismo *m* antiromanticism

antisociale antisocial

antistorico anti-historical

antitesi *f* antithesis

anzi indeed

aperto *pp* aprire

apertura *f* opening

apocalittico apocalyptic

apologetico apologetic, that defends truth eloquently

apostolo *m* apostle

appaiono *3rd pl pres ind* apparire

apparecchio *m* apparatus; set

apparenza *f* appearance, look

apparire to appear

apparso *pp* apparire

appartenere to belong

appartengono *3rd pl pres ind* appartenere

appartenne *3rd sing pret* appartenere

appartiene *3rd sing pres ind* appartenere

apparve *3rd sing pret* apparire

apparvero *3rd pl pret* apparire

appassionarsi to be passionately interested

appassionatamente passionately

appassionato passionate; deeply interested

appello *m* roll call; appeal

appena hardly; — **che** as soon as

appianare to smooth; to pave the way

applaudire to applaud

applauso *m* applause

applicare to apply

applicazione *f* application

apportare to carry, to bring

apprendere to learn

apprese *3rd sing pret* apprendere

apprezzare to appreciate

approdare to land

approfondire to deepen, to delve into

approssimazione *f* approximation

approvazione *f* approbation

appunto exactly

aprile *m* April

aprire to open

aprirsi to confide

arabo Arabian

arbitrario arbitrary

arcadico Arcadian; of Arcadia, the classical tradition of country life in poetry; pastoral and simple

arcaismo *m* archaic word

archeologo *m* archeologist

architetto *m* architect

architettonico architectural

architettura *f* architecture

archivio *m* archive

arcidiavolo *m* arch-devil

arco *m* arch

ardente ardent

ardere to burn

Aretino, Pietro (1492-c. 1556) Italian satirist, adventurer who wrote for hire, called by Ariosto the "scourge of princes."

argento *m* silver

argilla *f* clay

aria *f* aria; air

arido arid

aristocratico aristocratic; **da —** as an aristocrat

aristotelico Aristotelian

Aristotile Aristotle (384-322 B.C.), famous Greek philosopher

aristotilẹsimo Aristotelianism
arme *f* weapon; **prẹndere le armi** to take arms
armonịa *f* harmony
armonioso harmonious
armonizzare to harmonize
arricchire to enrich; to become wealthy
arricchirsi to become wealthy
Arrigo Henry VII (c. 1275-1313), German Emperor in Dante's time
arrivare to arrive; — **a** to reach
arte *f* art
artẹfice *m* creative artist; maker
artịcolo *m* article
artificiale artificial
artificialità *f* artificiality
artificiosamente artificially
artista *m and f* artist; **da** — as an artist
artisticamente artistically
artịstico artistic
ascẹndere to ascend
ascensione *f* ascension
ascẹta *m* ascetic
ascẹtico ascetic
ascoltare to listen
asiạtico Asiatic
aspettare to expect; to wait
aspettarsi to count on, to expect
aspẹtto *m* countenance; appearance, look, aspect
aspirare to aspire; to inhale
aspirazione *f* aspiration
aspro bitter
assecondare to help; to second
assediare to besiege
assẹdio *m* siege
assegnare to assign; to commission; to entrust; to award
assẹnte absent
assẹnza *f* absence
asserzione *f* assertion
assẹtto *m* set-up
assiduità *f* assiduity

assiduo assiduous
assillante tormenting
assịstere to be present; to help
associare to associate
assoluto absolute
assorbire to absorb
assọrgere to rise
assụmere to assume
assunse *3rd sing pret* **assụmere**
Assunta *f* Assumption of the Virgin Mary
assunto *pp* **assụmere**
assurdità *f* absurdity
assurdo absurd
astrattamente abstractly
astratto abstract
astruso abstruse
astuto astute
astuzia *f* astuteness
ạteo atheist
Atlạntico *m* Atlantic
attaccare to attack
attacco *m* attack
atteggiamento *m* attitude
attẹndere to wait, to wait for, to await; — **a** to give attention to
attenersi to cling to
attẹntamente attentively, carefully
attẹnto attentive
attenuare to soften
attenzione *f* attention
attirare to attract
attitụdine *f* aptitude
attivamente actively
attività *f* activity
attivo active
atto *m* act
attọnito astonished
attore *m* actor
attrarre to attract
attrasse *3rd sing pret* **attrarre**
attratto *pp* **attrarre**
attravẹrso through
attrazione *f* attraction

attribuire to attribute
attributo m attribute
attuale actual; m actual reality
attualmente actually
attuare to carry out, to actualize
attuazione f realization
audace audacious, daring
audacemente daringly
audacia f audacity
augurare to wish, to augur
Augusto Augustus, Roman emperor
(63 B.C.-14 A.D.)
aumentare to augment, to increase
aureola f nimbus, halo
ausilio m help
austriacante Austrophile
autobiografia f autobiography
autobiografico autobiographical
autocritica f self-criticism
autonomo autonomous
autore m author
autorità f authority
autoritratto m self-portrait
autrice f authoress
avanti forward; in front of
avanzare to advance
aver = avere
avere to have; — **da** to have to;
— **di mira** to aim; — **buon gioco**
to engage in an easy task; m possession
avessero 3rd pl imp subj **avere**
avido avid, greedy

Avignone Avignon
avrebbe 3rd sing pres cond **avere**
avrebbero 3rd pl pres cond **avere**
avo m ancestor
avuto pp **avere**
avvampare to flare up
avvenente attractive
avvengono 3rd pl pres ind **avvenire**
avvenimento m happening, event, oc-
currence
avvenir = avvenire
avvenire to happen; m future
avvenne 3rd sing pret **avvenire**
avventura f adventure
avventurarsi to venture
avventuroso adventurous
avverarsi to come true
avversario m adversary
avversità f adversity
avvezzo accustomed
avviare to direct
avviarsi to wend one's way
avvicinare to place near
avvicinarsi to draw near, to be near
avviene 3rd sing pres ind **avvenire**
avvistare to see in the distance
avvivare enliven
avvocato m lawyer
avvolgere to envelop
azione f action
Azzorre f pl Azores
azzurro blue

B

Baccanale m Bacchanal
bacillo m bacillus, germ
baia f bay
Balboa, Vasco Núñez de (c. 1475-
c. 1517), Spanish explorer, discoverer
of the Pacific Ocean
ballo m ball
bambinaia f nurse
bambino m child

banale banal
bancario of banking
banchiere m banker
bandiera f banner, flag
bandito m bandit
bara f coffin
barbarico barbaric
barbaro m. barbarian; a barbarous
barca f boat

barọcco Baroque
barọmetro *m* barometer
barone *m* baron
baruffa *f* brawl
basare to base
base *f* basis
basilica *f* basilica
bassamente basely
basso base, low; *m* bass (voice)
bastare to suffice
Batracomiomachịa *f* war of the frogs and the mice
battaglia *f* battle
battagliero quarrelsome
battere to beat; to overcome; to win over an enemy
battẹsimo *m* baptism
battistẹro *m* baptistery
battuta *f* beat, measure
bearsi to find delight in
beatitụdine *f* beatitude
beato blessed; happy, contented
Beccarịa, Cẹsare (1738-1794), Italian economist, jurist, and criminologist. Author of *Dei delitti e delle pene.*
bẹffa *f* jest
bẹi = bẹlli
bẹll' = bẹllo
bẹllamente beautifully
bellezza *f* beauty
Bellini (I) Venetian family of painters, composed of Jacopo, Giovanni and Gentile.
bẹllo beautiful
bẹn = bẹne
benché although
bẹne well
benedettino Benedictine
beneficio *m* benefit
benẹssere *m* well-being
benestante well-to-do
benevolmente benevolently
beniamino *m* most beloved son
benigno benign

benvenuto welcome
Bernardo (San) Saint Bernard of Clairvaux, French mystic of the XIIth century
Bernoni, Giusẹppe collected Venetian folk tales at the end of the XIXth century
berretto *m* cap
bẹstia *f* beast
bianco white
biasimare to blame
Bibbia *f* Bible
bịblico Biblical
bibliotẹca *f* library
bifronte two-faced (as in Janus)
bilancia *f* scale
bilancio *m* budget
biografịa *f* biography
biọgrafo *m* biographer
biondo blond
bisognare to need; to be necessary, to have to
bisogno *m* need
Bizantino Byzantine
blasone *m* blazon, emblem
blọcco *m* block
Boẹzio Boethius, Roman philosopher (c. 480-525) and author of *The Consolation of Philosophy*
Bọito, Arrigo (1842-1918), poet, composer of libretti, and musician.
bonario good-natured
Bonifazio Boniface VIII, pope from 1294-1303
bontà *f* goodness
bontempone *m* happy-go-lucky fellow
bordo *m* shipboard; **giornale di —** ship log; **a —** aboard
borghesịa *f* bourgeoisie, middle class
Bọrgia, Cẹsare (1476-1507), son of Alexander VI, a ruthless and ambitious prince who fought in order to create a unified state in Italy, but failed.

borgo *m* town

boria *f* haughtiness

Borromeo, Carlo Charles Borromeo, Saint (1538-1584), cardinal and papal secretary. Brought about the reopening of the Council of Trent.

boschetto *m* small thicket

botanica *f* botany

bottega *f* shop; studio

Botticelli, Sandro (c. 1444-1510), famous Florentine painter who worked especially for the Medici family. Studied with Lippo Lippi. His paintings are softer and more symbolical than those of his master.

bove *m* ox

bozzetto *m* sketch

braccio *m* arm; *m pl* arms (as in a river, chair); *f pl* **le braccia** arms

Bramante, Donato d'Agnolo (c. 1444-1514), Italian architect. Designed the original plans for the new St. Peter's which were altered by later architects.

Brandeburgo Brandenburg

brano *m* piece; selection

bravura *f* display of skill motivated by boastfulness

breve short

brevettare to patent

breviario *m* breviary

brevità *f* brevity

brigare to maneuver stealthily

briglia *f* bridle; rein; **a — sciolta** with unchecked reins, at full speed

brillante brilliant

brillare to shine, to glitter

brindare to toast

brio *m* liveliness

britannico British

bronzo *m* bronze

bruciare to burn

Brunelleschi, Filippo (1377-1446), great architect of the XVth century. His masterpiece is the octagonal ribbed dome of Florence Cathedral. He designed the Pitti Palace and the churches of Santo Spirito and San Lorenzo in Florence.

brutale (bruto) brutal

brutalità *f* brutality

Bruto Brutus (85-42 B.C.), principal assassin of Julius Caesar.

bruttezza *f* ugliness

brutto ugly

bruttura *f* ugliness; filth

buffonata *f* buffoonery

buffone *m* clown, buffoon

buffonesco clownish

buon = buono

buono good; **— giuoco** easy task

burlare to jest, to joke, to ridicule; to fool

busto *m* bust

C

Caboto Cabot, Giovanni (1461-1498), known as John Cabot. He and his son Sebastiano (c. 1483-c. 1577) were Genoese explorers who reached the North American continent in their quest for new routes to reach India. English claims in North America were based on the discoveries of John Cabot. His son Sebastiano explored first for Spain the Rio de la Plata and later headed the Muscovy Co., the first major English stock trading company chartered in 1555, directed to trade with Russia and Asia.

caccia *f* hunt

cacciata *f* expulsion

cadavere *m* corpse, cadaver

cadde *3rd sing pret* **cadere**

cadere to fall

Cadore *m* mountainous region in the Dolomites, north of Venice

cadrò *1st sing fut* **cadere**

caduta *f* fall; failure

caffè *m* coffee; coffee house

cagionevole weak, sickly, delicate (of health)

calcolatore *m* calculator; *a* calculating

caldo *m* heat

calvario *m* calvary

cambiamento *m* change

cambiare to change

camera *f* room

cameriera *f* chamber maid

cameriere *m* valet; waiter

caminetto *m* fireplace

camminare to walk

cammino *m* way, road

campagna *f* countryside

campanile *m* steeple

campestre rural

campo *m* field

Canadà *m* Canada

canale *m* canal

cancelliere *m* chancellor

cancro *m* cancer

candeliere *m* candlestick

candido candid

cane *m* dog

cantare to sing

canto *m* song; singing; chant

cantoria *f* choir box

cantuccio *m* nook

canzone *f* song; canzone

caos *m* chaos

caotico chaotic

capace capable; capacious

capacità *f* capacity

capello *m* hair

capinera *f* wren

capitale *f* capital

capitalismo *m* capitalism

capitanato herded

capitano *m* captain; **— di ventura** leader of mercenary troops

capitolare to capitulate

capitolo *m* chapter

capo *m* head; leader; cape; **a —** to an end

capolavoro *m* masterpiece

caposaldo *m* central basis; basic idea

capostipite *m* progenitor

cappella *f* chapel; **Cappella Sistina** Sistine Chapel

capriccio *m* caprice; whim

capriccioso capricious; whimsical

Caracalla Roman Emperor from 211 to 217, who built the famous baths that go under his name.

carattere *m* character, temperament

caratteristica *f* characteristic

caratteristico characteristic

caratterizzare to characterize

caravella *f* caravel, small sailing boat

carbone *m* coal

cardinale *m* cardinal

carducciano admirer of Carducci

carità *f* charity

Carlo V Charles V (1500-1558), emperor between 1519 and 1556. Greatest of all Hapsburg emperors, having inherited an empire on which "the sun never set."

Carlo VIII Charles VIII, king of France from 1470-1498. Invaded Italy in 1494.

carme *m* lofty song

carmelitano Carmelite, belonging to a religious order founded in the XIIth century in honor of the Virgin Mary by the Hermits of Mt. Carmel in Syria.

carne *f* meat; flesh

caro dear

carolingio Carolingian

Caronte Charon, the boatman of Acheron

carovaniero of trade

Carpentras city in southern France

Carpine Carpini, Giovanni de Piano, XIIIth century traveler

carriera *f* career

carta *f* paper; *pl* writings

cartesiano Cartesian

Cartesio Descartes (1596-1650)

Cartier, Jacques (1491-1557), French navigator who explored the St. Lawrence Gulf and River

casa *f* house; — **di salute** sanitarium

casalingo homelike, intimate

caserma *f* barrack

casetta *f* little house

caso *m* chance; **per —** by chance

casta *f* caste

castel = **castello**

Castelli, Benedetto a monk who was a pupil and friend of Galilei. He was born in the last part of the XVIth century.

castello *m* castle

castità *f* chastity

casto chaste

categoria *f* category

categorico categorical

catena *f* chain

Caterina II Catherine II or Catherine the Great (1729-1796), Empress of Russia. Wrote memoirs, comedies, and stories. Encouraged the birth of modern Russian literature.

cattedra *f* chair (as in a university)

cattedrale *f* cathedral

cattivo bad; wicked; poor

Cattolicesimo *m* Catholicism

cattolico Catholic

causa *f* cause; **a — di** because of

causare to cause

cavalier = **cavaliere**

cavaliere *m* knight

cavalleresco chivalrous

cavalleria *f* cavalry; chivalry

cavallo *m* horse; **a —** on horseback

ce = **ci**

cedere to yield

celare to hide

celebrare to celebrate; — **le nozze** to get married

celebre celebrated

celebrità *f* celebrity

celeste celestial

cella *f* cell

cena *f* supper

cenere *f* ashes

centenario *m* centenary

cento hundred; **per —** a hundred

centomila hundred thousand

centoventi one hundred twenty

centrale central

centro *m* center

cercare to look for, to seek

cerchio *m* circle

cerimonia *f* ceremony; elaborate etiquette

cerimoniale *m* court etiquette

certezza *f* certainty

certo certain; *adv* certainly

certosino *m* Carthusian monk

cervello *m* brain

Cesalpino, Andrea (1519-1603), Italian botanist and physiologist. Anticipated in part the discovery of the circulation of the blood, paving the way for William Harvey (1639). Developed the first classification of plants according to their fruits.

cesareo imperial

Cesarotti, Melchiorre (1730-1808), important literary figure of the late XVIIIth century. Translated *Ossian* by James Macpherson into Italian.

cesellatore *m* engraver

cessare to cease, to stop

Cézanne, Paul (1839-1906) French painter

Chaucer, Geoffrey (1340-1400) English poet

che that; who; which; **il —** which
chèque *m* check
chi who? whom?; he who
chiamare to call
chiaramente clearly
chiarezza *f* clarity
chiarificare to clarify
chiarire to clarify
chiarista sponsoring the art of Pietro Chiari
chiaro clear
chiẹdere to ask for
chiẹrico *m* clerk, cleric
chiesa *f* church
chiesetta *f* small church
chiẹsto *pp* **chiẹdere**
chịmica *f* chemistry
Chịo Chios, a Greek island in the Aegean Sea
chiọstro *m* cloister
chiozzọtto of Chioggia, a city near Venice
chiụdere to close
chiuso *pp* **chiụdere**
ci there; us; to us
ciascuno each
Cicerone Cicero, Roman orator, statesman and philosopher (106-43 B.C.)
cicịsbeismo *m* cicisbeismo, a social custom of the XVIIIth century in which the gallant of a married woman was recognized
cicịsbẹo *m* recognized gallant of a married woman
ciclo *m* cycle
ciẹlo *m* sky; heaven
Cimabue, Giovanni (c. 1240-c. 1302) Florentine painter and teacher of Giotto
cimitẹro *m* cemetery
Cina *f* China
cịngere to gird; to surround
cinismo *m* cynicism
cinquanta fifty

cinque five
Cinquecento *m* XVIth century; cinquecento
cinto *pp* **cịngere**
ciò that; **— che** that which, what
ciprẹsso *m* cypress
circolare to circulate, to go around
circondare to surround
circoscritto *pp* **circoscrịvere**
circoscrịvere to circumscribe; to narrow down
città *f* city
cittadinanza *f* citizenship
cittadino *m* citizen; *a* belonging to the city
ciurma *f* crew
civile civil
civilịzzatrice civilizing
civiltà *f* civilization
classe *f* class
classicamente classically
classicheggiante aiming at a classical form
Classicismo classicism
classicista *m* and *f* classicist
clạssico classical
classificare to classify
claustrale monastic
Clemẹnte VII Clement VII, Pope from 1523-1534, member of the Medici family. During his pontificate, in 1527, Rome was sacked by order of Charles V. He crowned Charles V Emperor in 1529.
Clemẹnte XIII Clement XIII, of the Rezzonico family, pope from 1758-1769
cliẹnte *m* client
clima *m* climate
cọcca *f* end of an apron
cọdice *m* code; codex
coesistẹnza *f* coexistence
cọgliere to gather, to pick, to pluck; to catch

coincidere to coincide
coincise *3rd sing pret* **coincidere**
coinvolgere to involve
coinvolto *pp* **coinvolgere**
colera *m* cholera
collaborare to collaborate
collaboratore *m* collaborator
collaborazione *f* collaboration
colle *m* hill
Colletta, Pietro (1775-1831), historian
collettivo collective
collettore *m* collector
collezione *f* collection
collina *f* small hill
colmo *m* heap; *a* heaped to the brim
Colombo, Cristoforo (c. 1446-1506) Christopher Columbus
colonizzare to colonize
colonna *f* column
Colonna, Vittoria (1492-1547), Italian poet and friend of Michelangelo.
colore *m* color
coloro those
colossale colossal
colpa *f* guilt; fault
colpire to strike, to hit
colse *3rd sing pret* **cogliere**
colto *pp* **cogliere**; *a* **colto** cultured, cultivated
comandare to command, to order
combattere to fight
come like; as, as well as
cometa *f* comet
comicità *f* comic quality
comico comic; **comici dell'arte** troupe that performed the scenario of improvised comedies at the end of the XVIth century
commedia *f* comedy
commediografo *m* author of comedies
commensurare commensurate
commentare to comment upon
commento *m* comment

commerciale commercial
commercio *m* commerce
commesso *pp* **commettere**; *m* employee
commettere to commit
commissione *f* commission; charge (of executing a work of art)
commovente touching
commozione *f* emotion
communicazione *f* communication
commuovere to move
comodo *m* comfort; *a* comfortable
compagnia *f* company
compagno *m* fellow; companion; **a —** as companions
compassato stilted
compasso *m* compass
compatimento *m* sympathy
compatto compact
compensare to compensate
compiacere to gratify
compiacersi to delight in
compiaciuto *pp* **compiacere**
compiere to fulfill; to complete
compimento *m* end; realization
compire to finish
compito *m* task
compiuto *pp* **compiere**; *a* meticulous
complementare complementary
complessità *f* complexity
complesso complex
completare to finish, complete
completo complete
complicare to complicate
compongono *3rd pl pres ind* **comporre**
componimento *m* composition
comporre to put together; to compose
comporsi to be made up; to be composed
compose *3rd sing pret* **comporre**
composizione *f* composition
composto *pp* **comporre**
comprare to buy

comprendere to understand; to include; essere compreso di to be dominated by (as with sentiment)

comprensione f comprehension; understanding

comprese 3rd sing pret comprendere

compreso pp comprendere

compressione f compression

compromesso pp compromettere; m compromise, bargaining

compromettere to endanger

comune m commune, free city; a common

comunicare to communicate

comunicato m communiqué

comunicazione f communication

comunismo m communism

con with

concedere to grant; to concede

concepibile conceivable

concepire to conceive

concesse 3rd sing pret concedere

concesso pp concedere

concetto m concept

concezione f conception

conciliazione f conciliation

concittadino m fellow citizen

concludere to conclude

concluse 3rd sing pret concludere

conclusione f conclusion

concluso pp concludere

concorrenza f competition

concreto concrete

condanna f conviction (of guilt)

condannare to condemn

condividere to share

condivise 3rd sing pret condividere

condivisero 3rd pl pret condividere

condizione f condition

condolersi to condole, to sympathize

condotta f conduct

condottiere m leader; military leader of mercenary troops

conduca 1st, 2nd, 3rd pres subj condurre

conduce 3rd sing pres ind condurre

conduceva 3rd sing imp ind condurre

condurre to lead; to take (to a place)

condusse 3rd sing pret condurre

condussero 3rd pl pret condurre

confare to agree with; to harmonize with

conferenza f conference; lecture

confermare to confirm

confessare to confess

confessione f confession

confessore m confessor

confidare to confide

confinare to border upon; to exile

confine m boundary

confondere to mix up, to confuse

conformarsi to conform

conforto m comfort, consolation

confratello m monk of the same order

confusione f confusion

confuso pp confondere

congedo m discharge; leave of absence; dare — to dismiss

congiunzione f conjunction, connection

coniare to coin

coniugale conjugal

conobbe 3rd sing pret conoscere

conobbero 3rd pl pret conoscere

conosca 1st, 2nd, 3rd pres subj conoscere

conoscenza f knowledge; acquaintanceship

conoscere to know, to be acquainted with

conoscimento m knowledge

conosciuto pp conoscere

conquidere to conquer

conquise 3rd sing pret conquidere

conquista f conquest

conquistare to win; to conquer

consacrare to consecrate; to dedicate

conscio conscious

conseguenza *f* consequence

conservare to conserve, to keep, to preserve

conservatore conservative

conservatrice *f* conservative (woman; attitude)

considerare to consider

considerato considered, looked upon

considerazione *f* consideration

consigliare to advise

consiglio *m* counsel, advice; **Consiglio dei Dieci** Council of Ten

consistere to consist

consolante consoling

consolare to console

consolazione *f* consolation

consono (a) consonant with

consorte *m* and *f* consort

consuetudine *f* custom, habit

consultare to consult

contabile *m* and *f* bookkeeper

contado *m* countryside surrounding the city

contare to count; to matter

contatto *m* contact

conte *m* count

contemperare to temper, to moderate; to blend harmoniously

contemplare to contemplate

contemplativo contemplative

contemplazione *f* contemplation

contemporaneamente contemporaneously

contemporaneo contemporary

contenere to contain, to hold; to include

contengono *3rd pl pres ind* contenere

contentare to please, to satisfy

contenuto *m* content

conterraneo of the same region

contessa *f* countess

contiene *3rd sing pres ind* contenere

continentale continental

continente *m* continent

contingente contingent

contino *m* young count

continuamente continuously

continuare to continue

continuatore *m* continuator

continuazione *f* continuation

continuo continuous, uninterrupted

conto *m* account; **rendersi —** to realize; **rendere — a** to be responsible to; to give an account to

contracambiare (contraccambiare) to exchange

contrada *f* section of a city

contradittore *m* one who contradicts; opponent

contradittorio *m* debate; *a* contradictory

contradizione (contraddizione) *f* contradiction

contrario contrary, opposite; **al —** on the contrary

contrarre to contract

contrasse *3rd sing pret* contrarre

contrassegnare to distinguish; to mark

contrastante clashing, contrasting

contrasto contrast, clash

contratto *m* contract; *pp* contrarre

contribuire to contribute

contributo *m* contribution

contro against

controllabile controllable

controllare to control

convenevole becoming; *m pl* compliments

convento *m* convent, monastery

convenzionale conventional

convenzione *f* convention

conversare to chat, to converse

conversazione *f* conversation

conversione *f* conversion

convertire to convert

convertirsi to be converted

convertito *m* convert

convincere to convince

convincimento *m* conviction
convinse *3rd sing pret* convincere
convinto *pp* convincere
convivio *m* banquet
copernicano Copernican
Copernico Copernicus, Nicholas (1473-
   1543), Polish astronomer, founder of
   the heliocentric system according to
   which the sun is the center around
   which planets revolve.
coperto covered; — di covered with
copia *f* copy; abundance
copiare to copy
copioso copious
coppia *f* couple
coprire to cover
coraggio *m* courage
coraggiosamente courageously
corazza *f* armor
corda *f* cord
Cordelia in Shakespeare's *King Lear*
   is the youngest and devoted daughter.
cornice *f* frame
coro *m* chorus; choir
corona *f* crown
coronare to crown
coronazione *f* coronation
corpiciattolo *m* small and deformed
   body
corpo *m* body
corrente *f* current
correre to run; to hasten
corrispondenza *f* correspondence
corrispondere to correspond
corrispose *3rd sing pret* corrispondere
corrisposto *pp* corrispondere
corrotto corrupt
corruzione *f* corruption
corse *3rd sing pret* correre
corso *m* main street; course; corsi e
   ricorsi historical cycles
corte *f* court
corteggiare to court
cortese courtly, courteous

cortesia *f* courtesy
cortigiano *m* courtier
cortile *m* courtyard
cosa *f* thing; what?
cosciente conscious
coscientemente consciously
coscienza *f* conscience
così so, thus; —...che both; —...
   come both
cosmico cosmic
costa *f* coast
costante constant
costantemente constantly
costiero coastal
costituire to constitute, to stand for, to
   represent
costituzionale constitutional
costituzione *f* constitution
costoso costly, expensive
costretto *pp* costringere
costringere to compel
costrinse *3rd sing pret* costringere
costrinsero *3rd pl pret* costringere
costruire to construct
costruirsi to build oneself up
costruttore *m* constructor, builder
costruzione *f* construction; building up
   of oneself
costume *m* custom; costume
covare to hatch; to lurk (as of a dis-
   ease)
cozzare to clash
cozzo *m* clash
creare to create
creativo creative
creatore *m* creator
creatura *f* creature
creazione *f* creation
crebbe *3rd sing pret* crescere
credente *m* believer
credenza *f* belief
credere to believe; to think
credo *m* creed
crescente growing

crescere to grow; to increase
crisi *f* crisis
Cristianesimo Christianity
cristiano Christian
Cristo Christ
Cristoforo Christopher
criterio *m* criterion
critica *f* criticism; critique
critico *m* critic; *a* critical
crociata *f* crusade
crocifissione *f* crucifixion
crollo *m* crumbling; bankruptcy
crucciare to make surly, to make angry, to vex
cruccio *m* resentment; anger
crudelmente cruelly
crudeltà *f* cruelty
cugina *f* cousin

cui whom; **il —** whose
culminare to reach the highest point, to culminate
culto *m* cult
cultura *f* culture
culturale cultural
culturalmente culturally
cumulativo cumulative
cuor = cuore
cuore *m* heart
cupo gloomy
cupola *f* dome
cura *f* care
curare to care for; to take care of
curarsi to take care of; to be concerned with
curioso curious
custode *m* custodian, keeper

D

da from; by; since; like
dà *3rd sing pres ind* **dare**
dacché since
dado *m* die; *m pl* **dadi** dice
dama *f* lady
Danae Danaë, in Greek legend. Zeus visited her under the guise of a shower of gold, and she bore him Perseus
danese Dane
dannare to damn
danno *3rd pl pres ind* **dare**; *m* damage
dannunziano *m* follower of D'Annunzio; *a* in the style of D'Annunzio
dantescamente in a Dantesque manner
dantesco Dantesque
danza *f* dance
dappertutto (da per tutto) everywhere
dapprima at first
dare to give
data *f* date
dato *m* datum
David d'Angers or **Pierre Jean David**

(1788-1856), French sculptor
Davide David, the young Hebrew shepherd who slew Goliath
dea *f* goddess
debbono *3rd pl pres ind* **dovere**
debolezza *f* weakness
deca *f* decade
decadenza *f* decadence
decennio *m* decade
decidere to decide
decimare to decimate
decimonono nineteenth
decimoprimo eleventh
decimosesto sixteenth
decimoterzo thirteenth
decise *3rd sing pret* **decidere**
decisero *3rd pl pret* **decidere**
decisione *f* decision
decorazione *f* decoration
decenza *f* decency
decorare to decorate
decretare to decree
decreto *m* decree

dedicare to dedicate
definire to define
definitivamente definitely
definitivo definitive
degno worthy
deh! please
dei (gli) *m pl* gods
delegato *m* delegate
delicatezza *f* delicacy
delitto *m* crime
deludere to disappoint; to delude
deluse *3rd sing pret* **deludere**
deluso *pp* **deludere**
demagogo *m* demagogue
demente demented
democratico democratic
democrazia *f* democracy
demone *m* demon
denaro *m* money
denominare to call; to designate
denominatore *m* denominator
denso dense, thick
dentro within
deplorare to deplore
deporre to testify to; to depose
deprezzarsi to depreciate
derivare to derive
derivazione *f* derivation
descrisse *3rd sing pret* **descrivere**
descrittivo descriptive
descritto *pp* **descrivere**
descrivere to describe
descrizione *f* description
deserto *m* desert
desiderare to desire, to want
desiderio *m* desire; longing
desolato desolate
desolazione *f* desolation
despota *m* and *f* despot
despotismo *m* despotism
destare to awaken
destinare to destine
destino *m* destiny
destro right; skilful; **a destra** to the

right
determinare to determine
determinativo determinative
determinismo *m* determinism
detestare to detest, to hate
dettaglio *m* detail
dettare to dictate
detto *pp* **dire**
devastare to devastate, to lay waste
deve *3rd sing pres ind* **dovere**
deviazione *f* deviation
De Vigny, Alfred (1797-1863), French poet
devoto devoted; devout
devozione *f* devotion
di of, with
dialetto *m* dialect
dialogo *m* dialogue
diario *m* diary
dibattersi to struggle
dica *1st, 2nd, 3rd pres subj* **dire**
dice *3rd sing pres ind* **dire**
dicembre *m* December
dichiarare to declare, to affirm
diciannove nineteen
diciassette seventeen
diciassettenne seventeen years old, in one's seventeenth year
diciottenne in one's eighteenth year
diciotto eighteen
Dickens, Charles (1812-1870), outstanding English novelist.
didattico didactic
dieci ten
diecimila ten thousand
diede *3rd sing pret* **dare**
diedero *3rd pl pret* **dare**
diedi *1st sing pret* **dare**
dietro behind
difendere to defend
difesa *f* defense
difensore *m* defender
differente different
differentemente differently

differenza *f* difference
difficile difficult
difficoltà *f* difficulty
diffidare to mistrust, to be mistrustful
diffidenza *f* diffidence
diffondere to diffuse; to spread
dignità *f* dignity
dignitosamente with dignity; in a stately manner
dignitoso dignified
dilemma *m* dilemma
dilettare to delight
dilettevole delightful
diletto *m* delight
dimani = domani
dimenticare to forget
diminuire to diminish
dimora *f* dwelling
dimorare to live, to reside, to dwell
dimostrare to demonstrate, to show
dimostrazione *f* demonstration
dinamico dynamic
dinanzi (a) before; in front of
dintorno around; *m pl* **dintorni** surroundings; **nei — di** in the environs of
Dio God
dipendere to depend; **— da** to depend on
dipingere to paint
dipinse *3rd sing pret* **dipingere**
dipinto *pp* **dipingere**
dipinto *m* picture
diplomatico diplomatic
dire to say; **oltre ogni —** beyond words
diresse *3rd sing pret* **dirigere**
diretto *pp* **dirigere**
direttore *m* director
direzione *f* direction
dirigere to direct
diritto *m* right; **di —** as a right
dirittura *f* uprighteousness
discendente *m and f* descendant

discendenza *f* descendancy
discendere to descend
discepolo *m* disciple; follower
disciplinare to discipline
discorso *m* discourse; speech
discusse *3rd sing pret* **discutere**
discutere to discuss
disegnare to draw; to design
disegno *m* drawing; design
disfare to undo, to destroy
disfarsi di to get rid of
disgiungere to separate
disgiunto *pp* **disgiungere**
disgrazia *f* misfortune
disilluso disillusioned
disinganno *m* disappointment
disintegrazione *f* disintegration
disperato desperate
disperazione *f* despair
dispiegare to unfold
dispone *3rd sing pres ind* **disporre**
disporre to dispose
disposto *pp* **disporre**
dispoticamente despotically
dispotico despotic
disprezzare to spurn
disprezzo *m* spite, spurning, scorn, contempt
disputare to dispute; to discuss
disquisizione *f* disquisition
dissidio *m* split, disagreement
distacco *m* detachment; separation
distanza *f* distance
distemperare to dilute
distendere to stretch
distillare to distill
distinguere to distinguish
distinse *3rd sing pret* **distinguere**
distinsero *3rd pl pret* **distinguere**
distinto distinct; distinguished
distinzione *f* distinction
distogliere to dissuade
distolto *pp* **distogliere**
distruggere to destroy

distrusse *3rd sing pret* **distruggere**

distrutto *pp* **distruggere**

distruzione *f* destruction

disuguale uneven

dito *m* finger; *f pl* **le dita**

divenire to become

divenne *3rd sing pret* **divenire**

divennero *3rd pl pret* **divenire**

diventare to become

divenuto *pp* **divenire**

diversità *f* diversity

diverso different, diverse

divertente diverting

divertimento *m* amusement

divertire to amuse

divertirsi to amuse oneself; to be amused; to have a good time

divezzare to wean

dividere to divide

diviene *3rd sing pres ind* **divenire**

divinità *f* divinity

divino divine

divise *3rd sing pret* **dividere**

divisero *3rd pl pret* **dividere**

divisione *f* division

diviso *pp* **dividere**

dizionario *m* dictionary

dobbiamo *1st pl pres ind* **dovere**

documentare to document

documento *m* document

dodici twelve

doge *m* doge

dolce sweet; mellow

Dolce Stil Nuovo Sweet New Style

dolcezza *f* sweetness

dollaro *m* dollar

dolore *m* grief

doloroso sad, dolorous

domanda *f* question; **fare una —** to ask a question

domandare to ask

domani tomorrow

domare to tame; to control

domenicano Dominican

dominare to rule; to dominate

Donatello, Donato di Niccolò di Betto Bardi (1386-1466), famous sculptor of the XVth century. His equestrian statue of Gattamelata, executed in 1453 for the city of Padua, marked a new achievement in the history of sculpture.

donna *f* woman

dono *m* gift

dopo after; **— che** after

dormire to sleep

dorsale of the back, dorsal

Dostojevski Dostoevski, Feodor Mikhailovich (1821-1881), Russian novelist, one of the giants of modern literature. Among his greatest novels are *Crime and Punishment* (1866) and *The Brothers Karamazov* (1879-1880).

dotare to endow

dote *f* dowry; talent

dotto learned

dottore *m* doctor

dottrina *f* doctrine

dove where

dovere to have to, must; to owe; *m* duty

doveroso dutiful; fitting, proper

dovette *3rd sing pret* **dovere**

dovrebbe *3rd sing pres cond* **dovere**

dovremmo *1st pl pres cond* **dovere**

drago *m* dragon

dramma *m* play; drama

drammatico dramatic

drammatizzare to dramatize

drammaturgo *m* dramatist

dritto *m* right; **tener —** to keep on going; **stare —** to be standing

dualismo *m* dualism

dualistico dualistic

dubbio *m* doubt

due two
Duecęnto *m* thirteenth century; duecento
duęllo *m* duel
duemila two thousand
dunque so

duǫmo *m* cathedral
dúplice two-fold
duramente harshly
durante during
durare to endure, to last
duro hard

E

e and
ę̀ is
ebbe *3rd sing pret* avere
ębbero *3rd pl pret* avere
Ębe *f* Hebe, goddess of youth
eccellęnte excellent
eccellęnza *f* excellence
eccęllere to excel
eccęlse *3rd sing pret* eccęllere
eccessivo excessive
eccęsso *m* excess
eccętto except
ecclissare to eclipse; to obscure
ęcco here is; here are
echeggiare to echo
economìa *f* economy
econǫmico economic
ed and
editrice publishing; casa — publishing house
editto *m* edict
edizione *f* edition
Edoardo Edward
educare to educate
educazione *f* education
effętto *m* effect
efficacemente efficaciously
efficacia *f* efficacy
effǫndere to effuse; to manifest
Egitto *m* Egypt
egli he
egocentrismo *m* egocentricity
egoismo *m* egoism
eguale equal
egualmente equally

elaborare to elaborate
elaborato elaborate, developed
elegante elegant
elęggere to elect
elementare elemental; elementary
elementarità *f* elementary quality; elemental quality
elemento *m* element
Ęlena Helen of Troy
elettricità *f* electricity
elettromagnętico electromagnetic
elettromagnetismo *m* electromagnetism
elevare to raise, to elevate
elevato high, elevated
Elgin, Thomas Bruce 7th Earl of
  Elgin. Distinguished soldier and dip-
  lomat who brought back to England
  the so-called Elgin Marbles from the
  Parthenon in Athens.
eliminare to eliminate
ella she
eloquęnte eloquent
eloquęnza *f* eloquence
emanare to emanate; to promulgate
  (as a law)
emigrare to emigrate
eminęnte eminent
eminęntemente eminently
emozione *f* emotion
enciclopędico encyclopedic
enciclopedista *m* and *f* encyclopedist;
  disciple of the French Encyclopedists
endecasìllabo *m* line of eleven syllables
Enęide Aeneid

energia *f* energy

enfasi *f* emphasis

enorme enormous

Enrico Henry

entità *f* entity

entrare (in) enter

entusiasmare to arouse one's enthusiasm

entusiasmo *m* enthusiasm

entusiasta *m* and *f* enthusiast; *a* enthusiastic

enumerazione *f* enumeration

enunziare to enunciate

epicità *f* epic quality

epico epic

epidemia *f* epidemic

episodio *m* episode

epistola *f* epistle

epistolare epistolary

epistolario *m* epistolary

epitome *m* epitome

epoca *f* epoch

epodo *m* epode, a type of satirical poetry established by Horace

eppur = **eppure**

eppure and yet

equestre equestrian

equilibrato poised

equilibrio *m* equilibrium, poise

equipaggio *m* crew

equo just; equitable

era *f* era

era *3rd sing imp* **essere**

erano *3rd pl imp* **essere**

erba *f* herb; grass

erede *m* heir

ereditare to inherit

eremo *m* hermitage

eresse *3rd sing pret* **erigere**

erigere to erect

erma *f* statuette with a two-faced head used as a boundary line

Ermengarda Irmgard

eroe *m* hero

eroicomico worthy of the mock epic

eroina *f* heroine

eroismo *m* heroism

erotico erotic

errante wandering, nomadic

errare to wander; to err

errore *m* error

erudito erudite; *m* scholarly person

erudizione *f* erudition

esagerare to exaggerate

esagerato exaggerated

esagerazione *f* exaggeration

esaltare to exalt

esaltazione *f* exaltation

esame *m* examination

esaminare to examine

esanime lifeless

esaudire to answer (as in a prayer)

esaurirsi to exhaust oneself, to become exhausted

esausto exhausted

esclamare to exclaim

escludere to exclude

esclusivamente exclusively

escluso *pp* **escludere**

Escoriale Escorial, palace of Philip II

esempio *m* example; **di —** as an example

esemplificare to exemplify

esemplificazione *f* exemplification

esequie *f pl* funeral services

esercitare to exercise

esigenza *f* need; exigency

esiliare to send into exile

esilio *m* exile

esistente existing

esistenza *f* existence

esistere to exist

esito *m* success

esotico exotic

espansivo expansive

esperienza *f* experience

esperimento *m* experiment

esperto expert

esplorare to explore

esploratore *m* explorer
esplorazione *f* exploration
espone *3rd sing pres ind* **esporre**
esponẹnte *m* and *f* exponent, representative
esporre to expound, to explain
esportare to export
esprẹsse *3rd sing pret* **esprimere**
esprẹssero *3rd pl pret* **esprimere**
espressione *f* expression
espresso *pp* **esprimere**
esprimere to express
essa *f* she; it
esse *f pl* they; them
essẹnza *f* essence
essenziale essential
ẹssere to be; — **per** to favor; *m* being, essence
essi *m pl* they; them
esso *m* it
ẹstasi *f* ecstacy
estate *f* summer
estạtico ecstatic
estẹndere to extend
esteriore exterior, outside
esteriorità *f* external quality
ẹstero *m* abroad
estese *3rd sing pret* **estẹndere**

estẹtica *f* aesthetics
estẹtico aesthetic
estivo of summer
estrạneo foreign
estrẹmamente extremely
estremista *m* and *f* extremist
estrẹmo extreme
esuberante exuberant
ẹsule *m* expatriate
età *f* age
ẹtere *m* ether
etẹreo ethereal
eternamente eternally
eternità *f* eternity
etẹrno eternal
ẹtica *f* ethics
ẹtico ethical
Ẹttore Hector, Trojan hero, son of Priam, killed by Achilles
Eugạnẹi hills in northern Italy
euritmịa *f* harmony
Eurọpa *f* Europe
europẹo European
evạdere to evade, to escape
evidẹnza *f* evidence
evitare to avoid
evocativo evocative
evọlvere to evolve

F

fa ago
facciamo *1st pl pres ind* **fare**
facciata *f* façade
facẹndo *pres p* **fare**
facẹvano *3rd pl imp* **fare**
fạcile easy
facinoroso criminal
facoltà *f* faculty
falcone *m* falcon
falconiere *m* falconer
falda *f* edge; flapper; lapel
fallire to fail (in an enterprise); to declare bankruptcy

fallo *m* fault
falsamente falsely
falsario *m* swindler
falsato made false
falso false
fama *f* fame
famiglia *f* family
familiare *m* member of the household; *a* familiar; of the family
familiarmente familiarly, intimately
famoso famous
fanciulla *f* girl, maiden
fanciullezza *f* childhood

fanno *3rd pl sing pres ind* **fare**
fantasịa *f* fantasy
fantasioso imaginative, fanciful
fantasma *m* phantasm; ghost
fantạstico fantastic; imaginary
far = fare
Faraday, Michael (1791-1867), English scientist. Developed the first dynamo.
fare to do; — **sì che** to see to it that; **farne di ogni colore** to engage in all sorts of objectionable tricks; — **a gara** to vie with one another
farsa *f* farce
farsi to become
fascia *f* swaddling clothes
fascinare to fascinate, to charm
fạscino *m* charm; fascination
fascismo *m* fascism
fascista fascist
fase *f* phase
fasto *m* luxury
fastoso magnificent
fatale fatal
fato *m* fate
fatto *m* fact; *pp* **fare**
fattore *m* maker; factor
Fauriel, Claude-Charles (1772-1844), distinguished French writer.
favilla *f* spark
favore *m* favor
favorito favorite
fazioso partisan
febbraio *m* February
fẹbbre *f* fever
febbrile feverish
febbrilmente feverishly
fece *3rd sing pret* **fare**
fẹcero *3rd pl pret* **fare**
fecondare to fecundate
fede *f* faith
fedẹle faithful
Federico Barbarossa Frederick I or Barbarossa (c. 1122-1190). Invaded

Italy in the name of the Empire, but was defeated by the Italian communes.
felice happy
felicità *f* happiness, felicity
fẹmmina *f* female; woman
femminile feminine
fenọmeno *m* phenomenon
ferino wild, savage
ferire to wound
ferita *f* wound
fermo firm; still
fẹrreo iron-clad; of iron
fẹrro *m* iron
fervẹnte fervent
fervore *m* fervor
fẹsta *f* feast; religious festivity
festeggiare to welcome with feasting
festone *m* festoon
feudale feudal
fiaba *f* fable
fiamma *f* flame
ficcare to thrust
fidanzato *m* fiancé
fiducioso hopeful; assured
fiẹro proud; awesome
fiesolano of the town of Fiesole
figlio *m* son
figliuọla *f* dear daughter; dear child
figliuọlo *m* dear son
figura *f* figure
figurare to imagine; to picture
figurazione *f* image, figuration
Filippo II Philip II. Became king of Spain, Naples and Sicily on the abdication of his father Charles V (1556). Known as the gloomy master of the Escorial.
filo *m* thread; wire; **senza fili** wireless
filologịa *f* philology
filosofịa *f* philosophy
filosọfico philosophical
filọsofo *m* philosopher

filtro *m* filter
fin = fino
finanziariamente financially
finché until
fin da since
fine *m* goal; *f* end; *a* artistic, skillful
finemente artistically
finestra *f* window
finezza *f* delicacy
finire to finish
finlandese Finnish
Finlandia *f* Finland
fino fine, delicate; — **a** up to, as far as; until
finzione *f* fiction
fiore *m* flower
fiorentino Florentine
fioretto *m* little flower
fiorino *m* florin
fiorire to flower, to blossom
fioritura *f* flowering
Firenze *f* Florence
firmare to sign
fiscale fiscal
fisica *f* physics
fisico *m* physicist; *a* physical
fissare to set (as to set a date)
fisso fixed
fiume *m* river
flagellazione *f* flogging
Flaubert, Gustave (1821-1880), French novelist
flotta *f* fleet
fluire to flow
flusso *m* flux
fluttuare to fluctuate
foggiare to fashion
foglia *f* leaf
fola *f* incredible fable
folla *f* crowd
folto thick
fondaco *m* warehouse; shop
fondamentale fundamental

fondare to found
fondatore *m* founder
fondazione *f* foundation
fondere to melt
fondo *m* bottom; depth; **a** — thoroughly
fontana *f* fountain
foresta *f* forest
forestiera *f* guest room
forma *f* form
formalismo *m* formalism
formalità *f* formality
formalizzare to formalize
formalmente formally
formare to form
formativo formative
formazione *f* formation
formica *f* ant
formulare to formulate
forosetta *f* country girl
forse perhaps
forte strong
fortemente strongly
fortificare to fortify
fortificazione *f* fortification
fortuito fortuitous, casual
fortuna *f* fortune; **per** — fortunately
fortunatamente fortunately
fortunato fortunate
forza *f* force, power; might; strength
fosse *3rd sing imp subj* **essere**
fossero *3rd pl imp subj* **essere**
fossilizzarsi to become fossilized
fotografia *f* photography; photograph
fotografico photographic
fotografo *m* photographer
fra between; among
fragile fragile
frammento *m* fragment
francescano Franciscan
Francesco I Francis I, king of France from 1515-1547. Challenged Charles V on the latter's attempt to conquer

Italy, but was definitely defeated by
the Emperor and captured at Pavia in
1525.

francese French
Francia *f* France
frase *f* phrase
frate *m* monk
fratellanza *f* brotherhood
fratello *m* brother; monk
freddezza *f* coldness; indifference
freddo cold
fremere to shudder
frequentare to frequent
frequente frequent
freschezza *f* freshness
frivolo frivolous
frugale frugal
frugare to search
frutto *m* fruit; *f pl* **le frutta**
fruttuoso fruitful

fu *3rd sing pret* **essere; il —** the late
fuga *f* flight
fugace fleeting
fuggire to flee
fulcro *m* fulcrum
fumante smoky; hazy
fumare to smoke
funebre funereal
funzione *f* function
fuoco *m* fire
fuori outside; **al di —** outside
furbescamente slyly
furia *f* fury, rage
furibondo furious
furiosamente furiously
furioso furious; **pazzo —** crazy man
furono *3rd pl pret* **essere**
furore *m* furor
fusione *f* fusion
fuso *pp* **fondere**

G

gaio gay
galante gallant, worldly
galea *f* galley
Galeno Galen (c. 130-c. 200), Greek
physician, systematizer of the medical learning of his time
galleria *f* gallery
Gallura *f* region of Sardinia
galoppare to gallop
Gama, Vasco da (c. 1460-1524), Portuguese navigator, first European to
reach India by sea in 1497. His voyage around Africa opened the wealth
of India to Portugal and to Europe.
In 1502, he established Portuguese
power in India and on the African
coast.
gamba *f* leg
gara *f* competition; **a —** eagerly
garbato well-mannered; polished
gareggiare to compete

Gelli, Giambattista (1498-1563), Florentine essayist, author of *Circe* and
I capricci del bottaio, two essays on
contemporary life in the form of dia-
logues. He founded the Florentine
Academy in 1548.
gelosia *f* jealousy
geloso jealous
genealogia *f* genealogy
genealogico genealogical
generale general
generalmente generally
generare to engender; to beget
generazione *f* generation
genere *m* gender; kind
genericamente generically
generoso generous
geniale genial
genio *m* genius
genitore *m* parent
gennaio January

Gẹnova *f* Genoa
genovese Genoese
gẹnte *f* people
gentildọnna *f* lady
gentile kind; pleasing, nice
gentiluọmo *m* gentleman
gentuccia *f* insignificant people
genuflẹttersi to kneel down, to genu-
  flect
genuịno genuine
geocẹntrico geocentric
geogrạfico geographic
geọgrafo *m* geographer
geomẹtrico geometric, geometrical
Germania *f* Germany
Gerusalẹmme *f* Jerusalem
gesticolare to gesticulate
gestire to gesticulate
gesuịta Jesuit
gettare to throw away
ghibellino Ghibelline; **partito —,**
  Ghibelline party, the conservative
  party of the XIIIth century. It took
  its name from a German family by
  the name of Weibelingen.
Ghibẹrti, Lorẹnzo (c. 1378-1455),
  Florentine sculptor
già already; oh yes!
giacché since
giạcciono *3rd pl pres ind* **giacere**
giacere to lie down; to rest
giallo yellow
giambo *m* iambic meter
giammai never
giapponese Japanese
giardiniere *m* gardener
giardino *m* garden
gigante *m* giant
gigantesco gigantic
gilda *f* guild, trade union of the XIth,
  XIIth, and XIIIth centuries
ginẹstra *f* English broom
ginevrino Swiss from Geneva, Genevan

ginọcchio *m* knee; *f pl* **le ginọcchia**
  knees
giocare to play (games)
giọco = giuọco
giọgo *m* yoke
giọia *f* joy
gioiẹllo *m* jewel
Giordani, Piẹtro (1774-1848), man of
  letters
Giorgione (c. 1478-1510), Venetian
  painter, fellow student of Titian under Bellini. His *Concerto campestre*
  and *Venere e Cupido* are in the National Gallery in Washington.
giornale *m* newspaper; journal
giornaliero daily
giornalista *m* and *f* journalist, newspaper man or woman
giornata *f* day
giorno *m* day; **— per —** day by day
giottesco in the manner of Giotto; **i**
  Giotteschi *m pl* painters of the
  XIVth century who followed the style
  of Giotto
giọvane young; **da —** in (one's)
  youth
giovanile youthful
Giovanni John; **San — Battista** St.
  John the Baptist
Giọve Jove
gioventù *f* youth
giovinezza *f* youth
girare to go around
giro *m* round; **in —** around
girovagare to wander aimlessly
giù down; **in —** downward
Giuda Judas
giudicare to judge
giụdice *m* judge
giudizio *m* judgment
Giulio II Julius II, pope from 1503-
  1513. As pope he completed work
  of Cesare Borgia of restoring Papal
  States to the Church. A warrior, he

took vigorous part in the Italian Wars. He was a patron of art and laid the cornerstone of St. Peter's.

giụngere to reach

giunse *3rd sing pret* **giụngere**

giunsi *1st sing pret* **giụngere**

giunto *pp* **giụngere**

giuọco *m* play (game)

giustamente justly

giustificare to justify

giustificazione *f* justification

giustizia *f* justice

giusto just

gli the; to him; to it

glọbo *m* globe

glọria *f* glory

glorificare to glorify

glorificazione *f* glorification

glorioso glorious

godere to enjoy

godereccio pleasure-loving; sensuous, superficial

Goethe, Johann Wolfgang (1749-1832), German poet, dramatist, novelist. Published in 1808 the first part of his life work, *Faust,* completed shortly before his death. Was also a notable scientist. Most of his best known works have been translated into English.

goldonista follower of Goldoni

golfo *m* gulf

Gonzaga, Scipione, lord of Mantua

gọra *f* millrace

governare to govern

governatore *m* governor

govẹrno *m* government

gradazione *f* gradation

grado *m* degree; **in — di** in a position to

gran = grande

grande great; large; **da —** as an important man; as a grown man

grandemente greatly

grandezza *f* greatness

grandioso grandiose

granduca *m* grand duke

grave grave, serious

gravità *f* gravity

grazia *f* grace; *pl* thanks; thank you

Grazie (Le) The Graces, symbolic representation of the arts, three daughters of Zeus.

Grẹcia *f* Greece

grẹco Greek

Grẹco (El) El Greco (c. 1541-1614), Greek painter in Spain. Settled in Toledo where he painted the famous *View of Toledo* (Metropolitan Museum). He enjoyed little popularity in his own day, but modern criticism ranks him among the great baroque artists. He studied under Titian.

gregoriano Gregorian

Gregọrio I Gregory I (the Great), pope from 590-604. Great Doctor of the Church. Contributed to the development of the Gregorian chant.

Gregọrio IX Gregory IX, XIIIth century pope who excommunicated Frederick II for delaying to fulfill his vow to go on a crusade (1227).

grembiule *m* apron

gretto narrow-minded

grezzo raw (as of material)

gridare to shout; to cry

grido *m* shout

grigio grey

Gritti, Andrẹa, Venetian Doge in 1533

grọsso large, heavy

grossolanità *f* crudeness

grossolano crude

grottesco grotesque

groviglio *m* confused situation; **— di cọrpi umani** confused masses of human bodies

gruppo *m* group

guadagnare to earn

guadagno *m* gain; earnings
guardare to look at; to watch over
guardarsi to guard against
guelfismo Guelphism
guelfo Guelph; **parte guelfa** Guelph party, the liberal party during the XIIIth century. It took its name from a German family by the name of Welf.
guerra *f* war; **a — finita** after the war was over
guerriero *m* warrior
Guicciardini, Francesco (1483-1540), Florentine statesman and historian at the service of the Medici family
guida *f* guide; **di —** as a guide
guidare to guide, to lead
guisa *f* guise; **a — di** in the guise of
guscio *m* shell
gusto *m* taste

H

ha *3rd sing pres ind* **avere**
hanno *3rd pl pres ind* **avere**
Hegel, Giorgio Hegel, Georg Wilhelm Friedrich (1770-1831), German philosopher
Heine, Heinrich (1797-1856), German author. His *Buch der Lieder* (Book of Songs) placed him among the greatest German poets. The musical, folk-lore quality of his lyrics have attracted many composers, among them Schubert, Schumann, Brahms.
Hertz, Arrigo Hertz, Heinrich Rudolf (1857-1894), German physicist. Produced and studied electromagnetic waves, known also as hertzian waves or radio waves.
hertziano hertzian
Hugo, Victor (1802-1885), French poet, dramatist, and novelist. His great novels are *Notre-Dame de Paris*, *Les Misérables*, and *Toilers of the Sea*, on which his popularity in the English-speaking world is founded.

I

i the
Iddio God
idea *f* idea
ideale *m* ideal; *a* ideal
idealeggiare to overstress the ideal aspects of life; to exaggerate an ideal
idealismo *m* idealism
idealista *m* and *f* idealist; *a* idealistic
ideare to create in one's imagination
identico identical
identificare to identify
identità *f* identity
idillico idyllic
idillio *m* idyl
idraulico hydraulic
idrostatico hydrostatic
ieratico hieratic
ieri yesterday
ignaro unaware; unknown
ignoranza *f* ignorance
ignoto unknown
ignudo naked
il the
Iliade Iliad, one of the Homeric poems
illegittimo illegitimate
illogico illogical
illuminare to illumine
illuminista Illuministic, belonging to the Illuminism of the XVIIIth century
illusione *f* illusion
illustrare to illustrate

illustre illustrious
Ilo Ilus, Priam's grandfather
imbarcare to embark
imbevere to soak, to drench
imbevve *3rd sing pret* **imbevere**
imbrattare to soil; to degrade
imbrattarsi to become soiled
imbroglio *m* imbroglio, confusion; dishonest act, intrigue
imitare to imitate
imitatore *m* imitator
imitazione *f* imitation
immaginare to imagine
immaginario imaginary
immaginazione *f* imagination
immagine *f* image
immaturo immature
immediatezza *f* immediacy
immemore unmindful
immensità *f* immensity
immenso immense
immobile motionless
immorale immoral
immortalare to immortalize
immortale immortal
immortalità *f* immortality
immutabile immutable, unchanging
impadronirsi (di) to become the master of; to take hold of; to master
impalcatura *f* scaffold
impallidire to pale
imparare to learn
impareggiabile peerless
impazzire to go crazy
impedire to impede
impegnare to involve
impegno *m* commitment
impenetrabile impenetrable
imperatore *m* emperor
imperatrice *f* empress
imperfetto imperfect
imperfezione *f* imperfection
imperiale imperial
imperioso imperious

impero *m* empire
impervio impervious, impenetrable
impetuoso impetuous
impiegare to employ
imponente imposing, stately
imporre to impose
importante important
importanza *f* importance
importare to import; to matter
impose *3rd sing pret* **imporre**
impossessarsi to take hold of, to become master of
impossibile impossible
impotente stately, imposing
impresa *f* enterprise
impresario *m* impresario
impressione *f* impression
imprigionare to imprison
improntare to stamp on; to bear imprint of
improvvisamente suddenly
improvvisazione *f* improvisation
in in
inaccettabile unacceptable
inanellare to give the wedding ring to
inatteso unlooked for, unexpected
inaugurare to inaugurate
incantevole enchanting
incanto *m* charm; enchantment
incapace incapable, unable
incarico *m* charge, commission
incarnare to embody
incarnazione *f* incarnation
incastonare to set (as in a ring)
incendio *m* fire
incertezza *f* uncertainty
incidere to engrave
incisivo incisive
inciso *pp* **incidere**
inclinazione *f* inclination
incline inclined
includere to include, to take in
incluse *3rd sing pret* **includere**
incluso *pp* **includere**

incominciare (a) to begin
incomparabile incomparable
incompiuto incomplete, unfinished
incomprensione *f* incomprehension
incontinente incontinent
incontrare to meet
incontrastato unchecked; unopposed;
  without contrast; universal
incontro opposite; *m* chance
incoraggiare to encourage
incredibile incredible
incubo *m* nightmare
incunearsi (in) to thrust itself into
indagare to investigate
indagatrice searching
indebolirsi to grow weak, to weaken
indefesso indefatigable, untiring
indegno unworthy
indice *m* index; sign, mark
Indice *m* Index (of prohibited books)
Indie *f pl* Indies
indifferente indifferent
indifferenza *f* indifference
indimenticabile unforgettable
indipendente independent
indipendentemente independently
indipendenza *f* independence
indirizzare to address; to direct
indispensabile indispensable
individuale individualistic
individuo *m* individual
indossare to put on, to don
indovinare to guess
indubbiamente undoubtedly
industria *f* industry
induttivo inductive
inerme unarmed; defenseless
inerzia *f* inertia
inesauribile inexhaustible
inesorabile inexorable
inesorabilmente inexorably
inevitabile inevitable
inevitabilmente inevitably
infanzia *f* infancy

infatti in fact
infelice unhappy
infelicità *f* unhappiness
inferiore lower; inferior
infernale infernal
Inferno *m* Inferno, Hell
infiltrare to infiltrate
infinità *f* a great number
infinitamente infinitely
infinito infinite, boundless
inflessibile inflexible
inflessibilmente inflexibly, unbending-
  ly
infliggere inflict
inflisse *3rd sing pret* infliggere
influire to influence
influsso *m* influence
infondere to infuse
informare to inform
inganno *m* deception
ingegnere *m* engineer
ingegno *m* native talent
Inghilterra *f* England
ingiurioso injurious; insulting
ingiustamente unjustly
ingiustizia *f* injustice
ingiusto unjust
inglese English
ingrandire to magnify
ingrato ungrateful
iniziare to initiate
iniziatore *m* initiator
inizio *m* beginning
innalzare to raise
innamorare to enamor, to charm
innamorarsi to fall in love
innanzi (a) in front of; *adv* in front
inneggiare to glorify (with a hymn)
innestare to graft
inno *m* hymn
Innocenzo III Innocent III, pope from
  1198-1216
innocuo innocuous, harmless
innovatore *m* innovator

innovazione *f* innovation
inoltrarsi to go forward; to go into
inoltre besides
inquieto restless
Inquisizione *f* Inquisition
insanguinare to make red with blood, to drench in blood
insanità *f* insanity
insegna *f* insignia
insegnamento *m* teaching
insegnante *m* teacher
insegnare to teach
inseguire to pursue
inserire to insert
insidiosamente insidiously
insieme together; **l'**— the whole; **nell'**— on the whole
insistenza *f* insistence
insistere to insist
insofferente rebellious
insolito unusual; unaccustomed
insonne sleepless
insopportabile unbearable
installare to install
instancabile tireless, untiring
insulso meaningless; absurd
intanto meanwhile
integrale integral
intelletto *m* intellect
intellettuale intellectual
intellettualistico intellectualistic
intendere to intend; to mean
intensamente intensely
intensificare to intensify
intenso intense
intenzione *f* intention
intercessione *f* intercession
interessante interesting
interessare to interest
interessarsi (a, in) to take an interest in
interessato interested
interesse *m* interest
interiore interior; inner

interludio *m* interlude
internazionale international
interno internal; inner
intero entire
interpetrazione *f* interpretation
interrompere to interrupt
intervallo *m* interval
intervenire to intervene
intervento *m* intervention
inteso *pp* **intendere**
intessere to weave
intimamente intimately
intimità *f* intimacy
intimo intimate; **nell'**— in the intimacy
intitolare to entitle
intollerabile intolerable
intorno a around; about; *m pl* **i dintorni** suburbs
intransigente *m* unforgiving
intraprendere to undertake
intraprese *3rd sing pret* **intraprendere**
intrattenere to entertain
intrattenersi to converse with
intravedere to perceive, to see through
intravisto *pp* **intravedere**
intrecciare to weave together
intrepidezza *f* fearlessness
intrigo *m* intrigue
introdotto *pp* **introdurre**
introdurre to introduce
introdusse *3rd sing pret* **introdurre**
introduzione *f* introduction
introspettivo introspective
intuire to have the intuition; to foresee; to think intuitively
intuito *m* intuition
intuizione *f* intuition
inutile useless
invadere to invade
invaghirsi (di) to take a fancy to
invano in vain
invase *3rd sing pret* **invadere**
invasione *f* invasion

invece instead
inventare to invent, to discover
inventario *m* inventory
inventore *m* inventor
invenzione *f* invention, discovery
inverso inverted
investigare to investigate
investigazione *f* investigation
investire to invest; to attack
invetriatura *f* glaze
inviare to send
invidia *f* envy
inviolabile inviolable
invisibile invisible
invitare to invite
invito *m* invitation
invocare to invoke
io I
ipocrisia *f* hypocrisy
ippogrifo *m* hippogriff
ira *f* ire, wrath
iracondo wrathful
irlandese Irish
ironia *f* irony
ironico ironic
ironizzare to treat ironically
irradiare to radiate, to spread
irrazionalità *f* irrationality

irreale unreal
irreconciliabile irreconcilable
irreligiosità *f* irreligiousness
irreligioso irreligious
irrequieto restless
irresistibilmente irresistibly
irretirsi to become involved, to become confused
irridere to deride, to mock
iscritto enrolled
iscriversi to enroll
isocronismo *m* isochronism
isola *f* island; **Isole Canarie** Canary Islands
Isotta Iseult or Isolde of the medieval romance of Tristram and Isolde
ispirare to inspire
ispirarsi (a) to take inspiration from
ispirazione *f* inspiration
issare to hoist
istintivo instinctive
istinto *m* instinct
istituto *m* institute
istmo *m* isthmus
Italia *f* Italy
italianizzato Italianized
italiano Italian
inutilità *f* uselessness

J

Juvenilia *f pl* Carducci's writings of his youth

Jacopo (Giacomo) James
Jus *m* law, right

K

Keats, John (1795-1821), English poet and neoclassicist. Great friend of Shelley.

Kepler, Johannes (1571-1630) German astronomer
Kublai Khan Chinese ruler in the days of Marco Polo

L

l' = la the
la the; her; it

là there; **al di — di** beyond; **al di — *m*** beyond

labbro *m* lip; *f pl* **le labbra**
labile fleeting
labilità *f* fleetingness
laboratorio *m* laboratory
lacchè *m* lackey
lacerare to lacerate
lago *m* lake
lagrima *f* tear
lamentare to complain; to lament
lampada *f* lamp
lana *f* wool
lanciare to hurl
languire to languish
languore *m* languor
larghezza *f* width
lasciare to let, to allow; to leave
latino Latin
lato *m* side; aspect
latteo milky
Laura de Sade French lady with whom French critics identify the Laura sung by Petrarch
lautamente lavishly
lavorare to work
lavoratore *m* worker
lavoro *m* work
le the; them; to her; to it
legalizzare to legalize
legare to tie
legge *f* law
leggenda *f* legend
leggendario legendary
leggere to read
leggermente lightly
leggero light
legno *m* wood
lei she; her
lenire to soothe; to console
lentamente slowly
lento slow
leone *m* lion
Leone X Leo X, member of the Medici family. Pope from 1513 to 1521.
leopardiano in the guise of Leopardi

Lepanto *m* island in the eastern Mediterranean, the scene of a naval battle in 1571 between Turkey and the Christian European States
lesse *3rd sing pret* **leggere**
letizia *f* joyousness
lettera *f* letter; **uomo di lettere** man of letters
letterale literal
letteralmente literally
letterario literary
letterato *m* man of letters; *pl* **letterati** literati
letteratura *f* literature
letto *pp* **leggere**; *m* bed
lettore *m* reader
lettura *f* reading
levigato polished; smooth
lezione *f* lesson; — **particolare** private lesson
lezioso effeminate
lì there; **di** — there, in that neighborhood
liberale liberal
liberalismo *m* liberalism
liberare to free
liberatore *m* liberator
liberazione *f* liberation
libero free
libertà *f* freedom
libraio *m* bookseller
librettista *m and f* author of a libretto, librettist
libretto *m* small book; libretto
libro *m* book
licenziare to discharge
licenziarsi to graduate
lietamente joyously, happily
lieto joyous, happy
lignaggio *m* lineage
limare to file; to give the finishing touch to
limitare to limit
limitazione *f* limitation

limite *m* limit, boundary
limpidezza *f* limpidity
limpido limpid
linceo lynx-like; **Accademia dei Lincei**, a scientific academy founded in 1603 by Federico Cesi in Rome
linea *f* line
lineamenti *m pl* features
linearità *f* rectilineal quality
lingua *f* language; tongue
linguaggio *m* language
linguistico linguistic
lino *m* flax
lirica *f* lyrics
liricità *f* lyrical quality
lirico lyrical
Lisbona *f* Lisbon
litigioso quarrelsome
liuto *m* lute
livello *m* level
Livio Livy, Roman historian (59 B.C.-17 A.D.)
lo the; him; it
locale local, of the same place
locandiera *f* innkeeper
locare to place, to locate
lodare to praise
lode *f* praise
logica *f* logic
logicamente logically
logico logical
logorare to wear out
loico *m* logician
lombardo Lombard

londinese London, of London
lontano far, distant; **da —** from afar
Lorenzo di Credi (1459-1537), Florentine painter and sculptor closely associated with Leonardo
loro their, theirs; to you; to them
Loro you, your, yours; to you
lotta *f* struggle
lottare to struggle
Lotto, Lorenzo (c. 1480-1556), Venetian painter known for sensitive portraits
luce *f* light; **mettere in —** to bring into relief
luglio *m* July
lui he; him
Luigi XII Louis XII of the House of Orléans, French king from 1498-1515. He took part in the conquest of Italy by Charles VIII in 1494.
lumeggiato illumined
luminosamente luminously
luminosità *f* luminosity
luminoso luminous; bright
luna *f* moon
lunario *m* almanac
lunetta *f* lunette
lungo long; **a —** in the long run
luogo *m* place; **dare —** to cause; **avere —** to take place
lupa *f* she-wolf
lusingare to flatter
lusinghiero flattering
lusso *m* luxury

M

ma but
macabro macabre
maccheronico type of satirical poetry that flourished in the XVIth century
macchietta *f* humorous short sketch
Maddalena Magdalene, Mary Magdalene, by tradition the repentant sinner

forgiven by Christ
madonna *f* my lady; madonna
madre *f* mother
madrigale *m* madrigal
maestà *f* majesty; stateliness
maestra *f* teacher
maestro *m* teacher

magari would to God that
maggio *m* May
maggior = **maggiore**
maggioranza *f* majority
maggiore older; **il —** greatest
magistero *m* normal school
Magna *f* Germany
magnifico magnificent
magniloquente magniloquent
magro thin, lean
mai ever; **non —** never
malarico of malaria
malattia *f* malady, sickness
male *m* evil; badly
maledetto cursed
maledizione *f* curse, malediction
maleficio *m* evil act; witchery
malefico maleficent
maligno malignant
malinconia *f* melancholy
malinconico melancholy
malsano unhealthy; morbid
mamma *f* mother
mancanza *f* lack
mancare to fail, to lack; to wane
mandare to send
mandragola *f* love potion
maneggiare to handle; manipulate
mangiare to eat
Manica *f* English Channel
maniera *f* manner; mode; style
manifestare to manifest
mano *f* hand; *pl* **le mani**
manoscritto *m* manuscript
mansuetamente meekly
mantello *m* cloak
mantenere to maintain; to keep; to support (as a family)
manto *m* cloak
manzoniano follower of Manzoni
mappa *f* map
mar = **mare**
maraviglia *f* marvel; wonder
marchese *m* marquis

mare *m* sea
maremma *f* marsh; **Maremma Toscana** countryside in Tuscany and Latium near Grosseto
Maria Stuarda Mary Stuart, Queen of Scots (1542-1587), was beheaded on charge of being an accomplice in a plot to murder Queen Elizabeth.
Maria Teresa (1717-1780), ruler of Bohemia and Hungary from 1740-1780.
marina *f* fleet
marinaio *m* sailor
marinaro *m* sailor; *a* maritime
mariolo *m* knave
marionetta *f* marionette
marito *m* husband
marmo *m* marble
Marsiglia Marseilles
martello *m* hammer
martirio *m* martyrdom
marxista *m* and *f* follower of the communistic idea of Karl Marx (1818-1883)
marzo *m* March
maschera *f* mask
mascherare to mask
maschio male
massa *f* mass
matematica *f* mathematics
materia *f* subject matter; **materie prime** raw materials
materiale *m* material
materialismo *m* materialism
materiare to write a literary composition, using as content specific material, as **canzoni materiate di filosofia** canzoni, the content of which is philosophical
maternità *f* maternity
materno maternal
matrimonio *m* matrimony
mattina *f* morning
mattutino of the morning

maturare to mature, to ripen

maturità *f* maturity

Maupassant, Guy de (1850-1893), French author, some of whose short stories are unsurpassed in style, craftsmanship, and psychological realism. Influenced greatly modern short-story writing.

mausolęo *m* mausoleum

Maxwell, James Clerk (1831-1879), Scottish physicist.

Mazzini, Giusęppe (1805-1872), thinker and patriot

meccąnica *f* mechanics

meccąnico mechanical

mecenate *m* art-patron

mecenatismo *m* protection of the arts

medaglia *f* medallion, medal

medaglione *m* medallion

mędia *f* average

mediano average

medịceo of the Medici family

medicina *f* medicine

medievale medieval

mędio average; middle

mediọcre mediocre

mediocrità *f* mediocrity

meditare to meditate

meditativo meditative

meditazione *f* meditation

Mediterrąneo *m* Mediterranean (Sea); *a* **mediterrąneo** Mediterranean

męglio better

melarancia *f* pomegranate

melodịa *f* melody

melọdico melodious

męmbro *m* member; limb; *m pl* **i męmbri** members (of a group); *f pl* **le męmbra** limbs (of the body)

memorąbile memorable

memọria *f* memory

menare to lead

Mengs, Antonio Raffaello Mengs, Anton Raphaël (1728-1779), German historical and portrait painter. Author of a book on the art of painting, *Of Beauty and Taste in Painting* (1762).

meno less; **di —** less

męnsa *f* table

mentale mental

mentalità *f* mentality

mente *f* mind

mentre while

menzionare to mention

meraviglia *f* marvel; wonder

meravigliarsi to marvel

meraviglioso marvelous

mercante *m* merchant

mercato *m* market

mercatura *f* trading, trade, commerce, business

mercenario mercenary; *m* paid soldiery

meridionale southern

meritare to deserve, to merit

męrito *m* merit

mese *m* month

messa *f* mass

messaggio *m* message

messo *pp* **męttere**

mestiere *m* trade

męta *f* goal

metà *f* half

metafịsica *f* metaphysics

metafịsico metaphysical

metallo *m* metal

Metastạsio, Piętro (1698-1782), playwright who has lost the fame he enjoyed in the XVIIIth century

mętodo *m* method

mętrico metrical, metric

mętro *m* meter

męttere to place, to put

męzzo half; *m* means

mi me; to me

michelangiolesco in the manner of Michelangelo, like Michelangelo

miglio *m* mile; *f pl* **le miglia**

migliorare to better, to ameliorate
migliore better; il — the best
miliare: pietra — milestone
milione one million
militante militant
militare military
militarista militaristic
milizia ƒ militia
mille thousand
minacciare to threaten, to menace
minimo m minimum; a lowest, slightest
ministero m ministry
ministro m minister
minore younger; minor
Minosse Minos, mythical king of Crete
minuziosamente minutely
mira ƒ aim; di — in sight
mirabile extraordinary, marvelous
miracolo m miracle
miracoloso miraculous
Mirandola Pico della Mirandola, Giovanni, Conte (1463-1494), Italian humanist, renowned for youthful brilliance and learning. Interested in science and magic.
Mirra daughter of Cinirus, mythological King of Cyprus. She is the prototype of unbridled lust.
miscuglio m blending, mixture
mise 3rd sing pret mettere
miseria ƒ poverty; misery
misero poor; miserable
miserrimo extremely poor
misterioso mysterious
mistero m mystery
misticamente mystically
misticismo m mysticism
mistico mystic
misura ƒ measure; a — che as
mite mild
mito m myth
mitologico mythologic
mo' = modo now

mobile mobile
mobilità ƒ mobility, inconstancy, fickleness
moda ƒ fashion; di — fashionable
modellare to model
modello m model
moderatezza ƒ moderation
moderato moderate
moderazione ƒ moderation
modernismo m modernism
modernista belonging to Modernismo, a movement of the first decade of our century that aimed at liberalizing Roman Catholic beliefs
moderno modern
modestamente modestly
modesto modest
modificare to modify
modo m manner, way
modulare to modulate; to sing
moglie ƒ wife
mole ƒ mass
molteplice manifold
molti many
moltitudine ƒ multitude
molto much; very
momento m moment
Momolo stock character of the young lover in the Improvised Comedy
monaco m monk
monarchia ƒ monarchy
monastero m monastery
mondanità ƒ worldliness
mondano mundane, worldly
mondo m world
mondiale worldly
moneta ƒ coin
monocorde monochord
monotonamente monotonously
monotonia ƒ monotony
monotono monotonous
montagna ƒ mountain
montare to go up; — sulle furie to be furious

monte *m* mountain
montuoso mountainous
monumentale monumental
monumento *m* monument
morale *f* moral (drawn from a fable);
    ethics; *m* morale; *a* moral
moralità *f* morality
morboso morbid
morente dying
moribondo moribund, dying
morire to die
moro Moor, a Mohammedan of one of
    the various peoples who, coming from
    Arabia, settled in North Africa or
    Spain
mortalmente mortally
morte *f* death
mortificante mortifying
morto *pp* **morire**
mosca *f* fly
Mosco (2nd century B.C.), Greek author
    of *Idyls* in which is evident the in-
    spiration of Theocritus
Mosè Moses, the great Hebrew prophet
    and lawgiver who led the Israelites
    out of Egypt around the year 1200

B.C.
mosse *3rd sing pret* **muovere**
mostrare to show
mostro *m* monster
motivare to motivate
motivazione *f* motivation
motivo *m* motif; motive
moto *m* motion
movimentato full of movement
movimento *m* movement
muliebre feminine
mulino *m* mill
muore *3rd sing pres ind* **morire**
muovere to move
muro *m* wall
muscolo *m* muscle
museo *m* museum
musica *f* music
musicale musical
musicare to set to music
musico *m* musician
mutabilità *f* mutability; fickleness
mutare to change
mutazione *f* mutation, change
mutismo *m* deep silence
muto mute

N

nacque *3rd sing pret* **nascere**
nacquero *3rd pl pret* **nascere**
nano *m* dwarf
napoleonico Napoleonic
napoletano Neopolitan
Napoli *f* Naples
narrare to relate
narrativo narrative
narratore *m* narrator
nascere to be born
nascita *f* birth
nascondere to hide
nascono *3rd pl pres ind* **nascere**
nascosto *pp* **nascondere**

natale *m* birth; origin; **di nobili na-**
    tali of noble birth; *a* native
natio native
natività *f* nativity
nativo native
nato *pp* **nascere**
natura *f* nature
naturale natural; *m* temperament,
    character
naturalezza *f* naturalness
naturalismo *m* naturalism
naturalista naturalist
naturalmente naturally
naufragio *m* shipwreck

navale naval
nave *f* ship
navigare to navigate, to sail
navigatore *m* navigator
navigazione *f* navigation
nazionale national
nazionalismo *m* nationalism
nazionalista nationalist
nazione *f* nation
ne some, of it, of them; from there
né nor; **né...né** neither...nor
nebbia *f* fog
necessariamente necessarily
necessario necessary
necessità *f* necessity
negare to deny
negativo negative
negazione *f* negation
negromante *m* necromancer
nemico *m* enemy
neoclassico neoclassic
neppure not even
Nereide *f* Nereid, a sea nymph
nero black; dark
nespolo *m* medlar tree
nessun = **nessuno**
nessuno no; no one, nobody
nettamente clearly; sharply
Nieri, Ildefonso (1853-1920), collector
  of Tuscan folk tales
nimbo *m* nimbus
ninfa *f* nymph
Ninfale Fiesolano poem about nymphs
  by Boccaccio
nipote *m* nephew; grandchild
niveo snowlike
nobile noble
nobiliare aristocratic, patrician
nobilitare to ennoble
nobilmente nobly
nobiltà *f* nobility
nocciola *f* peanut
nocciolo *m* kernel of a question

noi us
noia *f* boredom
nol = **non lo**
nome *m* name
nomignolo *m* nickname
nominare to nominate; to name
non not
nonagenario nonagenarian
nonna *f* grandmother
nonno *m* grandfather
nord *m* north
nordest northeast
nordico northern
nordovest northwest
normale normal
normanno Norman
nostalgia *f* nostalgia
nota *f* note
notaio *m* notary
notare to note
notevole noteworthy
notizia *f* news
noto known
notte *f* night
notturno nocturnal
novanta ninety
novantenne in one's nineties
novatore *m* innovator
nove nine
Novecento *m* XXth century; novecento
novella *f* short story
Novellino *m* collection of short stories
  written around 1300
novembre November
novità *f* novelty
novo = **nuovo**
nozze *f pl* wedding
nucleo *m* nucleus
nudità *f* nudity
nudo naked, bare; **mettere a** — to
  lay bare
nulla nothing
nullità *f* nonentity; nothingness

nụmero *m* number
numeroso numerous
nuọcere to harm

nuọto *m* swimming
nuọvo new; **di —** again
nutrire to nourish, to feed

O

o or; o . . . o either...or, whether...
  or
obbiettività *f* objectivity
obbligare to oblige, to compel
obiettare to object
occasione *f* occasion
ọcchio *m* eye
occidentale western
occidẹnte *m* west
occupare to occupy
ocẹano *m* ocean
ọde *f* ode
ọdi *imper* udire
odiare to hate
odiatore *m* hater
ọdio *m* hate
Odissẹa *f* Odyssey, one of the Homeric
  poems
ọdono *3rd pl pres ind* udire
odore *m* perfume; smell, odor
offẹndere to offend
offẹrta *f* offering
offẹrto *pp* offrire
offesa *f* offense
offeso *pp* offẹndere
offrire to offer
oggettivamente objectively
oggettività *f* objectivity
oggettivo objective
oggẹtto *m* object
ọggi today
ogni every
olandese Dutch
oltre beyond; **— che** besides
oltremọdo excessively
oltretomba *m* beyond
omaggio *m* homage
omai by now

ombra *f* shade; shadow
Omẹro Homer, famous Greek poet who
  is said to have lived in the VIIIth
  century B.C.
omọnimo with the same name
onda *f* wave
onde so that, in order that
ọnere *m* weight; responsibility
onestà *f* honesty
onẹsto honest
onorare to honor
onore *m* honor
onorificẹnza *f* honors
Onọrio Honorius III, Roman Pope who
  was pope between 1216 and 1227 and
  who died in 1227
ọpera *f* work; opera
operare to work, to operate
operetta *f* light opera, operetta
opinione *f* opinion
opporre to oppose
opportunismo *m* opportunism
opportunista *m and f* opportunist
oppọsero *3rd pl pret* opporre
opprẹsso *pp* opprimere
opprimere to oppress
ora *f* hour; *adv* now
ọrafo *m* goldsmith; **da —** as a goldsmith
Orazio Horace, famous Latin poet (65
  B.C.-8 B.C.)
orazione *f* oration
ordinare to order, to command; to ar-
  range; to put in order
ọrdine *m* order
oreficeria *f* jewelry; jewelry store
organizzare to organize
ọrgano *m* organ

orgoglioso proud
orientale oriental, eastern
orientarsi to orient oneself
oriente *m* east
originale original
originalità *f* originality
originalmente originally
origine *f* origin
orma *f* footprint
orizzonte *m* horizon
oro *m* gold
orrore *m* horror
orto *m* orchard
oscillare to oscillate
oscillazione *f* oscillation
oscuramente obscurely
oscurantismo *m* fostering of ignorance
oscurare to obscure
oscuro obscure
ospedale *m* hospital
ospitare to give hospitality (to), to shelter
ospite *m* and *f* guest; host

osservare to observe
osservatore *m* observer
osservazione *f* observation
ossessionante maddening
ossessione *f* obsession
osso *m* bone; **gli ossi** bones (for a dog); **le ossa** bones (human)
ostacolare to oppose, to hinder
osteggiato hindered
ostilità *f* hostility
ottanta eighty
ottantadue eighty-two
ottantatré eighty-three
ottantotto eighty-eight
ottavo eighth
ottenere to obtain
ottenne *3rd sing pret* **ottenere**
ottimismo *m* optimism
otto eight
ottobre *m* October
Ottocento XIXth century; ottocento
ozio *m* leisure
ozioso idle

P

pace *f* peace
paciere *m* peacemaker
pacifico peaceful; **Pacifico** *m* Pacific
padre *m* father
padron' = **padrone**
padrone *m* master; owner
paesaggio *m* landscape
paese *m* country; town; **Paesi Bassi** Low Countries
pagano pagan
pagare to pay
pagina *f* page
paladino *m* knight
palazzo *m* palace; **pittore di —** court painter
Pallade Pallas, name given to Athena, goddess of wisdom and guardian of Athens, who sprang from the fore-

head of Zeus
pallido pale, pallid
Palma, Riccardo (c. 1480-1528) Venetian painter called Palma il Vecchio. Known for idyllic landscape background and female portraits.
palpitare to palpitate, to throb
paludamento *m* cloak; draping
paludato togated, clad in a toga
pane *m* bread
panegirico *m* panegyric
panneggiamento *m* panneggiamento, the manner in which in a painting garments are draped on the human body
pannello *m* panel
panno *m* cloth
panorama *m* panorama

Pantalone stock character of the irresponsible father in the Improvised Comedy

Paolo III Paul III, a member of the Farnese family. Pope from 1534-1549. Under him Michelangelo frescoed the Sistine Chapel. He built the Farnese Palace and instituted the Holy Office of the Inquisition. He recognized the Society of Jesus.

Papa *m* Pope

papale papal

Papato *m* Papacy

Paradiso *m* Paradise

paragonare to compare

paragone *m.* comparison; touchstone

paragrafo *m* paragraph; heading

paralisi *f* paralysis

parassita *m* parasite

parassiticamente parasitically

paręnte *m* and *f* relative

parere to seem

parete *f* wall

pari (a) equal; like

Parigi Paris

parigino Parisian

Parini, Giusęppe (1729-1799), author of *Il giorno,* a satirical poem on the empty life of noblemen of his day

pario from the island of Paros in the Aegean Sea, famous for its marble

parlare to speak

parlata *f* manner of speech

parodia *f* parody

parǫla *f* word

parroco *m* parish priest

parrucca *f* wig

parsimǫnia *f* parsimony; miserliness

parte *f* part; party; **da — ** aside; **da — di** from

parteggiare to take sides with

Partenone Parthenon, a famous temple in Athens, built on the Acropolis in honor of Athena Parthenos. It was begun in 447 B.C.

partęnza *f* departure

particolare *m* particular; detail; *a* particular

partigiano partisan

partire to leave; to depart

partito *m* party (political)

parve *3rd sing pret* **parere**

pascolare to graze

passaggio *m* passing; change

passare to pass

passato *m* past

passero *m* sparrow

passione *f* passion

passo *m* step

pastorale pastoral

pastore *m* shepherd

pasturęlla (pastoręlla) *f* young shepherdess

patęrno paternal

patria *f* fatherland; **in — ** home

patriarca *m* patriarch

patrimǫnio *m* patrimony

patrio of the fatherland

patriǫta *m* patriot

patrizio *m* patrician

patròn = **padrone**

patto *m* pact; **a — che** with the understanding that

pauroso fearful

pazięnte patient

pazzamente crazily; madly

pazzia *f* madness

pazzo crazy

pazzǫide rather crazy; *m* lunatic

peccato *m* sin

peccatrice *f* sinner

pęcora *f* sheep

pedagǫgico pedagogical

pedagǫgo *m* pedagogue

pedante *m* pedant

pedanteria *f* pedantry

pegno *m* token

pęlle *f* skin

pelliccia *f* fur

Pęllico, Silvio (1789-1854) author of dramatic poetry. Member of the romantic group of Milan.

pęllirossa *f* redskin of North America

pena *f* suffering; punishment; — **a vita** life sentence

pęndolo *m* pendulum

penetrante penetrating

penetrare to penetrate

penetrazione *f* penetration

pennęllo *m* brush

penoso painful

pensare (a) to think (of); — **(di)** to think (of) as in to entertain an opinion of

pensatore *m* thinker

pensiero *m* thought

pensieroso thoughtful

pensionare to pension

pensione *f* pension

pensosamente thoughtfully

pensosità *f* thoughtfulness

pensoso thoughtful

pentirsi to repent

per for; in order to

perché why; because

perciò therefore

percǫtere = percuǫtere

percuǫtere to strike

pęrdere to lose

perdette *3rd sing pret* **pęrdere**

perdęttero *3rd pl pret* **pęrdere**

pęrdita *f* loss

perdizione *f* perdition

perdonare to pardon

perdono *m* pardon

perdutamente bewilderedly

peregrinazione *f* peregrination

perfęttamente perfectly

perfętto perfect

perfezionare to perfect

perfezionarsi to perfect oneself; to specialize

perfezione *f* perfection

perfino even

perįcolo *m* danger, peril

pericoloso dangerous

perįodo *m* period

peripezįa *f* vicissitude

perire to perish

perizia *f* skill

permanere to remain

permesso *pp* **permęttere;** *m* permission

permęttere to permit, to allow, to let

permęttersi to take the liberty of

permise *3rd sing pret* **permęttere**

pernicioso pernicious

perpetuare to perpetuate

perplessità *f* perplexity

perplęsso perplexed

persecuzione *f* persecution

perseguire to pursue

perseguitare to persecute

Pęrseo Perseus, a Greek hero, son of Zeus and Danaë. He beheaded Medusa. A famous statue by Benvenuto Cellini.

persistęnte persistent

persona *f* person

personaggio *m* character

personale personal

personalità *f* personality

personalmente personally

personificare to personify

perspicace perspicacious, far-seeing

persuadere to persuade; to convince

persuạsero *3rd pl pret* **persuadere**

persuaso *pp* **persuadere**

Perugino (c. 1445-c. 1523) Umbrian painter, whose real name was Pietro di Cristoforo Vannucci. Born near Perugia, but studied under Verrocchio in Florence. Worked mostly in Rome and Perugia. Was Raphael's teacher. His *Annunciation* is in the National Gallery in Washington.

pervadere to pervade
pervaso *pp* **pervadere**
perverso perverse
pesante heavy
pesantezza *f* heaviness
pesare to weigh
pescatore *m* fisherman
pesce *m* fish
peso *m* weight, burden
pessimismo *m* pessimism
pestare to pound, to crush into powder; to tread upon
peste *f* plague
petrarchesco Petrarchian, in the manner of Petrarch
petrarchismo *m* a movement in poetry in which Petrarch was imitated
pettinare to comb
petto *m* breast
pezzetto *m* small piece
pezzo *m* piece
piacere to please; *m* pleasure
pian = piano
piangere to weep
piano *m* plane; *a* smooth; slow
pianta *f* plant
pianto *m* weeping; wailing
pianse *3rd sing pret* **piangere**
piazza *f* square
piazzaiuolo trivial, vulgar
piccolezza *f* smallness; trifle
piccolo small
piè = piede; a — di at the foot of
piede *m* foot
piegare to bend; to fold
pienamente fully
pienezza *f* fullness
pieno full; **a —** fully
Piero della Francesca (c. 1420-1492) Umbrian painter with a great concern for perspective and light effect in painting. Wrote a Latin treatise, *De Prospectiva Pingendi*. Well-known works are his *Flagellazione* at Urbino

and his *Natività* and *Battesimo di Cristo* in the National Gallery in London.
pietà *f* pity; compassion
pietoso compassionate; sad
pietra *f* stone; **— miliare** milestone
Pietroburgo *m* Petersburg
pietroso stony
pigolio *m* chirping
pinacoteca art gallery
pio meek; pious
Pio IV Pius IV, pope from 1559-1565. Convened the last session of the Council of Trent.
Pio VI Pius VI, of the Braschi family, pope from 1775-1779
Pio IX Pius IX, pope from 1846 to 1878
pioggia *f* rain
pirata *m* pirate
Pitrè, Giuseppe (1841-1916), collector of Sicilian folk tales
pittore *m* painter
pittorico picturesque; pictorial
pittura *f* art of painting
più more
piuttosto rather
plasmare to mold
plastico plastic
Platen, August, Graf von (1796-1835), German poet, author of odes reflecting his interest in Latin classicism.
Platone Plato (427 B.C.?-347 B.C.?) Greek philosopher, author of *The Republic*
platonicamente platonically
platonico platonic
platonismo *m* Platonism
Plauto Plautus (c. 254 B.C.-184 B.C.) Roman playwright, author of comedies
plebeo plebeian
Plinio Pliny (A.D. 23-79) Roman naturalist
plumbeo leaden

poco little; *pl* few
podere *m* estate
poema *m* poem (of great length)
poemetto *m* short poem
poesia *f* poetry; short poem
poeta *m* poet
poetessa *f* poetess
poetica *f* system of poetic art; **La —**
The Art of Poetry (by Aristotle)
poeticità *f* poetic quality
poetico poetic
poi then; **per —** and then; **in —**
then on
polarizzare to polarize
polemica *f* polemics
polemico polemical
polifonico polyphonic
politica *f* politics
politico political
polito polished
polizia *f* police
polo *m* pole
pompa *f* pomp; luxury
Pompeo Pompey (106 B.C.-48 B.C.)
Roman general
Pomponazzi, Pietro (1462-1525) Italian philosopher, a humanist who at-
tacked scholasticism. Argued that the
soul was mortal.
pomposo pompous; external
pontefice *m* pontifex; Pope; originally
the maker of bridges when the early
Latin tribes migrated
pontificio of the Pope, papal
popolare to crowd; to populate; *a*
popular
popolaresco in the popular manner or
style
popolarità *f* popularity
popolazione *f* population
popolo *m* people (social class)
pornografia *f* pornography
porre to put, to place
porta *f* door

portare to carry; to take
portata *f* reach; **a — di** within the
reach of
portavoce *m* and *f* spokesman
porto *m* port
portoghese Portuguese
posa *f* pose
pose *3rd sing pret* **porre**
positivista *m* and *f* positivist; *a* posi-
tivistic
positivo positive
posizione *f* position
possa *1st, 2nd, 3rd pres subj* **potere**
possano *3rd pl pres subj* **potere**
possedere possess
possedimento *m* possession
possente powerful
possiamo *1st pl pres ind* **potere**
possibile possible
possibilità *f* possibility
possiede *3rd sing pres ind* **possedere**
posta *f* mail; account; stakes (as in
betting); **a bella —** purposely, on
purpose
posteriore later; posterior, back
postero *m* member of posterity
posto *m* place; seat; position
postulato *m* postulate
postumo posthumous
poté *3rd sing pret* **potere**
potente powerful
potentemente powerfully
potenza *f* power
poter = **potere**
potere to be able; *m* power
potesse *3rd sing imp subj* **potere**
potessero *3rd pl pret* **potere**
potrà *3rd sing fut* **potere**
potrebbe *3rd sing pres cond* **potere**
potrebbero *3rd pl pres cond* **potere**
povero poor
povertà *f* poverty; misery
prammatico pragmatic
prammatismo *m* pragmatism

pratica *f* practice; experience
praticità *f* practicality
pratico practical, pragmatic
preannunziare to foretell
precedente preceding
precedere to precede
precedettero *3rd pl pret* **precedere**
precipitare to precipitate; to fall precipitously
precisamente precisely
precisione *f* precision
preciso precise
preconcetto *m* prejudice
precursore *m* forerunner, precursor
preda *f* prey
predecessore *m* predecessor
predica *f* sermon
predicare to preach
predilesse *3rd sing pret* **prediligere**
prediletto beloved
prediligere to love more than anything else; to love above all others
predominare to predominate, to be predominant
prefazione *f* preface
preferire to prefer
pregare to beg, to ask
pregevole valuable
preghiera *f* prayer
pregio *m* good trait; value
preistorico prehistoric
premessa *f* premise
premio *m* prize
prendere to take
preoccupare to preoccupy
preoccupazione *f* preoccupation
preparare to prepare
preraffaelita Pre-Raphaelite
prescritto *pp* **prescrivere**
prescrivere to prescribe
prese *3rd sing pret* **prendere**
presentare to present; to introduce (in a social sense)

presentazione *f* introduction; presentation
presente present
presentire to have a premonition of
presenza *f* presence
presenziare to be present at
presero *3rd pl pret* **prendere**
presidente *m* president
presiedé *3rd sing pret* **presiedere**
presiedere to witness; to guide; to preside
preso *pp* **prendere**
presso near; in the court of
prestare to lend
presto soon; **ben —** very soon
presunzione *f* presumption; **aver — a** to pretend to
presupporre to presuppose
presupposto *pp* **presupporre**
pretendente *m* pretender
prevalso *pp* **prevalere**
prezioso precious
prigione *f* prison
prigionia *f* imprisonment
prigioniero *m* prisoner
prima at first; before
primato *m* primacy, first place
primavera *f* spring
primitivo primitive
primo first; **per —** the first
primogenito first-born; oldest son
principale principal
principalmente principally
principe *m* prince; *pl* **principi**
principesco princely
principessa *f* princess
principiare to begin
principio *m* beginning; principle; *pl* **principi**
privato private
privilegio *m* privilege
privo deprived
probità *f* probity, uprightness

problęma *m* problem
procędere to proceed
procedęttero *3rd pl pret* **procędere**
procedimento *m* procedure
procęsso *m* process
proclamare to proclaim
proclive inclined
prodezza *f* prowess
prodigare to lavish on
prodotto *m* product
prodücono *3rd pl pres ind* **produrre**
produrre to produce
produsse *3rd sing pret* **produrre**
produttivo productive
professare to profess
professione *f* profession
professore *m* professor
profęta *m* prophet
profilo *m* profile; outline
profondamente deeply
profondere to profuse, to lavish
profondità *f* depth
profondo profound
profuse *3rd sing pret* **profondere**
profusero *3rd pl pret* **profondere**
profusione *f* profusion
profuso *pp* **profondere**
progettare to plan; to project
progętto *m* project; plan
programma *m* program
progredire to progress
progressivo progressive
progręsso *m* progress
proibire to prohibit
proiettare to project
proiezione *f* projection
proletariato *m* proletariat
prolusione *f* initial lecture at the opening of the academic year
promessa *f* promise
promęttere to promise
promise *3rd sing pret* **promęttere**
pronto ready
pronunciare to pronounce

pronunziare to pronounce
propone *3rd sing pres ind* **proporre**
proponeva *3rd sing imp* **proporre**
proporre to propose
proporsi to set as a goal for oneself
proporzione *f* proportion
propọsito *m* purpose, goal
propọsta *f* proposal
prọprio own; exactly
propugnatore *m* promoter
prọsa *f* prose
prọspero prosperous
prospettare to present; to plan
prospettiva *f* perspective
prospettivo prospective
protagonista *m and f* protagonist
protęggere to protect
protęssero *3rd pl pret* **protęggere**
protestante Protestant
protestare to protest
protętto *pp* **protęggere**
protettore *m* protector
protettrice *f* woman sponsor
protezione *f* protection
protọtipo *m* prototype
prọva *f* test
provare to prove; to test, to experience
provenzale Provençal, of or pertaining to Provence, a region in southern France where the poetry of the Troubadours flourished
provenzaleggiante imitating the Provençal manner
proverbiale proverbial
provęrbio *m* proverb
provinciale provincial
provvedere to provide; to offer
Provvidęnza *f* Providence
provvista *f* provisions
prudęnte prudent
prudęnza *f* prudence
pseudọnimo *m* pseudonym
psịchico psychic
psicologịa *f* psychology

psicologicamente psychologically
psicologico psychological
psicologo *m* psychologist
pubblicamente publicly
pubblicare to publish
pubblicazione *f* publication
pubblico public
pugnalare to stab
Pulci, Luigi (1432-1484) poet attached to the court of the Medici. Author of a long poem *Morgante* (1483) that satirizes the knights of the Carolingian cycles.

pulpito *m* pulpit
punire to punish
punto *m* point; *adv* at all
può *3rd sing pres ind* **potere**
pupo *m* dwarf; puppet
pur = **pure**
pure even; also; yet
purezza *f* purity
Purgatorio *m* Purgatory
purificare to purify
purificazione *f* purification
puro pure
putrefazione *f* putrefaction

Q

qua here
quaderno *m* notebook
quadrato square
quadro *m* picture
qualche some
qualcuno somebody
quale such as; **il —** who; **quale?** which one?
qualificare to qualify
qualità *f* quality; **in — di** in the capacity of
quando when; **di — in —** from time to time
quanto how much; **in —** in as much as
quaranta forty
quasi almost
quattordicenne in one's fourteenth year

quattordici fourteen
quattro four
Quattrocento *m* XVth century; quattrocento
quegli the former; those
quel = **quello**
quello that; that one
questione *f* question
questo this; this one; **questi** *sing* the latter
qui here
quiete *f* quietude, tranquillity
quieto quiet
quindici fifteen
quindicina *f* fortnight
quinto fifth
quotidiano daily

R

Rabelais, François (1490-1553) French author of satirical romances
racchiudere to enclose
racchiudersi to close oneself up in one's thoughts
racchiuso *pp* **racchiudere**
raccogliere to gather; **— l'ultimo respiro** to be present at someone's

death
raccogliersi to withdraw within oneself
raccoglimento *m* introspection
raccolse *3rd sing pret* **raccogliere**
raccolsero *3rd pl pret* **raccogliere**
raccolta *f* harvest; collection
raccolto *pp* **raccogliere**; wrapped up in one's self

raccontare to tell, relate
racconto *m* tale, story
radice *f* root
radiotelegrafico radiotelegraphic
radunare to gather
Raffaello Raphael (1483-1520), one of
    the greatest of the Italian painters
    of the XVIth century
raffigurare to picture; to represent
raffinare to refine
raffinatezza *f* refinement
ragazzo *m* boy
raggiungere to reach
raggiunse *3rd sing pret* **raggiungere**
raggiunto *pp* **raggiungere**
ragione *f* reason; right
ramingo wandering
randagio wandering
rapina *f* booty
rapporto *m* relation, connection
rappresentante *m* representative
rappresentare to represent
rappresentazione *f* performance
raramente rarely
raro rare
rassegnazione *f* resignation
rattristare to sadden
razionalismo *m* rationalism
re *m* king; **dal** — to the court of the
    king; **re cattolici** title of Ferdinand
    and Isabella, rulers of Spain at the
    end of the XVth century
reagire to react
Realdo, Colombo famous surgeon of
    the XVIth century
reale real; royal
realismo *m* realism
realista realist
realizzare to realize
realtà *f* reality
reazionario reactionary
reazione *f* reaction
recare to bring
recarsi to betake oneself

recingere to surround, to close in
recinto *pp* **recingere**
recinto *m* fence
reciproco reciprocal
reciso blunt
reclamare to reclaim; to demand
reclinare to recline
redatto *pp* **redigere**
redigere to redact, to draw up (as from
    a codex) ; to edit
redimere to redeem
refettorio *m* refectory
reggere to hold; to rule
reggitore *m* ruler
reggitrice *f* female ruler
regime *m* regime
regina *f* queen
regionalista *m* and *f* regionalist
regione *f* region
registrare to register
regno *m* kingdom, realm, reign
regola *f* rule
regolarizzare to regulate
relativismo *m* relativism
relativo relative
relazione *f* relation
religioso religious
rendere to render
rendita *f* income
repressione *f* repression
reprimere to repress
reprobo *m* reprobate
repubblica *f* republic
repubblicano republican
resa *f* surrender
rese *3rd sing pret* **rendere**
resero *3rd pl pret* **rendere**
residenza *f* residence
resistente resistant; enduring
resistenza *f* resistance
resistere to resist
resistette *3rd sing pret* **resistere**
reso *pp* **rendere**
resoconto *m* account

respingere to push back; to repulse
respiro *m* breathing; breath
responsabile responsible
responsabilità *f* responsibility
resse *3rd sing pret* **reggere**
resto *m* rest, remainder; **del —** on the other hand
resurrezione *f* resurrection
retorica *f* rhetoric
retorico rhetorical
revisione *f* revision
riacquistare reacquire
riaffacciare to bring forth again
riaffacciarsi to peep out again
riaffermare to reaffirm
riallacciare to bind together; to resume contact
rialzarsi to rise again
riamato requited
riattaccare to bind together, to unite; to relate to
riavvicinare to draw near
riavvicinarsi to draw near again; to make peace
ribellarsi to rebel
ribelle rebellious; *m* rebel
ribellione *f* rebellion
ricamare to embroider
ricantare to recant
ricatturare to recapture; to reimprison
ricchezza *f* wealth, riches
ricco rich
ricerca *f* research; search
ricercato painstaking
ricevere to receive
ricevette *3rd sing pret* **ricevere**
richiamare to call back
richiamo *m* call; decoy
richiedere to ask for; to require
richiudere to shut (to close) again
richiuso *pp* **richiudere**
ricingere to surround
ricinto *pp* **ricingere**
ricollegare to bind

riconciliazione *f* reconciliation
riconoscere to recognize
riconoscibile recognizable
riconoscimento *m* recognition
riconosciuto *pp* **riconoscere**
riconquistare to reconquer
riconvertirsi to return to the original faith
riconvertito *m* one who returns to one's original faith
ricordare to remind; to remember
ricordo *m* remembrance
ricorso *m* recourse
ricostruire to reconstruct; to rebuild
ricreare to recreate
ridà *3rd sing pres ind* **ridare**
ridare to give back, to return
ridda *f* whirlwind; quick succession
ridere to laugh; to smile
ridotto *pp* **ridurre**
ridurre to reduce
ridursi to be reduced to; to seek refuge
riduzione *f* reduction
riecheggiare to echo; to copy
riempire to fill
rientrare to reenter
riesaminare to reexamine
riesce *3rd sing pres ind* **riuscire**
riescono *3rd pl pres ind* **riuscire**
rievocazione *f* revocation; calling back to memory
rifà *3rd sing pres ind* **rifare**
rifare to do over again, to make over again; to imitate
riferimento *m* reference
riferire to refer
rifiorire to blossom again
rifiutare to refuse
rifiuto *m* refusal
riflessione *f* reflection; pondering
riflesso *m* reflection
riflesso *pp* **riflettere**
riflettere to reflect; to ponder
riforma *f* reform

riformare to reform
rifugiarsi to find shelter in; to take refuge in
rifugio *m* refuge, shelter
rifiutare to refute
rigenerazione *f* regeneration
rigettare to reject
rigidità *f* rigidity; severity
rigido rigid
rigo *m* line
rigoroso rigorous
riguardo (a) in connection with; as to
riiniziare to begin again
rileggere to reread
riletto *pp* **rileggere**
rilievo *m* relief
rimandare to postpone
rimanere to remain
rimangono *3rd pl pres ind* **rimanere**
rimare to rhyme; to write verse in the vernacular
rimase *3rd sing pret* **rimanere**
rimasto *pp* **rimanere**
rimesso *pp* **rimettere**
rimettere to put in again; to postpone
rimpianto *m* longing for the past
rimpicciolire to make small; to belittle
Rinaldo Renault, a knight in the Carolingian cycle. A gallant warrior and a rival of Roland for the favors of beautiful Angelica
Rinascimento *m* Renaissance
rincarnazione *f* reincarnation
rinnegare to deny
rinnovamento *m* renovation, renewal; innovation
rinnovare to renovate; to renew
rinnovatore *m* renovator; innovator
rinuncia *f* renunciation
rinunciare to renounce, to give up
rinunzia *f* renunciation
rinunziare to renounce, to give up
ripagare to repay

ripartire to depart again; divide
ripassare to pass again; to review
ripetere to repeat
ripetutamente repeatedly
ripiego *m* compromise; poor excuse
riporre to place
riportare to bring back
riposare to rest
riposo *m* repose, rest
riposto *pp* **riporre**
riprendere to resume; to criticize
riprese *3rd sing pret* **riprendere**
riprodurre to reproduce
ripudiare to repudiate
ripugnare to be repugnant to, to find distasteful
ripulire to give the finishing touch
risalire to hail back
risaltare to be in relief, to stand out
risalto *m* relief
risanare to heal, to cure
riscontro *m* balance; match, comparison
riscoperto *pp* **riscoprire**
riscoprire to rediscover
risentirsi to resent; to suffer (as with health)
riserbare to reserve
riservare to reserve
risiedere to reside; to consist
riso *m* laugh
risollevare to raise one's spirits
risolvere to resolve
Risorgimento *m* Risorgimento (period in which Italy regained her independence—1821-1870)
rispecchiare to mirror; to reflect
rispettare to respect
rispetto *m* respect; **— a** as to
rispettoso respectful
risplendere to shine; to glitter
rispondere to answer, to reply
rispose *3rd sing pret* **rispondere**
risposta *f* answer

rissa *f* brawl
ristretto *pp* **ristringere**
ristringere to restrict; to limit
risucchio *m* ebb tide
risultare to result
risultato *m* result
risuonare to resound
risvegliarsi to awaken
ritaglio *m* clipping
ritenere to consider; to hold; to keep
ritessere to weave over again
ritiene *3rd sing pres ind* **ritenere**
ritirare to withdraw
ritirarsi to retire
ritmo *m* rhythm
ritoccare to retouch
ritornare to return
ritorno *m* return; **di —** on returning home, on the way back
ritrae *3rd sing pres ind* **ritrarre**
ritrarre to portray, to reproduce, to copy
ritrattare to portray; to retract
ritrattista *m* and *f* portrait painter
ritratto *m* portrait
ritrovare to find again
ritrovo *m* gathering; **luogo di —** meeting place
riuscire to succeed
rivale *m* rival
rivaleggiare to rival; to antagonize
rivedere to see again; to revise
rivelante revealing
rivelare to reveal
rivelazione *f* revelation
riverenza *f* reverence; curtsy
riverire to revere
rivisione (revisione) *f* revision
rivista *m* review
rivivere to live again
rivoluzione *f* revolution
Roberto, Re King Robert, French ruler of Naples during the days of Boccaccio. Died in 1344.

rocca *f* rock, fortress
roccia *f* rock
roccioso rocky
roccocò Rococo
Rolando Roland
Roma *f* Rome
Romagna Romagna, region in northern Italy, south of Venice
romanesco belonging to Rome
romano Roman
romanticamente romantically
Romanticismo *m* Romanticism
romantico romantic
romanzo *m* novel
rompere to break
rondine *f* swallow
Rosmini, Antonio (1797-1855) churchman and philosopher
Rossetti, Dante Gabriel (1828-1882) English Pre-Raphaelite painter and poet
rosso red
rotta *f* route
rotto *pp* **rompere**
rovina *f* ruins
rovinare to ruin
rozzezza *f* roughness
rozzo rough, unfinished
rubare to steal; **a ruba** in great demand
Rubruquis, Guglielmo XIIIth century Dutch traveler and explorer
rudero *m* ancient ruin
ruminare to ruminate; to turn over in one's mind
rumore *m* noise
rumoroso noisy
ruppe *3rd sing pret* **rompere**
russo Russian
rusticano rustic
Rusticiano da Pisa XIIIth century man of letters, versed in French
rustico rustic

S

sa *3rd sing pres ind* **sapere**
saccheggiare to pillage
sacerdote *m* priest
sacrificare to sacrifice
sacrificio *m* sacrifice
sacristia *f* sacristy
sacro sacred
saggezza *f* wisdom
saggiatore *m* scale of precision
saggio *m* essay; *a* wise
sagoma *f* profile; outline (as of a building)
saliente standing out
salire to go up
salpare to sail; to set sail
saltar = **saltare**
saltare to jump; to leap
salute *f* health
saluto *m* greeting, salutation
salvare to save
salvatore *m* savior
salvezza *f* salvation
sancire to promulgate
Sangallo, Antonio da (1455-1534) built the domed church at Montepulciano.
Sangallo, Antonio da, the younger, (1485-1546) designed Farnese Palace and Pauline Chapel (Vatican). Collaborated with Bramante. Nephew of the older Sangallo.
sangue *m* blood
sanguinante dripping blood
sanità *f* sanity
sano healthy; sane
Sansovino, Jacopo (1486-1570) Venetian sculptor and architect
Santa Croce ancient church in Florence where great Italians are buried; the Westminster Abbey of Italy
santità *f* holiness; sanctity; **odore di** — aura of holiness

santo *m* saint; *a* holy
sapere to know; *m* knowledge
sappiamo *1st pl pres ind* **sapere**
sarà *3rd sing fut* **essere**
saraceno Saracen, any nomad of the deserts between Syria and Arabia; hence, an Arab or any Mohammedan, especially one hostile to the Crusaders
saranno *3rd pl fut* **essere**
sarcofago *m* sarcophagus
Sardegna *f* Sardinia, an island off the western coast of Italy
sardo Sardinian
sarebbe *3rd sing pres cond* **essere**
sasso *m* stone
Satana *m* Satan
satellite *m* satellite
satira *f* satire
satirico satirical
Saul, first king of Israel (c. 1025 B.C.)
sbalordire to astound; to bewilder
sbandare to disband; to scatter
sbarcare to disembark; — **il lunario** to make both ends meet
sbarrato wide-open, staring
sbiadito faded
sbizzarrirsi to indulge in a whim
sbrigliato unbridled
scacciare to chase out
scala *f* stairway
scalpello *m* chisel
scalpitare to prance
scaltro sly
scandagliare to fathom
scandinavo Scandinavian
scapigliato disheveled
scapito *m* loss; **a** — at the expense; **a** — **di** with a loss of
scarno thin, emaciated
scarseggiare to be scarce
scavare to dig
scegliere to choose

scelse *3rd sing pret* **scegliere**
scelsi *1st sing pret* **scegliere**
scelto *pp* **scegliere**
scemare to diminish
scena *f* scene; **resistere sulla —** to be still performed
sceneggiare to stage
scenetta *f* humorous sketch
scheggiare to splinter, to chip off
schema *f* scheme
schermaglia *f* skirmish
schermirsi to fend off
schizzare to sketch
schizzo *m* sketch
scia *f* wake
sciagura *f* misfortune
scialbo wan, pale
scientifico scientific
scienza *f* science
scienziato *m* scientist
sciogliere to untie; to loosen; to unravel
sciolto *pp* **sciogliere**; *a* nimble; **versi sciolti** free verse
sciovinismo *m* chauvinism
Scipione Scipio (c. 237 B.C.-183 B.C.) famous Roman general, conqueror of Hannibal during the Punic Wars
scissione *f* separation
scolopio *m* member of a religious order dedicated to teaching
scolpa *f* declaration of innocence; defense; **a — di** in defense of
scolpire to engrave; to sculpture
scomparire to disappear
scomparso *pp* **scomparire**
scomparve *3rd sing pret* **scomparire**
sconfiggere to defeat
sconfissero *3rd pl pret* **sconfiggere**
sconfitta *f* defeat
sconforto *m* deep sorrow, bereavement
sconosciuto unknown
sconsolato disconsolate
scontare to discount

scontroso sullen
sconvolgere to upset
sconvolto *pp* **sconvolgere**
scoperta *f* discovery
scoperto *pp* **scoprire**
scopo *m* goal; **a — di** with the purpose of
scoppiare to burst
scoppio *m* bursting; outbreak
scoprire to discover
scoraggiato discouraged
scoria *f* dregs; remains
scorrere to flow
scosso *pp* **scuotere**
scribacchiare to scribble
scrisse *3rd sing pret* **scrivere**
scrissero *3rd pl pret* **scrivere**
scritto *pp* **scrivere**; *m* writing
scrittore *m* writer
scrittrice *f* woman-writer
scritturare to engage by contract
scrivere to write
scrutare to scrutinize
scultore *m* sculptor
scultoreo in relief, sculpture-like
scultura *f* sculpture
scuola *f* school
scuotere to shake
scusare to excuse
sdegnare to spurn
sdegno *m* outburst of wrath
sdegnoso disdainful
sdraiato lying down
se if
sé oneself; himself; herself; themselves; **da —** by oneself
sebbene although
secolo *m* century
secondario secondary
secondo according to; *a* second
sede *f* seat
sedere to sit down
sedici sixteen
seduto *pp* **sedere**

segnare to mark
segretario *m* secretary
segrẹto *m* secret
seguace *m* follower
seguẹnte following
seguire to follow
sẹguito *m* following
sẹi six
Seicẹnto *m* XVIIth century; seicento
selva *f* forest
selvaggio savage
sembrare to seem
sẹmplice simple
semplicità *f* simplicity
sẹmpre always
senato *m* senate
senatore *m* senator
seno *m* bosom; small bay
sensazione *f* sensation
sensịbile sensible; of the senses
sensibilità *f* sensibility; sensitivity
sensitività *f* sensitivity
sẹnso *m* sense
sensuale sensuous; sensual
sensualità *f* sensuality
sentimentale sentimental
sentimentalità *f* sentimentality
sentimento *m* sentiment
sentire to feel; to hear
sentito deeply felt
sẹnza without
separare to separate, to divide
separatista separatist
separazione *f* separation
sepolcro *m* sepulcher, tomb
sepolto *pp* seppellire
sepoltura *f* burial
seppe *3rd sing pret* sapere
seppellire to bury
sẹppero *3rd pl pret* sapere
seppure even if
sera *f* evening
serbare to keep
Serenịssima (La) Republic of Venice

Serenịssimo title given to the Doge of Venice
serenità *f* serenity
sereno serene
sẹrie *f* series
serietà *f* seriousness
sẹrio serious; **sul —** really
servigio *m* service; **a — di** in the service of, in the court of, as a member of a royal household
servilismo *m* servility
servire (da) to serve (as)
servirsi (di) to make use of, to use
servitù *f* servitude; **nella — di** in the employ of
servizio *m* service; **a — di** in the household of
sessanta sixty
sessantadue sixty-two
sessantǫtto sixty-eight
sẹsso *m* sex
se stesso himself, itself
seta *f* silk
sete *f* thirst
settanta seventy
sẹtte seven
settẹmbre September
settenario *m* line of seven syllables
settentrionale northern
settentrione *m* north
severità *f* severity
sevẹro severe; serious
sezionare to dissect
sfẹra *f* sphere
sfociare to empty into (as of a river); to end in
sfogare to give vent to
sfogo *m* outlet, vent
sfondo *m* background
Sfǫrza, Ludovico. Called Ludwig the Moor because of his dark complexion. Was the despot of Milan at the end of the XVth century.
sfǫrzo *m* effort

sfuggire to flee
sfumare to shade off; to disappear
sgretolare to crumble
Shelley, Percy Bysshe (1792-1822) English poet, a neoclassicist
si himself; herself; yourself; themselves; yourselves; one
sia *1st, 2nd, 3rd sing pres subj* essere
sia che whether
siano *3rd pl pres subj* essere
sibilla *f* sibyl
sicché so that
siccome since; as
Sicilia *f* Sicily, a famous island at the southern tip of Italy
siciliano Sicilian
sicurezza *f* security; certainty
sicuro secure
sigaretta *f* cigarette
Sigfrido Sigfried or Sigurd, great ideal hero of Germanic mythology. In the Nibelungen cycle, the conqueror of Brunhild.
sigillo *m* seal
significare to mean
significato *m* meaning
signore *m* gentleman; master, lord; Signore Lord
Signoria *f* political organization of Florence in the XIVth and XVth centuries
signorile *m* gentlemanlike
signorotto *m* haughty lord
silenzio *m* silence
silenzioso silent
simboleggiare to symbolize
simbolicamente symbolically
simbolico symbolical
simbolismo *m* symbolism
simbolo *m* symbol
simile similar, like; i suoi simili his fellowmen
simmetria *f* symmetry
simpatico attractive

sinceramente sincerely
sincerità *f* sincerity
sincero sincere
singolo single
Siniscalco Seneschal, a high ranking dignitary in medieval times, holding a military office
sinistro left; a sinistra to the left
sinonimo *m* synonym; *a* synonymous
Sismondi, Jean Charles Léonard Simonde de (1773-1842), Swiss historian. Author of *History of the Italian Republics in the Middle Ages.*
sistema *m* system
sintesi *f* synthesis
situazione *f* situation
Siviglia *f* Seville
sleale disloyal
sobrietà *f* sobriety
sobrio moderate
sociale social
società *f* society
socievole sociable
soddisfare to satisfy
soddisfazione *f* satisfaction
sofferenza *f* suffering
soffermarsi to tarry, to linger
soffitto *m* ceiling
soffocare to stifle
soffondere to suffuse
soffrire to suffer
soffuso *pp* soffondere
Sofocle Sophocles, famous Greek author of tragedies in the Vth century B.C.
Sofonisba Sophonisba, IIIrd century B.C. Carthaginian lady. Legend says that, when Carthage was defeated by Rome, Massinissa, a former suitor, sent her a bowl of poison to drink to keep her from gracing a Roman triumph.
soggettivo subjective
soggetto *m* subject

soggiorno *m* sojourn
sogliono *3rd pl pres ind* **solere**
sognare to dream
sognatore *m* dreamer
sogno *m* dream
solco *m* furrow
soldatesca *f* soldiery
soldato *m* soldier; **fare il —** to take one's military service
sole *m* sun
solenne solemn
solere to be wont
solidità *f* solidity
solido solid
solitario lonely; solitary
solitudine *f* solitude
sollevare to lift
sollievo *m* relief, solace
solo alone; *adv* only
soltanto only
soluzione *f* solution
somigliare to resemble, to look alike
somma *f* sum
sommo highest
sonaglio *m* bell; **a sonagli** with bells
sonetto *m* sonnet
sonno *m* sleep
sono *1st sing, 3rd pl pres ind* **essere**
sontuoso sumptuous
sopportare to bear; to support; to put up with
sopra above; **al di —** above
sopraintendere to supervise
soprattutto above all
sopravvento *m* advantage
sopravvissero *3rd pl pret* **sopravvivere**
sopravvivenza *f* survival
sopravvivere to survive; to live on
sopruso *m* injustice
sorella *f* sister
sorgente *f* spring
sorgere to rise; to hold up, to support
sorpresa *f* surprise

sorreggere to support
sorridere to smile
sorriso *m* smile
sorse *3rd sing pret* **sorgere**
sorte *f* lot, fate, sort
sorvegliare to supervise, to watch
sospendere to suspend; to hang
sospeso *pp* **sospendere**
sospingere to push gently on
sospinto *pp* **sospingere**
sostanza *f* substance
sostanzialmente substantially
sostanzioso meaty
sostrato *m* substratum
sottigliezza *f* subtlety
sotto under
sottomarino *m* submarine
sottomesso *pp* **sottomettere**
sottomettere to submit; to enslave; to conquer
sottomise *3rd sing pret* **sottomettere**
sottopone *3rd sing pers ind* **sottoporre**
sottoporre to place under; to subject
sottoposto *pp* **sottoporre**
soverchio *m* excess (in order to reach the figure inside the block of marble, according to Michelangelo)
sovraccarico over-laden, over-burdened
sovrappongono *3rd pl pres ind* **sovrapporre**
sovrapporre to superimpose
spada *f* sword
spadino *m* short sword
Spagna *f* Spain
spagnolo Spanish
spagnuolo Spanish
spalla *f* shoulder
sparare to shoot
spargere to scatter; to spill (blood)
sparse *3rd sing pret* **spargere**
sparsero *3rd pl pret* **spargere**
sparso *pp* **spargere**
spaurire to awe
spazio *m* space

specchiare to mirror, to reflect
specchio *m* mirror
speciale special
specialmente especially
specie *f* kind
specificamente specifically
specificare to specify
specula *f* observatory
speculare to speculate
speculativo speculative
spegnere to extinguish; to kill
spegnersi to become extinguished; to die
spendere to spend
spendereccio *m* spendthrift
spense *3rd sing pret* **spegnere**
spensieratezza *f* thoughtlessness; carefree state
spensierato thoughtless, carefree
speranza *f* hope
sperare to hope
sperimentale experimental
sperimentare to experiment
spese *3rd sing pret* **spendere**
spesso often
spezzare to break asunder
spezzato broken asunder
spezzettare to break into small pieces
spiacere to displease
spiccato standing out, in relief
spiegare to explain
spietatamente pitilessly
spietato pitiless
spigliatezza *f* ease, facility; nimbleness
spina *f* thorn; — **dorsale** spinal column
spingere to push; to urge
spingersi to venture
spinse *3rd sing pret* **spingere**
spinsero *3rd pl pret* **spingere**
spinto *pp* **spingere**
spirito *m* spirit
spiritoso witty

spirituale spiritual
spiritualità *f* spirituality
splendidamente splendidly, magnificently
splendido splendid, magnificent
splendore *m* splendor
spogliare to despoil
Spoleto *f* Spoleto, a city in Umbria
spontaneamente spontaneously
spontaneità *f* spontaneity
spontaneo spontaneous
sporgente jutting out
sposa *f* bride
sposalizio *m* wedding
sposare to marry
sposo *m* bridegroom; husband; **promessi sposi** betrothed
spurio impure; spurious; false
squarcio *m* torn piece; selection
squisito exquisite
stabilire to establish
stampa *f* printing press
stanco tired
stare to be
statico static
stato *pp* **essere**
stato *m* state; **Stati Uniti** United States
statua *f* statue
statura *f* height, stature, build
Stefano Stephen
stella *f* star
stemma *m* coat-of-arms
stendere to extend; to spread
sterlina *f* sterling
Sterne, Lorenzo Sterne, Laurence (1713-1768), British author who started the great vogue of the sentimental novel. Best known works are *The Life and Opinions of Tristram Shandy* and *A Sentimental Journey through France and Italy.*
stesso same
stile *m* style

stilista *m* and *f* stylist
stilistico stylistic
stima *f* esteem
stịmolo *m* stimulus
stipẹndio *m* stipend; salary
stirpe *f* progeny
stoltizia *f* stupidity
stolto foolish
stọria *f* history; story
stọrico historical
storiografịa *f* historiography
storpiare to ruin; to maim
strabiliante astounding
stracciare to tear
stramberịa *f* whimsicality; nonsense
strambo erratic, strange
stranezza *f* strangeness; whimsicality
straniero foreign
strano strange
straordinario extraordinary
strappare to snatch
strappo *m* tear; infringement
straziante heart-breaking; anguished; tortured by anguish
strẹgua *f* measurement; **alla — di** according to, in terms of
strẹpito *m* noise, clamor
strettezza *f* difficulty; narrowness; strait; **in strettezze** in straits
stretto *pp* **strịngere**
stridẹnte jarring, strident
strịngere to bind together; to clasp (as in one's arms); to sign (as a pact, an alliance)
strinse *3rd sing pret* **strịngere**
strumento *m* instrument
Stuạrdo Stuart
studiare to study
studio *m* study; studio; university
studioso studious; **di —** as a student
su on; above; up; **— in alto** on high
sụbdolo deceiving; deceitful
subire to undergo

sụbito immediately
subìto *pp* **subire**
sublime sublime
subordinare to subordinate
substrato (sostrato) *m* substratum
succẹdere to happen; to succeed
successione *f* succession
succẹsso *m* success
sud *m* south
sụddito *m* subject
sudọvest southwest
sufficiẹnte sufficient
suggerire to suggest
sultano *m* sultan
suo his, her, hers, its; **di —** of his own; *pl* **suọi**
suonare to play
suonatore *m* player
suọno *m* sound
superamento *m* overcoming; going beyond, surpassing
superare to overcome; to go beyond
supẹrfluo superfluous
superiore superior
superiorità *f* superiority
superstizione *f* superstition
suprẹmo supreme
suscitare to suscitate; to create; to produce
suọra *f* sister, nun
ṣvago *m* amusement
ṣvanito vanished
ṣvariato varied
ṣvegliare to awaken
ṣvelare to unveil
ṣventura *f* misfortune
ṣviare to lead astray
ṣviluppare to develop
ṣviluppo *m* development
ṣvịzzero Swiss
ṣvọlgere to develop, to unfold
ṣvolgimento *m* development
ṣvọlgono *3rd pl pres ind* **ṣvọlgere**

svǫlse *3rd sing pret* svǫlgere
svǫlto *pp* svǫlgere

Swinburne, Algernon (Charles)
(1837-1909) English poet

T

taglio *m* cut
tal = tale
tale certain; such; so and so
tanto so much; di— in — from time
to time; — che as . . . as; to the
point that
tardi late
tardo late; slow
tastiera *f* keyboard
tasto *m* key (in the keyboard)
tavola *f* table
teatrale theatrical
teatro *m* theatre
tęcnica *f* technique
tęcnico technical
tedesco German
tela *f* canvas
telegrafia *f* telegraphy
telęgrafo *m* telegraph
teleolǫgico teleological
telescǫpio *m* telescope
tęma *m* theme
temperamento *m* temperament
temperare to temper
tempęsta *f* storm, tempest
tempestoso stormy, tempestuous
tęmpia *f* temple (of the head)
tęmpio *m* temple; church
tęmplo *m* temple
tęmpo *m* time
temporale *m* storm; *a* temporal
tęmpra *f* temper; texture
temprare to temper
tenace tenacious
tenacemente tenaciously
tenacia *f* tenacity
tendęnza *f* tendency
tęndere to tend
tęneramente tenderly

tenere to have; to hold
tenerezza *f* tenderness
tęnero tender
tenersi to hold (consider) oneself
tenne *3rd sing pret* tenere
tęnnero *3rd pl pret* tenere
tenore *m* standard
tentare to attempt, to try; to tempt
tentativo *m* attempt
Teǫfilo Theophilus
teologia *f* theology
teolǫgico theological
teǫlogo *m* theologian
teorętico theoretical
teoria *f* theory
teoricizzare (teorizzare) to theorize
Teręnzio (c. 195 B.C.-c. 159 B.C.) Roman writer of comedies
tergiversare to temporize; to waver
terminare to end
tęrmine *m* term; goal; end; condurre
a — to end, to finish
termǫmetro *m* thermometer
termoscǫpio *m* thermoscope
tęrra *f* earth, land; per — on the
ground; Tęrra Santa Holy Land
terracǫtta *f* terracotta, hard-baked clay
used in pottery
terraferma *f* continent
terreno *m* terrain; *a* earthly
terręstre terrestrial
terribile terrible
terrore *m* terror
terrorizzare to terrorize
tęrzo third
tese *3rd sing pret* tęndere
Tesęide a poem concerning Theseus, a
Greek legendary hero
tęsi *f* thesis

tesoro *m* treasure
tessere to weave
tessitore *m* weaver
tessuto *m* woven material
testa *f* head
testardaggine *f* stubbornness
testimone *m* witness
testimonianza *f* testimony
testimoniare to testify to
testimonio *m* witness
testo *m* text
tetralogia *f* tetralogy
tetro gloomy
tigre *f* tiger
timido timid
timore *m* fear
Tintoretto (1518-1594) Venetian painter, called Il Tintoretto (little dyer)
from his father's trade. Worked c.
1564-c. 1587 on the great cycle of
paintings in Venice among which is
the *Crocifissione*. His *Paradiso* in the
ducal palace in Venice is reputedly
the largest oil canvas in the world.
tipico typical
tipo *m* type
tirannide *f* tyranny
tiranno *m* tyrant
tirare to pull; to throw
tirocinio *m* apprenticeship
tisi *f* tuberculosis
titanico titanic
Tito Titus, Roman emperor (79-81
A.D.)
titolo *m* title
Tiziano Titian, Venetian painter of the
XVIth century
toccare to touch; to arrive at
togliere to take away
tollerabile tolerable
Tolomeo Ptolemy
Tolosa *f* Toulouse
tolse *3rd sing pret* togliere

tolsero *3rd pl pret* togliere
tolto *pp* togliere
tomba *f* tomb
tonalità *f* tonality
tondo *m* picture with a round shape;
a round
tono *m* tone
torbido turbid
torcere to twist; — l'anima to wring
the heart
torcersi to writhe
tormentare to torment
tormento *m* torment
tormentoso tormenting
tornare to return
torpore *m* torpor
torreggiare to tower
Torricelli, Evangelista (1608-1647).
Italian physicist and mathematician.
Invented the mercurial barometer and
a microscope, and improved the telescope.
torturare to torture
Toscanelli, Paolo dal Pozzo (1397-
1482) Italian physician, cosmogra-
pher, and mathematician. Author of
the maps used by Columbus in his
first voyage.
toscano Tuscan
totalmente totally
tra between; among
traccia *f* trace; footprint
tracciare to trace; to leave an imprint;
to strike out (as a new path)
tradimento *m* betrayal
tradire to betray
tradizionale traditional
tradizionalista *m and f* traditionalist;
conservative person
tradizione *f* tradition
tradurre to translate
tradusse *3rd sing pret* tradurre
traduttore *m* translator

traduzione *f* translation
traeva *3rd sing imp* **trarre**
trafficare to trade
traffico *m* traffic, trade
tragedia *f* tragedy
tragico tragic
Traiano Trajan (c. 52-117), Roman emperor (98-117)
trama *f* plot; warp
tramandare to transmit
tramontare to set (as the sun)
tranquillamente tranquilly
tranquillità *f* tranquillity, peacefulness
tranquillo tranquil, peaceful
trapassare to pass through, to go beyond; to end
trarre to take; to take out, to extract
trasandato unkempt
trascendentale transcendental
trascendentalista *m* and *f* transcendentalist
trascendenza *f* transcendency
trascendere to transcend
trascorrere to pass through
trascritto *pp* **trascrivere**
trascrivere to transcribe
trascrizione *f* transcription
trasferire to transfer
trasfondere to transfuse
trasformare to transform
trasfuse *3rd sing pret* **trasfondere**
trasmesso *pp* **trasmettere**
trasmettere to transmit; to hand down
trasmissione *f* transmission
trasportare to carry; to transport
trasporto *m* transportation; deep emotion, abandon
trattare to treat
trattato *m* treatise; treaty
tratteggiare to sketch
tratto *m* trait, feature
traversare to cross
travolgere to upset; to turn violently

travolgono *3rd pl pres ind* **travolgere**
tre three
Trecento XIVth century; trecento
treno *m* train
trenta thirty
trentanove thirty-nine
tresca *f* tryst
triade *f* triad
tribunale *m* tribunal
tributare to pay tribute to
trionfare to triumph; — **di** to triumph over
trionfo *m* triumph
triste sad
tristezza *f* sadness
Troia *f* Troy, ancient Middle East city destroyed by the Greek armies around 1200 B.C. after a siege of ten years
tromba *f* trumpet
troncare to truncate, to break off; to cut off
tronco *m* trunk
trono *m* throne
troppo too much
trovabile that can be found
trovare to find
trovarsi to be (to denote location or health)
truppa *f* troop
tu thou, you
tubercolosi *f* tuberculosis
tumulto *m* tumult
tumultuosamente tumultuously
tumultuoso tumultuous
turbinare to whirl
turbolento turbulent
turco Turkish
Turgenev, Ivan Sergeyevich (1818-1883) Russian author. His masterpiece is *Fathers and Sons.*
tutt'altro far from
tutto all
tuttora still, even now

U

ubbidiẹnte (obbediẹnte) obedient
ubbidiẹnza (obbediẹnza) f obedience
ubbidire (obbedire) to obey
uccẹllo m bird
uccịdere to kill
uccịdersi to commit suicide
uccise 3rd sing pret uccịdere
ucciso pp uccịdere
udire to hear; to listen to
ufficiale m officer; a official
ufficio m office; role
Ulisse Ulysses, a Greek hero who took part in the siege of Troy, the hero of Homer's Odyssey
ụltimo last; in — in the last count
umanamente in a human manner
umanista humanist
umanità f humanity
umanitario humanitarian
umanizẓatrice humanizing
umano human
Umbria f region in central Italy
umbro Umbrian
ụmile humble
umiliare to humble
umilmente humbly
umiltà f humility
umore m mood; humor; temperament
umorismo m humor
umorịstico humoristic
un a, an, one
ụnico only
unificare to unify
unificazione f unification

uniformemente uniformly
uniformità f uniformity
unione f union
unire to unite
unità f unity
unitario unitarian; synthetical (as opposed to analytical)
universale universal
universalismo m universalism
universalità f universality
universalmente universally
università f university
univẹrso m universe; — sensịbile tangible and observable universe
uno a, an; one
uọmo m man; pl uọmini
uọvo m egg; f pl uọva eggs
urbano urban
Urbano V Urban V, pope from 1362-1370
Urbano VIII Urban VIII, member of the Barberini family. Was pope from 1623 to 1644.
urtare to clash against; to irritate
urto m clash
usare to use; to be wont
uscire to go out; to gush out
uscita f exit
uso m use; usage; habit; custom
ụtile useful
utilitario utilitarian
utilitarismo utilitarianism
utilizẓare to utilize

V

va 3rd sing pres ind andare
vacante vacant
vacuità f vacùity
vacuo m vacuum; a empty
vagabondaggio m aimless wandering

vagabondo m vagabond, tramp
vagare to wander
vagheggiare to cherish, to caress; to court
vagliare to sift

vago vague

Valentino name given to Caesar Borgia for having been made Duke of the Valentinois by Louis XII of France.

valle *f* valley

valore *m* value; valor

valorizzazione *f* valorization

valutare to evaluate; to appreciate

Valsolda region near Vicenza

valutazione *f* evaluation

vano vain

vanno *3rd pl pres ind* **andare**

vantaggio *m* advantage

vantaggioso advantageous

vantare to boast

vanteria *f* boastfulness

vaporosità *f* diaphanous quality

Varchi, Benedetto (1503-1565) Florentine historian and critic. Known for a dialogue *Ercolano* in which the relative merits of Dante's poem are discussed.

variare to vary

variazione *f* variation

varietà *f* variety

vario various; different

Vasari, Giorgio (1511-1574) architect of the Uffizi. He executed many murals in the Vatican and in the cathedral in Florence. Wrote biographies of great Italian artists.

vastità *f* vastness

vasto vast

Vaticano *m* Vatican, the Pope's residence in Rome

vecchiaia *f* old age

vecchio old

vedere to see

vedova *f* widow

vedovo *m* widower

vegetare to vegetate

vegga *1st, 2nd, 3rd pres subj* **vedere**

velare to veil

veleggiare to sail

veliero *m* sailboat

velo *m* veil

velocemente swiftly

vena *f* vein (of poetry)

vendicare to avenge; to vindicate

venerdì *m* Friday

Venere *f* Venus, the goddess of beauty and love in classical mythology

Venezia *f* Venice

veneziano Venetian

vengono *3rd pl pres ind* **venire**

venire to come

venne *3rd sing pret* **venire**

vennero *3rd pl pret* **venire**

ventaglio *m* fan

venti twenty

venticinque twenty-five

ventinove twenty-nine

ventiquattro twenty-four

ventisei twenty-six

ventitré twenty-three

vento *m* wind

ventotto twenty-eight

ventura *f* luck, chance

venuta *f* arrival

veramente truly, in sooth

Verrazzano, Giovanni da (c. 1480-c. 1527) Italian navigator and explorer of the North American coast in the service of France

verde green

verecondo modest; bashful

verga *f* rod; iron bar

vergare to write; to pen

vergine *f* virgin

vergogna *f* shame

verista belonging to Verismo, a literary theory that predominated in the XIXth century. Its promulgators believed that literature should study and express actual truth.

verità *f* truth

vero true

verrẹbbero *3rd pl pres cond* **venire**
Verrọcchio, Andrẹa del (1435-1488) Florentine painter and sculptor. Was Leonardo's teacher and author of the equestrian statue of Bartolomeo Colleoni in Venice.
versare to pour; to shed (as tears) ; to be (as in poor circumstances)
versato versed, familiar with
versione *f* version
vẹrso *m* line; *prep* towards
vertiginosamente in a whirling manner
vẹspro *m* vespers
Vespucci, Amerigo (1454-1512) Italian navigator who discovered the Amazon River in 1499 and sailed along the north shore of South America. He revolutionized cosmography by designating South America as a new continent.
Vẹsta *f* Roman goddess of the hearth
vẹste *f* garment
vestimento *m* clothing
vestire to clothe; *m* clothing
Vesuvio *m* Vesuvius, a volcano near Naples
vetro *m* glass
Vettori, Francesco Florentine legate to the Papal court in Rome at the beginning of the XVIth century. Intimate friend of Machiavelli.
vezzo *m* cajoling; habit; wile (of woman)
vi there
vịa *f* way; street; *adv* away; — **di mezzo** way out; middle road
viaggiare to travel
viaggiatore *m* traveler
viaggio *m* journey; voyage
vicẹnda *f* happening; vicissitude
viceré *m* viceroy
vicinanza *f* neighborhood, nearness

vicino close, near; **da** — at close range
vide *3rd sing pret* **vedere**
vi è there is; — **sono** there are
viẹne *3rd sing pres ind* **venire**
vigilare to be vigilant
vigilia *f* watch; eve
vigliaccheriạ *f* cowardliness
vigore *m* vigor
vile vile
villa *f* villa
villaggio *m* village
villeggiatura *f* summering
viltà *f* cowardliness
vince *3rd sing pret* **vịncere**
vịncere to conquer
vincitore *m* victor
vincolare to tie; to enslave
vinto *pp* **vịncere**
violẹnto violent
violẹnza *f* violence
Virgilio Virgil (Vergil) (70 B.C.-19 B.C.) Roman poet, famous author of *The Aeneid*
Virginia legendary figure in Roman history, stabbed by her father to save her from the lust of Appius Claudius Crassus, a decemvir.
virgulto *m* shoot
virile virile
virilità *f* virility
virtù *f* virtue
virtuoso virtuous
visịbile visible
visione *f* vision
vịsita *f* visit
visitare to visit
viso *m* countenance
visse *3rd sing pret* **vịvere**
vịssero *3rd pl pret* **vịvere**
vissuto *pp* **vịvere**
vista *f* sight; view
visto *pp* **vedere**
vita *f* life

vitale vital
vittima *f* victim
vittoria *f* victory
vittorioso victorious
vivace vivacious
vivacità *f* vivacity
vivente living
vivere to live
vivezza *f* vivacity; brightness (as in
   light)
Viviani, Vincenzo (1622-1721) the biographer of Galilei
vividamente vividly
vivo alive, vivid, bright; **al —** in a
   living manner; to the quick, deeply
vizio *m* vice
vocabolo *m* word
voce *f* voice
voga *f* vogue
voglia *1st, 2nd, 3rd sing pres ind* **volere**
voglio *1st sing pres ind* **volere**
volare to fly; to hasten
voler = **volere**

volere to wish, to want; **volle mettere l'arte alla portata dei molti**
   he tried to put art within the reach
   of the many
volgare *m* vernacular; vulgar
volgarità *f* vulgarity
volle *3rd sing pret* **volere**
volo *m* flight
volontà *f* will
volontario voluntary
volta *f* time; **una —** once; **qualche
   —** sometimes; **a volte** at times;
   arched ceiling
Volta, Alessandro (1745-1827) inventor of the electric battery
volubilità *f* volubility
volume *m* volume
volumetto *m* small volume
voluttuoso voluptuous
votivo dedicated; sacred (as in a vow)
voto *m* vow
vuoi *2nd sing pres ind* **volere**
vuoto empty

W

Wagner, Richard (1813-1883) German
composer of operas. Considered by
many the greatest operatic genius of
all time. His librettos, which he
wrote himself, were drawn chiefly
from Germanic legend and literature.

Winckelmann, Gioacchino Winckelmann, Johann Joachim (1717-1768),
author of a famous book, *History of
the Art of the Ancients* (1764). Also
a classical archeologist.

X, Y, Z

zecca *f* mint
zio *m* uncle

zotichezza *f* boorishness